Rafael Seligmann
Der Musterjude

Rafael Seligmann
Der Musterjude
Roman

Claassen

Copyright © 1997 Claassen Verlag, Hildesheim
Alle Rechte vorbehalten
Satz und Druck: Gerstenberg Druck, Hildesheim
Gesetzt aus der Sabon
Gedruckt auf chlorfrei gebleichtem, säurefreiem Papier
Printed in Germany
ISBN 3-546-00119-2

Für Elisabeth

Inhalt

1
Jubiläum

»Freust du dich auch schon so auf heute abend, Mannilein?«
Moische Bernstein freute sich nicht: »Ja, ... sicher. Also bis
später.«

»Ciao, Mannilein.«
Er ließ den Hörer auf den Apparat plumpsen.
Konnte die Schickse* nicht begreifen, daß ihm vor seinem
Geburtstag graute – schon seit Wochen?
Objektiv gesehen konnte er sich nicht beklagen. Aber was
heißt schon »objektiv«, wenn man vierzig wird? Moische war,
dem Herrn sei's gedankt, gesund. Von gelegentlichem Magen-
grimmen abgesehen. Was er freilich nicht auf die leichte Schulter nehmen durfte, denn sein Onkel Jakob war an Magenkrebs
gestorben. In letzter Zeit hatte sich auch Moisches Magen wieder schmerzhaft gemeldet. Er mußte sich einen Termin bei Dr.
Waxmann besorgen.
Viel versprach er sich nicht davon. Denn statt ihn eingehend
zu untersuchen – Blutsenkung, Magenspiegelung, Ultraschall
und so – klopfte dieser Kurpfuscher ihm jedesmal jovial auf die
Schulter und trompetete, kaum daß Moische seine Symptome
geschildert hatte: »Ja, ja, gewiß. Ein Jid ohne Krankheit ist wie
ein Bayer ohne Bier – todunglücklich.«
Waxmanns Leichtfertigkeit ging Moische zunehmend auf
die Nerven. Den gleichen Tinnef hatte der Arzt seinem Vater
gegenüber verzapft. Nicht lange danach war der gestorben.
Moische mußte schleunigst den Doktor wechseln, sonst würde
ihn Waxmann bald ins Grab bringen, wie seinen Vater und seinen Onkel.
Kopfzerbrechen machte Moische auch das Geschäft. In letz-

---

* Alle jiddisch-hebräischen Ausdrücke werden im Glossar ab S. 354 erklärt.

ter Zeit breiteten sich die Jeans-Shops rund um die Uni aus wie Metastasen. Schamlos brachen Deutsche und Türken in diese urjüdische Domäne ein. Levi Strauss war doch kein Goj gewesen! Auf die paar Kröten, die Moische bei dem mörderischen Konkurrenzkampf übrig blieben, stürzte sich das Finanzamt wie eine Kreuzritterhorde. Da sage noch einer, Chuzpe sei eine jüdische Erfindung. Moische kam sich vor wie die jüdischen »Luftmenschen« von ehedem. Die versuchten, sich durch die Summe ihrer Verlustgeschäfte über Wasser zu halten.

Auch Hanna war mit Moische unzufrieden. Was blieb ihr übrig? Eine jiddische Mamme, die sich mit den Erfolgen ihres Sohnes zufrieden gibt, ist keine! Moische war überzeugt, daß die Juden so dumm geblieben wären wie die Gojim, wenn ihre Mammes sie nicht seit ewigen Zeiten in den Toches getreten hätten. Genau das war sein wunder Punkt: Er war scheinbar so dumm geblieben wie die Gojim – trotz des permanenten Leistungsdrucks, der von seiner Mamme ausging. Oder gerade deswegen?

Dennoch glaubte Moische aber fest an seine außergewöhnliche Begabung. Er war ein Künstler, ein genialer Schreiber. Doch seine Größe wurde verkannt! Warum? Woran lag es, daß sich seine Talente nicht entfalten konnten?

Moische zündete sich eine Zigarette an, während er in die rückwärtigen Geschäftsräume schlenderte.

In roh gezimmerten Holzregalen türmten sich Jeans, Flanellhemden, Sweat- und T-Shirts, Jeans-Jacken und -Westen bis dicht unter die Decke. Neue Ware, die er noch nicht eingeordnet hatte, lag aufgeschichtet vor der Umkleidekabine auf dem abgenutzten roten Teppichboden, davor reihten sich einige Dutzend braune und schwarze Cowboystiefel.

Nur in diesem Teil seines Ladens fühlte sich Moische halbwegs wohl. Er sog das süßliche Aroma des frischgewachsten Schuhleders ein, ließ seine Fingerkuppen über die gestärkten Hosenstoffe gleiten. Am Haxenverlängerungsspiegel vorbei ging Moische zur Umkleidekabine. Er riß den verwaschenen beigen Vorhang beiseite und ließ sich auf den Hocker in der Kabine fallen.

Warum war gerade ihm der Erfolg versagt geblieben?

An seinem Äußeren konnte es nicht liegen. Oder? Moische war schlank, normal gewachsen, Größe 50. Sein Gesicht war, wie einige Frauen ihm versichert hatten, »fein geschnitten«. Er hatte eine hohe, gewölbte Stirn, einen ausdrucksvollen Mund, einen leicht geschwungenen Nasenrücken. War seine Judennase der Grund, daß er im Mittelmaß versackte? Unsinn! Viele Deutsche hatten schärfer gekrümmte Nasen als er. Moisches hellgrüne Augen, um die sich schon in seiner Kindheit Lachfältchengespinste gebildet hatten, stempelten ihn jedenfalls nicht zum Hebräer – eher zum »Witzbold«. So hatten ihn seine Mitschüler genannt. Die Lehrer dagegen hatten ihn »Hanswurst« oder, noch schlimmer, »Quatschkopf« geschimpft. Sein Name allein ließ ihn jedenfalls nicht als Israeliten identifizieren. Um ihrem Kind unnötigen Ärger zu ersparen, hatten Moisches Eltern ihn in den amtlichen Papieren zu Manfred verdeutscht. Als er das Bekleidungsgeschäft des Vaters zu einem Jeans-Laden umfummelte, nutzte Moische die Gelegenheit, seinen Namen weiter zu entlasten. Aus *Bernsteins Textilien* wurde *Bernis Jeans-Shop*. Fortan nannte er sich Manfred Bern.

Moische sog den Rauch tief in seine Lungen. Er schnippte die Zigarettenasche in die Luft und verteilte sie mit seiner Stiefelspitze auf dem Boden. Unwillkürlich mußte er lachen. Jetzt sollte Hanna mich sehen! Sofort würde sie losschimpfen: Hier stinkt es wie in einem Aschenbecher! So vertreibst du auch noch den letzten Kunden.

Auch Raucher tragen Jeans. Denk an den Marlboro-Mann, würde er antworten.

Denk lieber du daran! Der Dummkopf ist längst an Lungenkrebs gestorben. Genauso wird es dir auch gehen, wenn du nicht augenblicklich mit deinem Gepaffe aufhörst! Außerdem wirst du eines Tages den ganzen Laden in Brand stecken. Dann sind wir endgültig ruiniert.

Moische kannte den Sermon seiner Mamme und seine eigenen Antworten auswendig. Wenn es ihr nicht paßt, soll sie sich doch jeden Tag in den Schuppen stellen!

Wütend drückte er den Zigarettenstummel am Kabinenspiegel aus. Dabei sah er seine Mutter auf sich zukommen.

Hanna hatte ihr wasserstoffblond gefärbtes Haar frisch ondulieren lassen. Die stämmige Figur war in ein neues lindgrünes Seidenkostüm gezwängt. Ihre Golda Meir-Elefantenbeine steckten in Lackschuhen. Für diese Schmattes darf ich mich hier halbtot rackern, zürnte er insgeheim.

Hanna sah ihren Sohn aus klaren, blauen Augen an. »Benutz' bitte den Aschenbecher, Moischale.« Sie setzte ihr Lächeln wieder auf. »Aber ich will mit meinem Jingale heute nicht schimpfen, an seinem Geburtstag ...«

Moische winkte unwirsch ab.

»Nun sag bloß, du hast deinen eigenen Geburtstag vergessen ...?«

Er schüttelte den Kopf.

»Du solltest diesen Tag zum Anlaß nehmen, endlich ein erwachsener Mensch zu werden ...«

»Laß mich wenigstens heute in Frieden«, flehte Moische.

Hanna stampfte mit ihrem rechten Bein so kraftvoll auf, daß ihr Rock zu reißen drohte. »Hör endlich auf, dich wie ein Kleinkind zu benehmen! Wir müssen das Geschäft schleunigst wieder in Ordnung bringen. Dein Kabuff hier«, sie sah sich mißbilligend im Hinterraum um, »muß verschwinden! Wir lassen die Rückwand durchbrechen. Da gehört ein großes Fenster rein, durch das viel Licht fällt. An die Decke müssen diese kleinen, modernen Glühlämpchen und Lautsprecher für Musik. Die Gojim lieben diesen meschuggenen Krach. Und der Boden muß gefliest werden. Wir machen einen Ausverkauf und schmeißen dabei deinen ganzen Jeans-Tinnef raus. Im neuen Laden führen wir nur noch Markenware, piekfein, in Chromregalen. Wie es sich für eine richtige Boutique gehört.«

Hanna Bernstein musterte ihren Sohn skeptisch. Ihr Zeigefinger schnellte in Moisches Richtung: »Und dann mußt du dich endlich anständig anziehen!«

»Du kannst mich mal! Ich bin nicht dein Hampelmann.«

»Nein, du bist ein ungezogener Junge. Aber an deinem Geburtstag werde ich mich nicht mit dir streiten.« Sie griff nach Moisches Hand, doch er entzog sie ihr sogleich.

»Heute abend werde ich dich mit einem Essen verwöhnen, das nur deine Mamme so kochen kann. Gehackte Leber, Hühnerbrühe, Tscholent ...« Sie schnalzte mit der Zunge.

»Tut mir leid, Mamme. Ich bin heute abend schon eingeladen ...«

»Die Schickse!« schrie Hanna auf. »Dieses Frauenzimmer wird dich noch vollständig zugrunde richten!«

»Weil sie mich zu Spaghetti einlädt, statt zum Tscholent?« Moisches herausforderndes Grinsen ließ Hanna ihren Vorsatz vergessen, ihm heute die Wahrheit zu ersparen.

»Nein! Weil dich diese deutsche Pute mit ihrer Dummheit angesteckt hat wie mit einer Tuberkulose. Sie hat dich zum Nichtsnutz gemacht. Juden und Gojim lachen über dich.« Moische fühlte sich leer und kraftlos.

»All deine Freunde haben jüdische Frauen geheiratet, aus allen ist etwas geworden.« Hanna wurde lauter. »Aus allen!«

»Saul Feiereisen hat eine Schickse geheiratet ...«, warf Moische ein.

»Kunststück! Ihr Vater ist Mehrheitsaktionär der *Bavaria*-Brauerei. Er hat ihn gleich in die Firmenleitung gesteckt ...«

»Ich stecke auch in der Geschäftsleitung ...«

»Nein, du steckst im Dreck.« Sie fuhr mit ihrem Zeigefinger über ihr Kinn. »Bis hierher! Und dazu noch diese dumme ...«

»Brigitte ist nicht dumm.«

Hanna marschierte auf und ab. Sie genoß seine Aufregung. Endlich blieb sie vor Moische stehen und sah ihm direkt in die Augen. Vergeblich versuchte er, dem Blick seiner Mutter standzuhalten.

»Wahrscheinlich hast du sogar recht.« Hanna sprach ungewohnt leise, aber Moische spürte die Spannung hinter ihren Worten.

»Die Schickse macht das Beste aus ihrem Spatzenhirn. Sie ist bloß Krankengymnastin. Jetzt versucht sie natürlich, sich einen jüdischen Mann zu angeln. Dieser Trottel bist du!« schrie sie unvermittelt. »Wirft sich an die nächstbeste Schickse ohne Geld und Verstand.«

Hanna trat an das Jeans-Regal. Mit den Fingern ihrer rechten Hand fuhr sie über die Staubschicht. »Schweinestall!« raunzte sie. »Vater und ich haben das Geschäft mühsam aufgebaut und du richtest es zugrunde. Du bist ein noch größerer Idiot als deine Schickse!«

Moisches Energie glühte auf und drohte jeden Moment an seiner Mutter zu explodieren. Wütend trat er gegen einen Haufen Sweatshirts, die in alle Richtungen auseinanderstoben. Auch einige Cowboystiefel wurden mitgerissen.

»Meschuggener«, kommentierte Hanna. Ihre unerschütterliche Festigkeit steigerte Moisches Zorn. Er packte den nächstbesten Stiefel und schwang ihn gegen seine Mutter. Endlich wich sie zurück. Das brachte Moische noch mehr in Harnisch. Er schleuderte den Stiefel gegen den Spiegel hinter Hanna. Das Bersten des Glases brachte ihn zur Besinnung. Er sah sich erschrocken um.

»Vandale!« zeterte seine Mamme.

Moische stürmte nach vorne.

»Vor allem rennst du davon. Nur vor dir selbst kannst du nicht davonlaufen, du Versager!«

2
Freundschaft

»Le Chaim, Manni. Auf deine Zukunft.«

»Prost, Heini.«

Die Freunde stießen an. Heiner Keller trank langsam, voller Genuß. Er gab sich als Weinkenner. Unter allen israelischen Weinen schätzte er den fruchtigen weißen Golan am meisten. Das kühle Getränk verbreitete in seinem Magen eine angenehme Wärme. Er lehnte sich zurück und beobachtete seinen Freund.

Manni las konzentriert das *logo!*-Magazin der kommenden Woche. Seine Augen eilten von Zeile zu Zeile. Rasch blätterte er die Seiten um, dann fraß sich sein Blick wieder an einem der Texte fest. Schmale Falten zogen sich von Manfreds Nasenwurzel in die Stirn. Seine Lippen waren aufeinander gepreßt. Ab und zu tastete er nach dem Weinglas, aus dem er rasch trank. Für seine Umgebung hatte er keinen Blick.

Heiner sah sich um. Die breiten Fronten des Glaspavillons gaben den Blick frei in zwei langweilige Hinterhöfe vor und hinter dem *Maon*, dem einzigen jüdischen Club und Restaurant der Stadt. Eine breite Flügeltür an der Stirnseite des Lokals führte zur Küche. Davor war eine schmale Holztheke, auf der eine alte chromglänzende Espressomaschine stand. Seitlich des Tresens befand sich der Eingang zum Clubraum. Hier schlugen sich die Kartenspieler die Nächte um die Ohren.

Heiner liebte die unvergleichliche Atmosphäre des *Maon*. Er konnte sich nicht sattsehen an den Gästen des Lokals. Die meisten waren ältere Juden aus Osteuropa, die nach Kriegsende in Deutschland hängengeblieben waren. In wenigen Jahren würden diese Menschen tot sein. Mit ihnen würde die lebendige Erinnerung an das osteuropäische Judentum unwiederbringlich verloren sein.

Heiner beobachtete sie diskret und versuchte, die Folie des

Alters und des Leids von ihren Gesichtern zu lösen. Ehe die Nazisoldaten ihre Existenz zerstört hatten, waren diese Leute jung und voller Lebensfreude gewesen. Neugierig auf das, was außerhalb ihrer Schtetl geschah. Zu gern hätte Heiner ihre damalige Welt kennengelernt. Als er Manni seinen Wunsch eingestand, hatte der Jude das als »sentimentalen Quatsch« verlacht: »Typische Philosemiten-Romantik. Die Juden im Schtetl waren bettelarm. Ihr Leben bestand aus Dreck, Angst und Hunger. Deswegen ist jeder, der konnte, nach Amerika abgehauen.«

Heiner ließ sich durch Manfreds Zynismus nicht beirren. Immer wieder zog es ihn in das *Maon*, besonders am Freitagabend. Beim Anbruch des Sabbath füllte sich das Lokal mit den älteren Juden.

Auch für Heiner ging die Arbeitswoche am Freitagabend zuende. Zu dieser Stunde fühlte er sich fast wie ein Jude. Um die Stimmung auszukosten, nahm er sogar die gefillte Fisch in Kauf.

Am heutigen Freitag hatte Heiner jedoch nicht ins *Maon* gehen wollen. In der Nacht davor hatte er bis zwei Uhr früh die Texte seiner Autoren und Redaktionskollegen überarbeiten müssen. Die meisten Kulturschreiber hatten wenig Ahnung von Orthographie, von Zeichensetzung ganz zu schweigen. Beim Redigieren schien es Heiner zuweilen, als schütteten die Autoren mit einer Streusandbüchse Kommata und Punkte über ihre Texte.

Um halb acht hatte Heiner schon wieder in der Redaktion gesessen. Bis zehn Uhr mußten die Feuilletonseiten umbrochen sein. Danach folgten hektische Nachkorrekturen.

Ab Mittag berief Knut Reydt eine Ressortleiterbesprechung nach der anderen ein. Mit wildem Gebrüll versuchte der Chefredakteur die stetig sinkende Auflage und seine schwindende Autorität zu überschreien.

Gegen achtzehn Uhr hatte sich Heiner kurzentschlossen ein druckfrisches *logo!*-Magazin geschnappt und auf den Weg nach Hause gemacht. Er wollte endlich schlafen.

Kaum hatte er das Redaktionsgebäude Richtung Leopoldstraße verlassen, lief ihm Manfred über den Weg. Heiner hatte seinen Schulfreund noch nie so verstört erlebt. Mannis Gesicht war kalkweiß, sein Blick wirr, die Frisur zerzaust, das Hemd hing ihm aus der Hose. Er jammerte über seine Mutter und erging sich in wüsten Selbstbeschimpfungen. Schließlich erwähnte er, daß heute sein vierzigster Geburtstag sei.

Heiner verstand sofort. Ihm selbst stand dieser Schreckenstag in wenigen Monaten bevor. Spontan lud er Manfred ins *Maon* ein. Der sträubte sich gegen das »jüdische Altersheim«. Statt dessen wollte er mit Heiner in ein türkisches Bauchtanzlokal. Doch Heiner bestand auf dem *Maon*. Manfred mußte nachgeben.

Manfred schlug das Magazin zu und legte es beiseite. »Euer Blatt ist der Beweis, daß die Lateiner dumme Sprüche geklopft haben. Nomen est omen – von wegen!« Manfred grinste. »Man kann eurem *logo!* alles mögliche vorwerfen, nur nicht, daß es logo ist.«

Heiner mußte sich schnell etwas einfallen lassen, wenn er den Abend retten wollte. »Willst du heute nicht mit Brigitte feiern?«

Manfred schüttelte heftig den Kopf.

»Oder sie wenigstens anrufen?«

»Nein!« Er packte Heiners Hand und hielt sie mit verzweifelter Kraft fest. »Dich hat der Himmel geschickt, Henry! Wärst du mir nicht in die Arme gelaufen, wäre ich in meiner Verzweiflung glatt zu Brigitte gelaufen. Ich war schon auf dem Weg zu ihr.«

Warum mußte ich Trottel ausgerechnet heute die Heftkritik-Konferenz schwänzen, bereute Heiner.

»Begreifst du nicht?« Moische konnte nicht glauben, daß der Goj überhaupt kein Gespür für seine geprügelte jüdische Seele hatte. »Eine zweite Vernichtung wie die von meiner Mamme vorhin halte ich nicht aus.« Moische schenkte sich sein Glas wieder voll.

»Aber Brigitte liebt dich doch!«

»Meine Mamme auch! Sie liebt mich mehr als jeder andere Mensch auf der Welt.« Er trank einen Schluck.

»Aber Brigitte würde dich doch nie im Leben beschimpfen.«

»Das ist ja das Furchtbare!« Der Bursche verstand von der weiblichen Psyche so wenig wie ein Rabbi von Schweinswürsteln. »Bei meiner Mamme kann ich mich wenigstens wehren – brüllen, Zeug zerdeppern, sogar flennen. Bei Brigitte hingegen habe ich keine Chance. Ihre verständnisvolle Güte erstickt mich.«

»Deine Mutter ist dir zu streng, Brigitte ist dir zu gut ...«

»Gütig!«

»... kann dir's denn niemand recht machen?«

»Nein!« Manfred leerte sein Glas mit einem Zug. »Ich bin eben ein Versager.«

»Hör auf mit dem Krampf! Du bist besoffen, das ist alles.«

So was mußte er sich von einem Goj sagen lassen! »Hanna hat recht. Als Kaufmann bin ich eine Niete.«

»Aber dein Laden läuft doch prima.«

Manfred schwenkte heftig seinen Zeigefinger. »Du hast keinen blassen Schimmer von Geschäften.« Er lachte auf. »Ich übrigens auch nicht!« Wieder füllte er sein Glas. »Das ist ja der Mist! Ich versteh' von Geschäften soviel wie ein Nazi von den Zehn Geboten.«

Moische merkte, daß er von den Gästen am Nebentisch beobachtet wurde. »Ich bin kein Koofmich!« brüllte er. »Ihr habt richtig gehört. Ich bin kein Ssoicher ...«

Manfreds Gezeter war Heiner unangenehm. Es wurde noch peinlicher, als die Bedienung mit seinem Essen an den Tisch trat.

»Ich hoffe, der gefillte Fisch schmeckt Ihnen heute so gut wie sonst auch, Herr Keller«, gurrte Dina Lewi. Dann wandte sie sich an seinen Freund. »Willst du vielleicht auch eine Portion, Moische? Er ist heute ganz frisch.«

»Nein! Mir ist schon schlecht. Ich brauch' dazu nicht euren Fisch ...«

»Halt dein Maul!« herrschte ihn Heiner unvermittelt an.
Moische und Dina erstarrten. Moische fixierte Heiner.

»Wie in guten alten Zeiten! Der Ton steckt euch im Blut,
Heinrich!«

Heiner unterdrückte seinen Ärger. Konnte man es diesen
Hebräern nie recht machen? Erst peinigten sie einen bis aufs
Blut, und wenn man darüber die Geduld verlor, war man für
sie gleich ein Nazi. Aber er hatte keine Lust auf diese endlose
deutsch-jüdische Debatte, bei der er als Deutscher von vorn-
herein auf verlorenem Posten stand – zumal in diesem Juden-
lokal.

»Sorry. Es hat mich geärgert, wie du mit Dina umgesprun-
gen bist. Du hättest sie nicht beleidigen dürfen!« Jetzt befand
sich der Hebräer wieder in der Defensive. Fast tat ihm Moische
leid.

Heiner hob sein Glas. Moische mußte es ihm gleichtun.

»Le Chaim«, hauchte Heiner.

»Prost!« erwiderte Moische, sie tranken.

»Und wie geht's jetzt mit dir weiter, Manfred?«

»Ich bin Journalist, mit Leib und Seele. Aber man hat mich
nie gelassen«, lamentierte der Jeansverkäufer.

Moische begann, Heiner seine Lebenslitanei vorzujammern.

»Meine Eltern, der Rabbiner, sämtliche Freunde und Bekannte. Alle wollten einen zionistischen Pionier aus mir machen.« Moische zündete sich eine Zigarette an, inhalierte tief
und blies den Rauch in Richtung Nebentisch.

»Sie haben mich Tag und Nacht beschwatzt. Also gab ich Israel eine Chance.« Moische starrte ins Leere. »Die Alten hatten gut reden. Schickten ihre Kids in ihre Luxuswohnungen
oder ließen sie in schicken Hotels in Tel Aviv oder Jerusalem
logieren. Die Youngsters taten, als studierten sie und brachten
die Kohle ihrer Mischpoche unter die Leute.« Er zog an seiner
Zigarette. »Meine Eltern hatten keine Bleibe in Israel. Sie
schickten mir monatlich auch keinen dicken Scheck rüber. Ich
mußte in den Kibbuz.«

Heiner stocherte lustlos in seinem Fisch herum. Das Selbstmitleid des Juden bekam ihm noch schlechter als der fette, verzuckerte Karpfen. Er erschrak über seine Empfindungen: Hatte dieser Trivialpolitologe Daniel Goldhagen recht, den Deutschen vorzuwerfen, alle Antisemiten zu sein? Bin auch ich ein Judenhasser? Nein! Ich hasse nicht mal diesen Moische.

»Aber so ein Kibbuz ist doch was dolles.« Heiner war bemüht, die Stimmung aufzulockern.

»Im deutschen Fernsehen schon. Aber in Israel hausen in diesen Käffern nur noch Bekloppte.«

Moische zog an seiner Zigarette. »Es gibt auch schlechte Juden. Die Kerle im Kibbuz beispielsweise. Das war Fronarbeit wie im KZ.«

»Niemand hat dich gezwungen, im Kibbuz zu arbeiten. Du hättest ja aufhören können. Außerdem bist du nicht umgebracht worden!«

Manfred genoß Heiners politisch korrekte Empörung. »Zum Umbringen haben sie doch die Araber.«

»Wenn ich die Juden ..., pardon, die Israelis mit Nazis vergleiche, regst du dich auf ...«

»Zu Recht!«

»Aber du darfst es? Du selbst beschimpfst die Israelis als Araberkiller.«

»Nicht jeder Killer ist ein Nazi – auch wenn ihr Deutschen es gerne so hättet.«

Dieser Jude war wie ein Aal. Moisches süffisantes Grinsen brachte Heiner in Rage.

Der Jeansverkäufer genoß eine Weile die erregte Hilflosigkeit seines Gegenübers. Dann hatte er ein Einsehen und lenkte das Gespräch wieder auf unverfänglichere Geleise. »Nicht einmal die furchtbare Wirklichkeit des Kibbuz hat damals meinen zionistischen Aberglauben erschüttern können. Also habe ich nach meiner Flucht aus dem Lager ...« Moische beobachtete zufrieden, wie Heiner bei diesem Wort wieder zusammenzuckte. »... ich meine, aus dem Kibbuz, sofort einen hebräischen Sprachkurs belegt.«

»Könnt ihr nicht alle Hebräisch?«

»Genauso wie ihr Christen alle Altgriechisch und Latein beherrscht.«

»Ich dachte ...«

»Ich auch! Ich habe mir eingebildet, mir als einem Juden würde Hebräisch zufliegen. Das ist genauso absurd wie die Meinung, daß jeder Schwarze gut tanzen und jeder Deutsche gut killen kann ...« Moische amüsierte sich über Heiners Wut. »In unserem Kurs waren deutsche und amerikanische Mädchen, die hatten Hebräisch in Null Komma nix intus. Aber ich, der Jude, habe einfach keine Ader für diese komische Sprache. Immerhin hatte ich eines bald kapiert: daß ich nicht nach Zion gehörte.«

»Deshalb bist Du also nach Deutschland zurückgekehrt und hast Journalistik studiert ...«

»Ich hab' auch bei allen möglichen Blättern hospitiert. Aber im deutschen Reich ist die harte, saubere Journalistik tot – jedenfalls seit ihr alle Juden abgemurkst habt.« Der Goj reizte ihn heute pausenlos zur Provokation.

»Wir Juden waren die Oasen in der deutschen Kulturlandschaft. Das habt ihr nicht ausgehalten. Also habt ihr uns ausgerottet. Allmählich dämmert's euch, daß ihr damit eure Seele und euren Geist ermordet habt. Ohne Juden ist Deutschland eine Wüste.«

»Das klingt reichlich undifferenziert, Manni. Obgleich ich natürlich den Verlust der Juden zutiefst bedauere«, Heiner leerte sein Glas. »Und betrauere!«

»Das ist echt anständig von dir. Du bist ein guter Deutscher.«

Am liebsten hätte Heiner dem Kerl eine in die Fresse geschlagen. Statt dessen zerhackte er mit dem Fischmesser seinen Karpfen.

Moische ignorierte Heiners Wut. »Die gute journalistische Musik spielt heute in Amerika! Also hab' ich alles drangesetzt, um dort zu arbeiten. Nach ewigem Klinkenputzen hatte ich's geschafft, ich war Mitarbeiter beim *Aufbau* in New York. Doch kaum gelingt mir der Durchbruch, kratzt mein Alter ab.«

»Scheiße.«

»Das kannst du laut sagen! Hanna hat mich damals so lange bedrängt, bis …« Er imitierte mit hoher Stimme seine Mutter: »Wenn du mich jetzt allein läßt, unter all diesen Nazis, bringe ich mich um! Dann hast du deine Mamme auf dem Gewissen. Wie du mit dieser Schuld weiterleben kannst, mußt du selbst wissen!« Moische wechselte wieder in seine gewöhnliche Tonlage. »Ich dachte, o.k., es gehört sich, den Alten persönlich einzubuddeln und das Kaddisch …«, Moische sah in Heiners Augen den fragenden Ausdruck, der sich bei ihm stets einstellte, wenn er jüdische Begriffe verwendete, die der Goj sich vergeblich mit Hilfe von Juden-Aufklärungs-Literatur einzurichten versuchte. Nach einer Kunstpause erlöste er Heiner aus seiner Ignoranz, »… das Totengebet zu sprechen.«

Heiner nickte. »Das mußtest du tun.«

»Nein!« schrie Moische. »Das war der schlimmste Fehler meines Lebens. Meine Todsünde! Denn Hanna ließ nicht locker, bis sie mich in ihren Saftladen gezwungen hatte.« Er ahmte ihr Flehen nach: »Nur für ein paar Monate, Moischale. Bitte, bitte hab Erbarmen mit deiner alten gebrochenen Mamme! – Von wegen ein paar Monate! Das war vor siebzehn Jahren! Seither hält mich die alte Hexe in dieser Gruft gefangen. Einen Zombie hat sie aus mir gemacht. Einen Zombie!« Moische ließ seinen Kopf auf den Tisch knallen.

Heiner hätte sich am liebsten unsichtbar gemacht. Immer hatte er sich bemüht, im *Maon* als vorbildlicher Gast aufzutreten. Und jetzt gebärdete sich ausgerechnet sein jüdischer Kumpel als unbeherrschter Trunkenbold. Was würde der alte Herr Lewi von ihm denken? Nichts. Wegen eines beschickerten Rotzlöffels ließ der sich in seinem Kartenspiel nicht stören.

Die Gäste teilten jedoch die Gelassenheit des Wirts nicht. Manche hatten sich halb von ihren Stühlen erhoben und starrten auf den jungen Bernstein. Beschickert hatten sie Moische noch nie gesehen. Frau Dessauer ging zaghaft auf die jungen Leute zu und fragte mit als Nächstenliebe getarnter Neugier: »Kann ich Ihnen irgendwie helfen?«

Heiner sah sie erschrocken an. »Danke. Ich glaube, nein. Wir kommen schon zurecht. Mein Freund fühlt sich heute nicht wohl ...«

Moische murmelte von unten: »Mir geht's immer beschissen. Nicht nur heute. «

Die alte Frau machte einen Schritt nach vorn. »Aber warum denn, Moischale?«

Langsam hob er seinen Kopf. Von der aufgeplatzten Unterlippe führte ein dunkelroter Blutfaden zum Kinn. Moische blinzelte ins Licht. »Das geht dich einen Dreck an, du alte Machscheife!«

3
Dankbarkeit

Moisches Kopf wurde klar, sobald er aus dem *Maon* in die kühle Nachtluft stolperte. Wir sind schon ein komisches Völkchen, ging es ihm durch den Kopf, als er kurz danach neben Heiner die Amalienstraße entlangtaperte.

Felix Bibermann hatte ihm im Lokal den Rücken gekehrt. Moische war sicher, daß der Alte die ›Sensation‹ seiner Trunkenheit in sein Handy posaunt hatte. Im Nu würde die heiße Nachricht in der jüdischen Gemeinde die Runde machen. Mit Sicherheit hatte man Hanna schon von seinem Exzeß unterrichtet.

Zweitausend Jahre unter den Gojim haben nicht genügt, uns von den Segnungen des Alkohols zu überzeugen. Lieber ärgern wir uns Geschwüre in den Magen oder sonst wohin. Moische schmunzelte. Ich aber habe sie schon nach vierzig Jahren erkannt. Wirklich?

Moische hatte höchstens vier Glas Wein getrunken. Er war nicht besoffen, nur angeheitert. Falsch! Angeheitert werden die Gojim, wenn sie sich betrinken. Ihm aber war keinen Moment lang heiter zumute gewesen. Er war ange …, angejidelt. Das war's: angejidelt! Moische war stolz auf seine Wortschöpfung.

»Angejidelt ist einfach genial«, trompetete er, als sie in die Schellingstraße einbogen.

»Was sagst du?«

»Ich weiß jetzt, was ich bisher falsch gemacht habe.«

»Wenn du morgen aufwachst, hast du einen Brummschädel. Aber deine edlen Vorsätze wirst du vergessen haben, und deshalb wird's dir wieder gut gehen.«

»Ich bin angejidelt, nicht angetrunken, angejidelt«, rief Moische beharrlich.

»Den Ausdruck habe ich noch nie gehört.«

»Ich habe soeben die jüdische Lebensmelodie entschlüsselt.«

»Verrätst du sie mir?«

»Warum nicht?« Moische hakte sich bei Heiner ein und zog ihn über das Kopfsteinpflaster der Barer Straße. »Gehen wir in den *Schelling Salon*! Dort erkläre ich sie dir.«

Heiner sträubte sich. »Muß es unbedingt dieser Schuppen sein? Da hat doch Hitler verkehrt.«

»Wo hat Hitler in diesem Land nicht verkehrt?«

Unter der Decke des Spielsaals hing eine Dunstglocke aus Rauch, Bier und Schweiß. Um die Poolbillard-Tische gruppierten sich die Spieler. Schwatzende Studenten spielten Rücken an Rücken mit älteren Kleinbürgern. Die tranken lieber ihr Bier, als zu reden. Zwischen Spielern und Tischen wieselten Kellnerinnen in dunkler Kluft.

Moische führte Heiner an einem dunklen Holzparavent vorbei in den Speiseraum. Sie setzten sich an einen kleinen quadratischen Tisch, der mit einem weißblauen Tuch bedeckt war.

Schon tauchte eine Kellnerin bei ihnen auf. »Die Herren wünschen?« fragte sie mit dunkler Stimme.

»Ein Weißbier«, orderte Heiner.

Moische betrachtete die Kellnerin aufmerksam. Sie mochte dreißig sein, war schlank und hochgewachsen. Ihr dunkles Haar war kurz geschnitten. Ein schelmisches Lächeln spielte um ihre blauen Augen. Die vollen Lippen waren leicht geschürzt. Der Mund schien ständig auf einen Anlaß zu lauern, vor Lachen zu explodieren. Moische lächelte die Kellnerin an. »Verzeihung, könnten Sie mir bitte einen Kamillentee bringen?«

»Da brauchen S' sich doch nicht zu entschuldigen! Jeder hat a mal an Rausch.« Sie lachte laut auf, wie Moische es erwartet hatte, und machte sich davon.

»Erzähle mir bitte was über deine jüdische Lebensmelodie«, forderte Heiner.

»Sie sagt mir, daß ich nicht dazu geschaffen wurde, jahrein, jahraus fette deutsche Ärsche in enge jüdische Hosen zu quetschen.«

»Sondern?«

»Ich werde, was ich bin!«

»Ein neuer Nietzsche?«

»Nein! Journalist!«

»Bist du dafür nicht schon ein wenig ...« Heiner zögerte.

»... zu alt?« ergänzte Moische. »Mag sein. Aber du und deine Kollegen seid auch nicht mehr die Jüngsten.«

»In der Tat. Aber wir sind ja auch schon eine Weile im Geschäft.«

»Wenn man eure Beiträge liest oder euch in der Glotze sieht, möchte man's nicht glauben. Du ... pardon, ihr verblödet allmählich, Heinrich.«

»Wir müssen verständlich schreiben. Der Leser soll unsere Anliegen begreifen.«

»Bist du sicher, daß ihr die Leser begreift?«

»Wir tun, was wir können ...« Oder tun zumindest so, gestand sich Heiner ein.

»Bitte!« Die Kellnerin war an Moisches Seite getreten. Sie beugte sich über den Tisch und stellte das Glas mit dem hochgeschäumten Weißbierglas vor Heiner.

Dann kam Moische dran. Scheinbar unbeabsichtigt streifte sie seinen Oberarm. »So. Da ham S' Ihren Kamillentee. Ich hab' Ihnen noch ein kleines Platzerl dazu g'legt, damit Ihnen der Abend bei uns nicht gar zu bitter wird.«

»Wenn Sie servieren, ganz sicher nicht!« Moische blickte sie aufgeräumt an. »Darf ich fragen, wie Sie heißen?«

»Freilich. Dagmar heiß ich.« Sie zögerte kurz. »Meine Freunde nennen mich Daggi.«

»Darf ich Sie auch so nennen, ... Daggi?«

Sie lachte auf. »Sonst hätt' ich's Ihnen doch nicht gesagt.« Ihr verebbendes Lachen ging in eine zarte Röte über. »Und wie heißen Sie?«

»Manfred. Für meine Freunde Manni.« Der Schalk in ihren Augen ermutigte Moische. »Finden Sie nicht, daß Daggi und Manni prima zusammenpassen?«

»Das müssen wir erst mal ausprobieren, Manni. Gell?«

Sie sah Moische herausfordernd an. »Also … dann Servus …«
Lachend ging sie davon.

Moische sah Dagmar nach, wie sie sich mit kräftigen, doch geschmeidigen Schritten durch die engen Tischreihen bewegte. Heiners schmallippige Bemerkung »Der gefällt du«, registrierte er kaum. Als die Kellnerin verschwunden war, wandte sich Moische wieder seinem Begleiter zu.

»Der deutsche Journalismus ist einfach Scheiße! Ihr versteht die Leser nicht, und die Leser kapieren euren Kram erst recht nicht.«

»So?« Heiner ging die Chuzpe dieses Losers allmählich zu weit. »Deiner vernichtenden Kritik zum Trotz werden unsere Blätter täglich von Millionen gelesen. Auch unser *logo!*-Magazin …«

»Was bleibt den Leuten schon übrig? Sie wollen wissen, wie das Wetter wird und wie ihre Aktien stehen.« Moische nippte kurz an seinem Tee. »Was mich meschugge macht, sind meine Leute. Die Judenschreiber können einfach nichts falsch machen. Die Deutschen lieben sie. Die wirklich guten Juden-Federn habt ihr allerdings längst erschlagen …«

»Ich bin erst 39!« wehrte sich Heiner.

»… und deswegen haltet ihr die paar Jidn, die überlebt haben, wie Pandabären hinter Glas in wohltemperierten Käfigen. Was sie schreiben oder quatschen, ist euch egal. Hauptsache, es sind Jidn. Eure jüdischen Mitbürger, wie ihr stolz verkündet – sogar wenn sie gar keine Juden sind.«

»Du übertreibst wieder mal gewaltig.«

»So? Nehmen wir doch Friedemann Emanuel Jacobson. Das einzige, was an dem Kerl echt ist, ist sein Glasauge.«

»Er wurde in Israel geboren.«

»Dafür kann er nichts. Seine Eltern sind vor euch nach Palästina geflohen.«

»Ich war damals noch nicht geboren!« Heiner verlor die Geduld.

Manfred ließ sich in seinem Redefluß nicht stören: »Sobald der Bursche wieder in Deutschland war, ist er aus dem Judentum ausgetreten, hat eine Deutsche geheiratet und ist zum Christentum konvertiert.« Moische holte kurz Luft. »Und nennt sich in jedem Artikel einen ›stolzen deutschen Patrioten‹.«

»Na und? Das tun andere auch.«

»Wenn ein Deutscher so einen Unsinn verzapft, haltet ihr ihn für einen verbohrten Rechten. Aber ein Jid darf das. Der hat bei euch Narrenfreiheit.«

»Die genießt du ebenfalls!«

»Nein,« Moische winkte ab, ehe Heiner ihm ins Wort fallen konnte, »... denn auf mich hört niemand.« Er nahm einen Schluck Kamillentee. »Schau dir doch diesen Schneeweiss an!«

»Du kannst nicht bestreiten, daß der schreiben kann«, hielt Heiner dagegen.

»Und wie! Mit jeder Zeile macht er euch klar, was für Arschlöcher ihr seid. Recht hat er! Und ihr klatscht ihm frenetisch Beifall.«

»Seine Eltern waren in Auschwitz ...«

»Na und? Entgegen landläufiger deutscher Meinung heißt das nicht, daß er deswegen ein ehrlicher Mensch ist. Oder daß er eine Ahnung vom Judentum hat. All diese Schwindler haben doch keinen blassen Schimmer vom ehrlichen Judentum ...«

Über den Rand seines Bierglases betrachtete Heiner Moische aufmerksam. »Und was bedeutet ›ehrliches Judentum‹?«

»Güte! ... Menschlichkeit! ... jüdische Weisheit!«

»Wärst du bereit, für uns einen Artikel zu schreiben?«

»Worüber?« Moisches Stimme war mit einem Mal heiser.

»Über gütige jüdische Ehrlichkeit und so weiter.«

»Selbstverständlich!« Moische hatte gar nicht bemerkt, daß Dagmar wieder an den Tisch getreten war.

»Braucht's ihr noch was?«

»Nein!« beschied Moische sie knapp. Dagmar entfernte sich verwundert.

Moische ergriff Heiners Hand und versuchte, gewinnend zu lächeln. »Könnte ich nicht regelmäßig für eure Zeitschrift schreiben, Henry?«

Manfreds Beflissenheit amüsierte Heiner Keller. »Ich muß mich mal erkundigen …« Heiner wollte den Freund an seinem Geburtstag nicht enttäuschen. Er war skeptisch, ob er den Beitrag eines unbekannten jüdischen Jeansverkäufers überhaupt im Blatt plazieren konnte.

»Das wäre super, phantastisch, Henry. Ich wäre gerettet. Das würde ich dir nie vergessen.«

Moische meinte es ehrlich. Er ahnte noch nicht, wie rasch Dankbarkeit verfallen kann – ewige zumal.

4
Liebe

Hanna Bernstein hatte Auschwitz überlebt. Sie hatte die Ermordung ihrer Eltern und ihres Bruders Abraham mitansehen müssen und unzählige andere Grausamkeiten. Dennoch hatte sie ihre Würde bewahrt. Bis jetzt! Bis heute abend ihr eigenes Fleisch und Blut Hannas ganzes Leben zerstörte. Schlimmer: ihr jede Selbstachtung raubte. Alles, wofür sie gelebt und wofür sie gelitten hatte, war in die Gosse gestoßen und vernichtet worden.

Hannas einziges Kind hatte sich beschickert. Ihr Moische hatte sich in Gegenwart anderer Juden wie ein Goj betrunken und die eigenen Leute angepöbelt. Damit hatte er auch seine Mamme aus der Gemeinschaft der Juden gestoßen. Siebzig Jahre war Hanna Bernstein eine vorbildliche, stolze Jüdin gewesen – sie hatte sich nichts zuschulden kommen lassen, außer den regelmäßigen Steuerhinterziehungen, die heutzutage jeder Goj als Sport ansah. Und jetzt hatte ihr eigenes Kind rücksichtslos ihre Existenz zerstört.

Hanna war selbst schuld. Sie hatte ihren Moische über alles geliebt. Vergöttert! Was blieb jüdischen Eltern übrig, als ihre Kinder anzubeten? Sie waren ihr einziger Triumph über die deutschen Mörder. Hanna hatte Moische nie etwas abschlagen können. Sie hatte sogar zugesehen, wie er das Geschäft zugrunde richtete, das sie und ihr seliger Mann Aaron in aufreibender Arbeit über Jahrzehnte aufgebaut hatten.

Aus falsch verstandener Mutterliebe hatte Hanna ihrem Moische sogar erlaubt, sich mit dieser dummen Schickse herumzutreiben, statt ihn zur Heirat mit einer jüdischen Frau zu zwingen.

Aber welche anständige Jüdin wollte einen Tunichtgut wie ihren Sohn zum Mann? Moische hatte nichts und konnte nichts. Nichts hatte er zu Ende gebracht, weder eine Lehre noch das Studium. Und jetzt war er nicht einmal fähig, ein eingeführtes, gutgehendes Textilgeschäft – was heißt ein Geschäft, eine Goldgrube! – schlicht weiterzuführen. Und das, obwohl Hanna ihm mit ihren siebzig Jahren half, wo sie konnte. Ohne Rücksicht auf ihre Gesundheit, die die deutschen Schergen zugrunde gerichtet hatten. Moische dagegen lag auf der faulen Haut, wenn er sich nicht gerade mit seinem goischen Liebchen vergnügte und ließ ihr Geschäft, ihr Lebenswerk verkommen.

Bisher hatte Hanna alles stumm erduldet – nur ganz selten, wenn sie ihr Leid nicht mehr ertragen konnte, hatte sie ihren Sohn ermahnt, mit seinem Lotterleben Schluß zu machen und endlich erwachsen zu werden. Moische hatte ihren wohlmeinenden Rat stets in den Wind geschlagen. Jetzt bekam sie die Quittung dafür: Moische hatte sich ruiniert und sie mit in den Abgrund gerissen.

Hanna kam aus einem bekoveten, einem ehrbaren Haus. Ihre Mischpoche bestand aus gottesfürchtigen fleißigen Menschen, deren ganze Sorge dem Wohl der Familie galt. Lug und Trug waren in Plawo, dem galizischen Heimatstädtchen der Weizenfelds unbekannt. Gewalt, Alkohol, Mord und Totschlag, das hatten erst die Deutschen in ihr Schtetl gebracht. 1945, bei ihrer Befreiung im KZ Ravensbrück, wohin sie nach der Räumung von Auschwitz getrieben worden war, war Hanna ein Muselmann. Sie wog nur noch 32 Kilo und litt an Tuberkulose. Hanna verbrachte fast zwei Jahre in einem amerikanischen Sanatorium bei Garmisch-Partenkirchen. Danach landete sie im DP-Lager Föhrenwald bei München, wo damals mehr als 20000 ehemalige jüdische KZ-Häftlinge vegetierten. Hanna war einsam, verzweifelt. Da lief ihr Aaron Bernstein, ein Freund ihres Bruders, über den Weg. Aaron war kein Filmstar. Er maß nur knapp einssechzig. »Du reichst mir nur bis zur Nase«, pflegte Hanna ihn gelegentlich zu necken – liebevoll, ohne bösen Hintergedanken. Er war untersetzt, ein Sitzriese, mit lächerlich kurzen Beinen, dünnen, aschblonden Haaren, die ihm früh ausfielen, wulstigen Lippen. Alles an ihm war wulstig, fand Hanna. Seine Knollennase, seine Patschhände und Plattfüße, seine Würstchenfinger und seine häßlichen kurzen Zehen. Gottlob hatte der Ewige ihren Sohn Moische nach Hannas eigenem Ebenbild geformt. Im Vergleich zu Aaron war Moische ein David. Moische war eben ihr Kind.

Hanna und Aaron wollten nach Amerika auswandern – wie fast alle überlebenden KZniks. Aaron besaß schon ein Affidavit. Doch die Amerikaner ließen Hanna wegen ihrer TBC nicht ins Land. Also führte Aaron seine Schwarzmarktgeschäfte in der Münchner Möhlstraße fort. Wenige Monate später ereilte das junge Paar ein weiterer Schicksalsschlag: die Währungsreform. Aaron verlor damals fast sein gesamtes Geld. Lediglich einige Goldmünzen blieben ihm. Mit ihnen wollte er in Israel eine neue Existenz gründen. Doch das war Hanna zu unsicher. »Da unten ist Krieg. Die Araber wollen die Juden abschlachten, wie die Nazis!«

Hanna entschied, vorerst in Deutschland zu bleiben und es später wieder in Amerika zu versuchen. Amerika war ihr großer Traum. Doch insgeheim fürchtete sie sich vor dem Gelobten Land in Übersee, denn Hanna sprach kein Wort Englisch.

In Deutschland dagegen kam sie mit ihrem Jiddisch hervorragend über die Runden. Hanna verstand die Deutschen – wenn sie wollte. Die Deutschen waren Mörder. Aber waren nicht alle Gojim Antisemiten und Verbrecher? Bei den Deutschen wußte man wenigstens, woran man war. »Die nächsten Jahre werden sie uns Jidn in Scholem lassen«, verkündete Hanna.

Also mietete Aaron in der Schellingstraße in Schwabing einen kleinen Textilladen. Hanna und Aaron wohnten zwar im Mörderland, aber ihre Seelen lebten weit weg: im Ghetto ihrer Ängste und ihres ohnmächtigen Hasses gegen die Deutschen.

Die Bernsteins schufteten jahrelang Tag und Nacht – und trotzdem kam der Laden nicht richtig in Schwung. Bis Hanna eine geniale Idee hatte. Sie begriff, daß es Schmattes an jeder

Ecke gab. Mit steigendem Wohlstand wurden die häßlichen Deutschen eitel.

»Die deutschen Affen halten ihre Miesheit nicht länger aus. Sie wollen sich rausputzen wie die Papageien«, erläuterte sie ihrem Gatten. »Wir müssen den Affen Zucker geben, diesen Verbrechern.« Sie wies Aaron an, den alten Tinnef zu verschleudern und ein Jeans-Geschäft aufzumachen. Die mausgrauen Deutschen waren meschugge nach blauen Judenhosen. Sie zahlten jeden Preis. Der Laden lief wie geschmiert!

Endlich war Hanna in der Lage, ihrem Aaron das Leben zu erleichtern. Sie ermunterte ihn, den Führerschein zu machen. Doch Hanna zögerte lange, ehe sie ihm auch erlaubte, einen Volkswagen zu kaufen – Hitler hatte den Dreckskäfer erfunden. Aber ein Mercedes war für die Bernsteins unerschwinglich – außerdem ließen sich der Oberschlächter und seine Verbrecherbande im Mercedes herumfahren. Fiat war ein italienischer Tinnef und auch die Italiener hatten ihre Nazis gehabt, Mussolini und sein Pack.

Dank des Autos mußte sich Aaron nicht länger mit der Ware auf dem Buckel durch die Stadt quälen. Und am Sonntag fuhren sie zum Tegernsee, wo sie mit jüdischen Freunden Kaffee tranken und Kuchen aßen. Das brach Hanna das Herz. Jede Mischpoche hatte Kinder. Alle! Nur ihr Aaron war unfähig, ihren sehnlichsten Wunsch zu erfüllen. Nacht für Nacht erklärte sie ihm, eine Jüdin ohne Kind sei keine richtige Frau. Sie hoffte, Aaron würde so begreifen, daß er sich endlich wie ein Mann zu verhalten hatte. Außerdem war es Hannas Pflicht als Tochter Israels, Kinder in die Welt zu setzen, die die Namen ihrer verstorbenen Eltern trugen. Doch Aaron war nach der Arbeit meist müde und zerschlagen, und am Wochenende fühlte er sich häufig schlecht. Die Nazis hatten im KZ seine Gesundheit ruiniert.

Hanna drängte ihren Mann, zum Arzt zu gehen und sich eine Hormonkur verschreiben zu lassen. Er tat, wie sie ihm geheißen, doch ohne Erfolg. Hanna war zu feinfühlig, um Aaron seine Schwäche vorzuhalten – und zu klug. Da sich an der Situation nichts änderte, mußte Hanna einen Ausweg finden …

Endlich gebar Hanna einen gesunden Knaben, dem sie den Namen ihres ermordeten, über alles geliebten Vaters gab: Moische.

Aaron war über die Schwangerschaft ein wenig erstaunt gewesen. Aber Hanna hatte ihm seine kleinlichen Bedenken ausgetrieben. Bei Moisches Geburt war Aaron voller Vaterglück, und als er die Brith Mila, die Beschneidung seines Sohnes feierte, war sein Vaterstolz bereits grenzenlos. Aaron liebte Moische wie seinen Augapfel.

Aarons Eltern waren ebenfalls von den Deutschen abgeschlachtet worden. So war er unendlich glücklich, daß durch seinen Sohn der Name Bernstein erhalten blieb. Nach seinem Tod würde sein Moische das Kaddisch auf ihn sprechen, und seine Seele würde ihren Frieden finden.

Hanna und Aaron wetteiferten in ihrer Elternliebe. Kein Wunder, daß Moische sich zu einem freundlichen Kind und guten Schüler entwickelte, der seinen Eltern nur Freude bereitete.

Mit dreizehn beging Moische in der Synagoge in der Reichenbachstraße seine Bar Mizwa mit einer Lesung aus der Thora. Er machte Aaron und Hanna zu den stolzesten jüdischen Eltern der Welt. Sie scheuten keine Kosten und luden alle Freunde und Gottesdienstbesucher zu einem Kiddusch in das jüdische Restaurant im Vordergebäude der Synagoge ein. Der Rabbiner war voll des Lobes über den »eifrigen Thora-Schüler und guten Sohn, dessen ganzes Trachten darauf gerichtet ist, seinen Eltern, der jüdischen Gemeinde und unserem Staat Israel Gutes zu tun. Die Eltern, ja wir alle, müssen dem Ewigen danken, daß dieser wertvolle Mensch heute zum vollwertigen Mitglied der jüdischen Gemeinschaft geworden ist.«

Die umsichtigen Eltern gaben ihren Sohn in seiner Freizeit in die *Zionistische Jugend*. So wollten sie ihn davor bewahren, in die Gesellschaft von Gojim zu geraten, wo es außer Brutalität,

Saufen und Huren nichts zu lernen gab. Doch die edle jüdische Absicht hatte schlimme Folgen. Der idealistische Moischale nahm im Gegensatz zu seinen Freunden das Gerede der zionistischen Jugendleiter für bare Münze und wollte »als aufrechter Jude« unbedingt nach Israel ›aufsteigen‹. Er machte seinen Eltern bittere Vorwürfe, daß sie in Deutschland lebten. So schüttete er Salz in ihre Schoahwunden. Moshe, wie sich Moische fortan nannte, war wild entschlossen, an dem einzigen Ort zu leben, wo ein »stolzer Jude« hingehörte, in Israel. Dort wollte er helfen, das Land mit seiner Hände Arbeit aufzubauen. Den vernünftigen Einwand der Eltern, Israel sei natürlich die Vollendung jüdischen Lebens, »aber welcher Mensch ist schon vollendet?« tat er als Ausrede ab. Hannas Mahnung, das Leben in Israel sei gefährlich, vor allem wegen des Militärdienstes, brachte den Jungen vollends in Rage.

»Jeder stolze Jude hat die Pflicht, seine Heimat zu verteidigen! Selbst die Gojim haben das getan, sogar die verkommenen Nazis – alle, bis auf die Diasporajuden. Statt zu kämpfen, habt ihr euch wie Lämmer zur Schlachtbank führen lassen. Die Nazis hatten recht! Ihr Diasporajuden seid ein ehrloses Pack«, schleuderte er seinen Eltern entgegen. Moische faselte davon, israelischer Berufsoffizier zu werden. Er pflasterte die Wände seines Zimmers mit Fotos israelischer Generäle, Panzer, Kanonen. Von der Decke baumelten Modelle israelischer Kampfflugzeuge. Über seinem Schreibtisch hing die blau-weiße Fahne mit dem Davidstern.

Die schönen *Levi's*-Jeans und -Westen, die ihm Aaron schenkte, warf Moische dem Vater vor die Füße. Stattdessen lief er nur noch in israelischen Militärklamotten herum. Er ließ sich nichts sagen und genoß die Angst seiner Eltern, sogar noch, als ihn eine Horde türkischer Antisemiten fast umgebracht hätte. Doch Moische behauptete sturköpfig, die Schlägerei habe überhaupt nichts mit Judenfeindschaft zu tun gehabt: »Sie haben auch Hansi Schlagintweit und Christian Neu aufgemischt. Die Türkenprolos haben einen tierischen Haß auf alle Deutschen.«

Hanna wußte es besser: »Du bist doch kein Deutscher, du Idiot!«

»Doch ... nein, natürlich nicht ... ich bin Israeli.« Moischale war für einen Augenblick verwirrt. »Aber die Türkendeppen halten mich eben für einen Deutschen. Wir Israelis sehen eben aus wie die Deutschen. Wir können uns genauso gut wehren wie sie.« Er verzog seine Mundwinkel, und sein feines Judengesicht verwandelte sich in eine höhnische Antisemitenfratze. »Aber euch Diasporajudenpack riecht man fünf Meilen gegen den Wind ...«

»Satan«, schrie Hanna, »halt dein verkommenes Maul!« Doch Moische ließ sich nicht bremsen: »Man riecht eure Judenangst – da hilft kein Parfüm. Und man sieht euren krummen Diasporarücken. Es reizt einen richtig, draufzuschlagen.« Er sprang an den Schreibtisch und wollte seinen Schlagring grapschen.

Ohnmächtige Wut ergriff Hanna. Sie schlug dem Unmenschen ins Gesicht – zum ersten Mal in ihrem Leben. Moischale fing an zu heulen.

Hanna wollte ihr Kind in den Arm nehmen, da stieß Moische ihr seinen Ellbogen in den Magen. Hanna blieb die Luft weg. Sie stürzte zu Boden. Als der Nazi sah, was er angerichtet hatte, lief er davon.

Hanna berichtete Aaron abends von der Untat seines Kindes. Er schluchzte fassungslos. Dieser Schlappschwanz! Statt seine Mißgeburt windelweich zu schlagen, ihm alle Knochen im Leib zu brechen, heulte ihr Mann wie ein hilfloses Kind. Ihr blieb nichts übrig, als Aaron zu trösten. Sie ihn! Die jüdischen Männer waren Feiglinge – allesamt. Jedenfalls die Diasporajuden. Da waren die Israelis aus anderem Holz geschnitzt. Wer denen in die Quere kam, wurde unschädlich gemacht. Endlich! Endlich, nach einer zweitausend Jahre währenden Demütigung, erhoben sich die jüdischen Männer und schlugen den Antisemiten den Schädel ein.

Hanna platzte schier vor Stolz, wenn sie israelische Soldaten sah. Helden, allesamt Helden! Sogar die Frauen kämpften und lehrten die arabischen Mörder Mores. Wie gerne hätte Hanna Seite an Seite mit ihnen gefochten und Antisemiten umgebracht. Sie! Aber doch nicht ihr Moischale! Der Junge war viel zu fein, viel zu zart, viel zu sensibel für den Krieg. Moischale war Idealist, er würde als erster ins Feuer stürmen und darin umkommen. Das durfte der Ewige nicht zulassen.

Der Herr der Welten erhörte Hannas Gebete – aber sonst ersparte er ihr nichts. Aaron begann unter Gallenkoliken zu leiden. Eine Operation verschaffte ihm nur kurze Zeit Linderung, dann griff die Krankheit auf Magen und Nieren über. Dazu kamen finanzielle Sorgen. Ein Jeans-Laden nach dem anderen wurde in ihrer Schwabinger Domäne eröffnet. Sogar die Kaufhäuser, früher allesamt jüdisch, dann von den Nazis ihren Leuten zugeschanzt, verkauften schamlos jüdische Textilien.

Moische kümmerte sich nicht um den sterbenskranken Vater. Nachdem er in Israel gescheitert war, versuchte er sich in Amerika als Zeitungsschmierer. Natürlich konnte er sich von seinem Gekritzel nicht ernähren. Er blieb auf Hannas Geld angewiesen. Das Flehen seiner Mamme, um des sterbenden Aaron willen nach München zurückzukehren, ignorierte er.

Hanna mußte das Geschäft alleine führen und danach in die Klinik eilen, um sich stundenlang Aarons Klagen anzuhören. Die letzten Wochen vor seinem Tod waren furchtbar. Aaron hatte panische Angst vor dem Sterben. Er heulte und flehte um immer neue Therapien und Operationen.

Für zwei Stunden mehr Lebenszeit – was für ein Leben! – war er bereit, sie und ihr Kind zu opfern. Daß er dabei ihre letzten Ersparnisse den Ärzten in den Rachen warf, scherte Aaron nicht. Statt in Würde zu sterben, wie es sich für einen anständigen Juden geziemt, wie ihre und seine Eltern in den Tod gegangen waren, entpuppte sich Aaron am Ende als lebensgieriger Egoist, der sich mit jeder Faser an sein jammervolles Dasein klammerte.

Als Aaron bereits künstlich ernährt wurde, wollte er in Amerika operiert werden. Allein der Flug hätte ein Vermögen gekostet, von Operation, Klinikaufenthalt und Begräbnis ganz zu schweigen. Hanna hätte sich bis über beide Ohren verschulden müssen. Deshalb bat sie den verantwortlichen Arzt, »die Leiden meines Mannes nicht unnötig zu verlängern.« So erlöste sie Aaron.

Sofort nach der Beerdigung seines Vaters wollte Moische wieder zurück nach New York – wahrscheinlich wartete dort eine lüsterne Schickse auf ihn.

Hanna mußte ihr Kind retten.

»Wenn du dich in Amerika zugrunde richten willst, dann auf eigene Kosten. Von mir kriegst du dafür keinen Pfennig«, bedeutete sie ihm. Moische bettelte und drohte, sich eher aufzuhängen, »als in diesem Miefland zu leben«. Hanna blieb hart. Moische beging keinen Selbstmord. Er war ebenso feige wie sein Vater.

In München wollte Moische wieder sein Bohemienleben aufnehmen. Doch Hanna brachte ihn dazu, täglich acht Stunden im Laden zu arbeiten.

Privat allerdings benahm sich Moische wie ein Idiot. Statt sich um jüdische Frauen zu bemühen und eine anständige Partnerin zu finden, um eine Familie zu gründen, trieb er sich wie ein Meschuggener mit Schicksen herum.

Chontes allesamt. Hanna litt Todesängste. Es war nur eine Frage der Zeit, wann sich Moische bei diesen Weibern die AIDS-Seuche holen würde. Hanna war wieder einmal gezwungen, ihr Kind zu retten. Unter den wenigen jüdischen Frauen, die sie kannte, paßte keine zu ihrem Moische. Sie waren alle zu alt – Hanna wollte aber ein Enkelkind, ehe sie ihre Augen für immer schloß! Also sah sie sich mit der gebotenen Umsicht und Energie woanders um und hatte prompt Masl – relatives Masl.

Wegen ihres schmerzenden Rückens mußte sie Woche für Woche zur Heilgymnastik. Die meisten Gymnastikschicksen waren aufgedonnert, stinkfaul und dachten nur daran, wie sie die Zeit möglichst schnell und ohne allzu große Anstrengung hinter sich brachten. Ihr Rücken war diesen Weibern egal. Hanna wollte schon mit der Turnerei aufhören. Da wurde ihr eines Tages ein neues Mädchen zugeteilt. Brigitte war ein Mensch! Das erkannte Hanna sofort. Besonders klug war die Schickse nicht. Aber sie benahm sich anständig. Brigitte war immer gut gelaunt und ging auf Hannas Beschwerden ein. Gerne übte sie ein paar Minuten länger mit ihr, wenn sie den Eindruck hatte, daß es half. Sie stank auch nicht nach Parfüm und war nicht zurechtgemacht wie ein Strichmädchen.

Brigitte war groß, hatte muskulöse Arme und Beine, kurze dunkle Haare, schlichte Gesichtszüge und ruhige blaue Kinderaugen. Eine Bauerntochter aus Niederbayern. Sie strahlte eine Bierruhe aus, die sich während der Gymnastik auf Hanna übertrug. Zu Ostern brachte ihr die Schickse einen Korb Eier aus ihrem Dorf mit. Hanna revanchierte sich mit einem *Levi-Strauss*-T-Shirt. Brigitte umarmte Hanna. Das war das erste und einzige Mal, daß sie sich von einer Deutschen herzen ließ. Hanna vergaß nicht, wessen Kind Brigitte war. Vielleicht hatte ihr Großvater ihre Eltern oder andere Juden ermordet? Doch das Mädchen selbst war gutmütig.

Nicht wie die Chontes, mit denen ihr Moische herumzog! Hanna fackelte nicht lange. Sie bat Brigitte, sie im Geschäft zu besuchen, »damit ich Ihnen meine Sachen zeigen kann. Vielleicht gefällt Ihnen was«.

Am nächsten Tag hatte Hanna »furchtbare Migräne«. Dennoch vergaß sie nicht, Moische zu ermahnen, »Fräulein Brigitte« besonders zuvorkommend und anständig zu bedienen. »Schenk ihr alle Schmattes, die ihr gefallen!« ermahnte sie ihren Sohn. »Sie ist ein besonders anständiger Mensch – nicht wie deine Huren! Es würde dir nicht schaden, dich mit ihr anzufreunden.«

Moische tat wie geheißen. Und die Schickse verliebte sich Hals über Kopf in Moische. Kunststück! Ihr Sohn war eben unwiderstehlich. Moische fand wie seine Mutter Frieden bei Brigitte und ließ von seinen Flittchen ab.

Hanna war fürs erste zufrieden. Sie hatte Zeit gewonnen. Die mußte sie nutzen! Während Moische sich mit Brigitte vergnügte, wollte Hanna sich in aller Ruhe nach einer passenden jüdischen Frau für ihren Sohn umsehen. Brigitte war ein anständiger Mensch – soweit man das von einer Schickse behaupten konnte. Aber sie war nun mal eine Deutsche. »Aus Schweineleder kann man keinen Gebetsriemen machen!« hatte schon die kleine Hanna von ihrer Mutter eingeschärft bekommen.

Hannas selbstlose Gleichung ging jedoch zunächst nicht auf. Denn die Schickse besaß die Chuzpe, Moisches Frau werden zu wollen. Und der Idiot verliebte sich in das Weib und zog zu ihr, ohne seine Mutter zu informieren! Hanna stellte die undankbare Person zur Rede. Sie erklärte dieser Brigitte, sie könne es nicht zulassen, daß eine Deutsche ihr einziges Kind heirate: »Dafür habe ich Auschwitz nicht überlebt!«

Da ließ die Schickse ihre freundliche Maske fallen: »Ich will ja nicht Sie heiraten, sondern meinen Manni.«

Meinen Manni! Da auch Moische keine Vernunft annehmen wollte, mußte Hanna deutlich werden: »Wenn du dich weiter mit diesem Flittchen herumtreibst, werfe ich dich aus dem Geschäft. Dann kannst du sehen, wo du bleibst.«

»Wenn du mich rausschmeißt, kannst du deinen Laden dichtmachen«, erwiderte Moische. Dahinter steckte die Schickse! Dieses Weib machte Moische sicher vor, sie würde besser für ihn sorgen als seine eigene Mamme. Sie war hemmungslos! Die Schickse hatte keine Skrupel, einer KZ-Überlebenden und jüdischen Mutter ihr einziges Kind zu rauben.

Von der Deutschen angestachelt, preßte Moische seiner Mamme sogar ein höheres Gehalt ab. Nachts konnte Hanna kein Auge zutun. Sie machte sich bittere Vorwürfe. Statt ihren Sohn von den Schicksen abzubringen, hatte sie ihn durch ihre eigene Gutmütigkeit und Arglosigkeit der Schlimmsten unter ihnen in die Arme getrieben.

Es dauerte nicht lange, da quasselte Moische davon, das Ungeheuer zu heiraten. Nur durch ihre Drohung, sich auf der Stelle umzubringen, konnte Hanna den hörigen Idioten vor dem Verderben retten.

Moische verlor die Nerven, verschob die Hochzeit mit

Brigitte und mietete sich ein eigenes Zimmer. Hanna mußte schnell handeln!

Da die eingesessenen Hebräerinnen zu hochnäsig waren, sah sie sich bei den eingewanderten russischen Jüdinnen um. Dabei lernte sie Frau Dr. Manja Grinstein kennen. Die Ärztin war eine stattliche Frau von Mitte dreißig. Sie konnte Hanna also noch ein Enkelkind schenken. Hanna prüfte die Russin auf Herz und Nieren. Sie sprach mit ihr und ermahnte sie, dringend abzunehmen! Manja versprach, am nächsten Tag mit einer strengen Diät zu beginnen, »um schejn für Ihren Sohn zu sein«. Das war das Holz, aus dem Hanna sich ihre Schwiegertochter schnitzen konnte. Sie schloß Manja in die Arme und lud sie für kommenden Freitag zum Essen ein: »Da feiert mein Moischale seinen 40. Geburtstag. Gebe der Herr, daß er und Sie ihr Glück an diesem Tag finden werden.« Sie steckte der arbeitslosen Medizinerin ein paar Mark zu, damit sie ihre Fettpölsterchen unter einem eleganten Kleid verbergen konnte und gab ihr zu verstehen, daß sie sich auch in Zukunft nicht knauserig zeigen wollte.

Vor dem Einschlafen betete Hanna lange. Zornig erinnerte sie den Herrn an das unendliche Leid, das Er ihr und ihrer Mischpoche und dem ganzen jüdischen Volk zugefügt hatte und bat Ihn, ihr endlich Glück zu schenken.

Manja erschien pünktlich. Sie hatte sich ein reizendes Kleid gekauft. Das weitausgeschnittene Oberteil war allerdings eine Katastrophe, denn es stellte ihren gewaltigen Busen schamlos zur Schau. Doch vielleicht fand Moische gerade daran Gefallen – in jedem Mann steckt ein Tier, sogar in Hannas Sohn. Manja hatte Hanna einen Blumenstrauß mitgebracht. Alles war bereit. Nur Moische fehlte. Dabei war Hanna eigens ins Geschäft gegangen, um ihn an sein Geburtstagsessen zu erinnern. Doch statt ihr zu danken, war der Meschuggene davongelaufen – sicher zu seiner Schickse!

Hanna bewahrte Haltung, machte Konversation mit der enttäuschten Ärztin und wartete.

Kurz darauf hatte Hanna durch ein halbes Dutzend alarmierender Anrufe von besorgten Juden erfahren, daß Moische sich im *Maon* betrunken und die Leute bedroht hatte.

Sie sagte Frau Dr. Grinstein, ihrem Sohn sei unwohl geworden. Die besorgte Ärztin bot sich sofort an, Moische zu helfen. Hanna dankte ihr für ihre Hilfsbereitschaft, umarmte sie herzlich und versprach ihr, sie am nächsten Tag mit Moische ins *Mövenpick* am Lenbachplatz einzuladen.

Sobald die Russin die Wohnung verlassen hatte, nahm sich Hanna ein Taxi und fuhr zu Moische. Er war noch nicht da. Seine Behausung war total verkommen. Mit wenigen Handgriffen sorgte sie für oberflächliche Ordnung und wartete auf Moische.

Die Verheißung Henry Kellers, er werde künftig als Kolumnist des Nachrichtenmagazins *logo!* arbeiten, hatte Moische in vibrierende Euphorie versetzt. Seine Phantasie schlug Kapriolen. Während er die langweiligen Fragen seines Freundes zum Judentum routiniert beantwortete, skizzierte er in Gedanken seine unaufhaltsame publizistische Karriere. Er sah sich zu einem der führenden Autoren aufsteigen. Die Zeitschriften würden sich um ihn reißen.

Er überlegte, welches Angebot er annehmen würde. *Stern, Spiegel, Focus, Prisma, Globus?* Das mußte sorgfältig bedacht werden.

Heiner Keller blickte auf die Uhr, gähnte demonstrativ und verlangte die Rechnung. Er stand auf und verließ das Lokal. Manfred mußte ihm folgen. Als sie aus dem *Schelling Salon* traten, ließ sie die kalte, klare Nachtluft erschauern. Manfred hakte sich beim Journalisten unter. »Was ist mit meinem Beitrag zum Judentum?«

Heiner sah ihn verständnislos an.

»Du hast mir doch gerade angeboten, für *logo!* einen Artikel übers Judentum zu schreiben …« Manfreds Stimme erstarb.

Heinrichs Miene blieb verschlossen. Er schüttelte den Kopf. »Nein, ich habe dich lediglich gefragt, ob du bereit wärst, für uns ein paar Zeilen zu schreiben.«

Lediglich gefragt!

Heiner Keller bemerkte die aggressive Enttäuschung in Manfreds Gesicht. »Ich will sehen, was ich tun kann.«

»Du bist doch Kulturchef von *logo!*«

»Auch ein Ressortleiter muß sich mit der Redaktion abstimmen.«

»Dann tu's! Tu's sofort, Henry. Bitte!«

Heiner machte sich Vorwürfe, Manfred durch sein lautes Denken Hoffnung gemacht zu haben. »Ja, ja, o.k.«.

Er verabschiedete sich vom Freund und setzte sich in ein Taxi, das vor der Fensterfront des *Schelling Salons* wartete.

Moische blieb ratlos zurück. Er sah auf seine Uhr. Es war erst kurz nach zehn. Er konnte die Straßenbahn nehmen und nach Milbertshofen zu Brigitte fahren. In ihren Armen und ihrem Schoß würde er seinen Kummer vergessen ... Nein! Er mußte nachdenken. Dazu brauchte er Ruhe. Moische bog in die Schellingstraße ein und stapfte nach Westen, Richtung Schleißheimer Straße.

Dieser mißgünstige Goj gönnte ihm keinen Erfolg. Er wollte ihn als kleinen Jeans-Arschpresser am Boden halten, um auf ihn herabschauen zu können. Heinrich neidete Moische seinen scharfen Intellekt, seine Kreativität. Er konnte es nicht verkraften, im Schatten seines überlegenen Geistes zu stehen. Deswegen versperrte er ihm den Weg zum publizistischen Durchbruch.

Heini demütigte den Schulfreund, indem er ihm erst ein Angebot machte, und es wieder zurückzog, sobald er die Herausforderung annahm. Wutentbrannt schoß Moische eine Bierdose übers Pflaster. Sie stieß gegen ein geparktes Auto.

»Paß auf, du besoffener Depp, sonst ruf' i die Polizei«, blaffte ihn eine Gestalt im Trachtenjanker an.

»Das geht Sie einen Dreck an!« schrie Moische gekränkt zurück. Worauf ihm der stämmige Passant in den Weg trat: »... oder i hau' dir gleich selbst a Ohrfeign 'nunter«.

Moische beschleunigte seinen Schritt. Was tue ich, wenn der Goj mich nicht schreiben lassen will, überlegte er, während er die Straßenbahngleise der Schleißheimer Straße passierte. Nichts, resignierte Moische. Nein! Du mußt ihn immer wieder ermahnen, bis seine Gewissensbisse ihn so quälen, daß er dich schreiben läßt. Unsinn! Hatten die Gojim ein Gewissen? Heiner wird sich an meinen Schmerzen weiden! Dann mußt du's woanders versuchen, versuchte er sich aufzurichten. Die deutschen Mörderseelen sind süchtig nach jüdischen Themen. Ihre Zeitschriften quellen über mit Artikeln von jüdischen Autoren. Jacobson, Schneeweiß, Broder, Wolffsohn, Brumlik, Biller, Seligmann und die anderen Idioten können schmieren, was sie wollen, die Deutschen sind darauf versessen, den Tinnef zu lesen.

Moische schüttelte deprimiert den Kopf. Die Burschen sind im Geschäft, weil sie protegiert werden und weil sie schreiben, was die Deutschen lesen wollen. Ich dagegen bin ehrlich. Niemand will die Wahrheit erfahren! Alles Lug und Trug, ich habe keine Chance.

Moische war übel, sein Kopf war leer. Er wollte nach Hause, ins Bett und alles vergessen. Scheißgeburtstag!

Als er die Wohnungstür öffnete, überkam ihn Angst vor den Niederträchtigkeiten, die das Schicksal im nächsten Jahrzehnt für ihn bereithalten würde.

Er wollte ins Bad, da trat Hanna aus der Küche. Sie erschrak beim Anblick ihres Kindes. Seine Lippe war aufgeplatzt, der Atem stank nach Alkohol.

Ekel schüttelte die Mutter. Diese Kreatur hatte sie einst unter dem Herzen getragen. »Hitler! Du Hitler!« Sie spuckte vor ihrem Sohn aus.

Der schüttelte gereizt den Kopf: »Benimm dich wie ein Mensch, nicht wie ein meschuggenes Lama!«

»Lump! Idiot! Tunichtgut! Verbrecher!« schrie Hanna. »Du hast dein Leben endgültig verwirkt!«

Moische glotzte sie verständnislos an.

»Ein Jude, der einen anderen Juden bedroht, ist wie ein Mörder. Seit heute bist du für alle Juden tot! Auf der ganzen Welt wird kein Jude mehr etwas mit dir zu tun haben wollen ...!«

Moische sah sie ungerührt an. »Fünfzehn Millionen Jidn wollen nichts von mir wissen. Großes Unglück!« Er lachte. »Da bleiben mir nur noch fünf Milliarden Menschen.«

»Gojim!« jammerte Hanna. »Allesamt Gojim! Die wollen dich zugrunde richten wie deine Schickse! Sie werden dich umbringen, wie sie deine Großeltern erschlagen haben. Genau so!«

Hanna hielt es nicht länger auf dem Platz. »Du machst dich gemein mit Mördern! Trotzdem werden sie dich totschlagen, weil du nicht ihresgleichen bist. Weil du ein jüdisches Herz hast, Moischale. Du bist kein Goj! Komm zurück zu deinem Volk!« Hanna brach schluchzend zusammen. Er nahm sie in den Arm, streichelte sanft ihr Haar. Hanna küßte seine Wangen. »Moischale! Kehr endlich um!«

Er mußte an Heiner Kellers Verrat denken. Moische seufzte. »Ich bin doch nie fortgegangen, Mammele.« Die Mutter nahm seinen Kopf in ihre Hände. »Mein Kind. Mein Ein und Alles! Du hast eine reine jüdische Neschume!« rief sie heiser. Dicke Tränen liefen ihr die Wangen herab. Moische küßte sie weg. Zum ersten Mal seit seiner Bar Mizwa vor mehr als einem Vierteljahrhundert waren Mutter und Sohn wieder eins. »Ich habe dir deine Untaten vergeben, mein Jingale«, rief sie. »Aber du mußt jetzt dein Leben in die Hand nehmen. Mach endlich Schluß mit der dummen Schickse!«

Moische rieb sich nervös die Hände. »Ich will darüber nachdenken ....«

»Du darfst nicht denken! Du mußt handeln! Sofort! Jag die Schickse zum Teufel! Bleibe ein Jude! Heirate eine jüdische Frau ...!«

»Wenn ich eine finde, wird man weitersehen.«

»Ich habe sie schon gefunden!

Moische winkte ab. »Hör mir auf mit deinen Frauen! Da kann ich gleich bei Brigitte bleiben.« Er verzog sein Gesicht. »Die war auch deine Erfindung.«

»Ich hab sie dir nur vorgestellt, damit du von deinen Chontes wegkommst!«

»Alte Kupplerin!«

»… ich konnte nicht ahnen, daß du so naiv …« – sie sah die Zornesfalte auf seiner Stirn – »… daß du so gutmütig sein würdest, diesem raffinierten Weib auf den Leim zu gehen.«

»Brigitte ist nicht raffiniert!«

Hanna unterdrückte ein böses Lachen. »Auf jeden Fall ist sie nicht die Richtige für dich. Du bist vierzig! Du brauchst eine jüdische Frau, die dich versteht! Der du vertrauen kannst. Die dir hilft, eine Familie zu gründen und dein Leben aufzubauen …«

»Wo finde ich sie?«

»Dr. Manja Grinstein!«

»Manja, Schmanja. Ich will keine Russin.«

»Das ist ein Spitzname. In Wirklichkeit heißt sie … Martha. Sie ist Ärztin und lebt hier.«

»Wie lange?«

»Hör auf mich zu verhören wie ein Gestapo-Mann. Manja, äh … Marta ist die richtige Frau für dich!«

Es konnte nicht schaden, die Russin kennenzulernen. Vielleicht taugte sie etwas. Zumindest für eine Affäre. Seine Mamme hatte keinen schlechten Geschmack. Sie hatte ihm immerhin Brigitte …

»Stell mir mal deinen jüdischen Engel vor.«

»Nur wenn du mir schwörst, deine Schickse fortzujagen!«

»Von mir aus!«

»Nicht von mir aus! Du sollst schwören.«

»Wir Juden dürfen nur vor Gericht schwören.«

»Und vor der eigenen Mutter.«

»Nein!«

»Dann renn weiter ins Verderben mit deiner Schickse!«

»Ich will die Russin, ich meine diese Manja …«

»Frau Doktor Grinstein!« Hanna betonte jede Silbe.

»Ich will sie ja kennenlernen.«

»Dann schwöre.«

Moische antwortete nicht. Doch Hanna fühlte, daß sie ihren Jungen nicht überfordern durfte.

»Sieh mir in die Augen und versprich mir, die Schickse nie wiederzusehen!«

»Von nie wieder sehen war keine Rede, Mamme.«

»Wenn du sie siehst, wird sie versuchen, dich zu verführen!«

Das war ja das Gute an Brigitte.

»Du hast deine Zukunft in der Hand! Jetzt! Wenn du dich zusammennimmst und mir dein Wort gibst, werde ich dir morgen Frau Doktor Grinstein vorstellen. Sie wird deinem Leben wieder Sinn geben. Sonst richtet dich die Schickse zugrunde!«

»Wie sieht die Grünspan aus?«

»Dr. Grinstein! Eine imposante, gepflegte Erscheinung.«

»Wie alt ist sie?«

»Anfang dreißig.«

»Da ist doch was faul! Eine schöne, junge, jüdische Ärztin angelt sich einen jungen, vernünftigen, reichen jüdischen Mann, nicht mich!«

»Halt den Mund!« herrschte ihn seine Mamme kämpferisch an. »Du bist gesund, jung, gescheit. Du hast viel Blödsinn gemacht. Aber zusammen mit Dr. Grinstein wird es aufwärts mit dir gehen. Du wirst Masl haben, mein Kind! Mit Gottes Hilfe!« Sie küßte Moisches Hände. Dann warf sie den Kopf in den Nacken. »Glaubst du, der Ewige sieht es gern, daß du dich mit einer Schickse herumtreibst?«

Moische glaubte zwar nicht an Gott. Doch falls es ihn gab, stand er auf Seiten seiner Mamme. Er schüttelte leicht den Kopf.

»Na also!« Hanna nahm seinen Kopf in ihre Hände und segnete ihren Jungen: »Möge der Ewige dich begleiten! Auf all deinen Wegen und bei all deinen Taten!«

Moisches Augen füllten sich mit Tränen. Sein Magen verkrampfte sich. Der Verrat an Brigitte plagte ihn.

Er schüttelte seine Mutter ab, die ihn herzen wollte.

»Ich bin müde.« Er stand auf.

»Ich mach' dir das Bett.«

»Nein! Laß mich allein.«

Hanna hatte ein Einsehen. Sie würde morgen Manja Grin-

stein zum Mittagessen einladen. Die Mutter gab ihrem Kind einen Gutenachtkuß. Dann bestellte sie sich ein Taxi. Sie war zuversichtlich, Moische wieder auf den rechten jüdischen Weg
gebracht zu haben.

5
Redaktionskonferenz

Als Heiner Keller im Gefolge Knut Reydts in den Produktionsraum schritt und sich – in gebührendem Abstand – seitlich hinter dem Chefredakteur auf einen billigen Drehstuhl hockte, dachte er unwillkürlich an das Motto seines Freundes Manfred Bernstein: »Lieber bin ich der Kopf einer Maus, als der Schwanz eines Löwen.«

Reydt ließ seine hellbraunen Schmutzwasseraugen über die Runde schweifen. Rasch erstarb das Gemurmel. Die Gesichtskonturen der Redakteure verloren sich im kalten Neonlicht der Deckenlampen. Der *logo!*-Chef kostete die erzwungene Stille aus, während er mit gewollter Langsamkeit seine Papiere zu einem exakten Block ordnete. Er wußte, daß alle auf sein »Mantra« warteten. Doch Reydt stierte weiter in die Runde, lehnte sich dabei zurück und verschränkte die Arme hinter dem Kopf, ohne seine Redakteursmeute aus den Augen zu lassen. Mit einem Mal stürzte sein Rumpf nach vorne. »Jetzt schießt mal los, Kinder!« Damit war die große Redaktionskonferenz eröffnet. Es war 11 Uhr. Die Kernartikel des kommenden Hefts waren bereits Stunden zuvor in der Chefredaktion festgelegt und in der Ressortleiterrunde abgesegnet worden.

Knut Reydt hielt sich für einen begnadeten Motivator. Der passionierte Segler war überzeugt, »das Letzte aus seiner Crew« herauspressen zu können.

Keiner meldete sich zu Wort. »Come on! Was seid ihr für ein müder Haufen?! Ich geb' euch die Chance, eure Ideen ins Blatt zu heben, sie zum Titelthema zu machen – aber ihr habt keine.«

»Selbstmord! Jedes Jahr versuchen 240 000 Deutsche, sich das Leben zu nehmen. Fast 20 000 haben Erfolg ...«, begann Paul Popp.

»Wenn wir diese Schnapsidee als Titelthema aufnehmen, dann kann die gesamte Redaktion ebenfalls Selbstmord begehen.«

Popps Gesicht zerfiel in Dummheit. Einige jüngere Redakteure lachten auf. Das Gelächter wirkte wie Champagner auf Reydt: »Falls es sich noch nicht bis ins Gesellschaftsressort herumgesprochen haben sollte, muß ich es wiederholen: Tote kaufen keine Zeitschriften – nicht mal *logo!*« Das vereinzelte opportunistische Gelächter formte sich in Paul Popps Ohren zu einer ohrenbetäubenden Kakophonie.

»Wir müssen unser Blatt an Lebende verkaufen, Leute! Das schaffen wir nur, wenn wir ihnen ein paar frohe Stunden bereiten!« Während Reydt sich wieder zurücklehnte, entfuhr ihm ein journalistisches Bäuerchen: »Unsere Leser, Ladies and Gentlemen, haben Anrecht auf fun! That's our duty!«

Das war das Stichwort für Peter Fischer. Der Zweizentnermann aus der Sportredaktion bullerte los: »Triathlon! Das ist life mal fun hoch drei!«

»Macht's etwa Spaß, 42 Kilometer zu rennen, gegen die Brandung zu schwimmen und sich anschließend den Arsch beim Radrennen wundzuscheuern?« fuhr Reydt auf. »Hier mußt du dir den Arsch aufreißen. Dafür wirst du nämlich bezahlt!« Der Sportredakteur zog die Luft in seinen mächtigen Brustkorb. Reydt genoß es, den Bullen zu piesacken.

»Ich bin für *logo!* gelaufen. Ich hab' mir für euch den Arsch aufgerissen!« schrie der gequält auf.

»Was heißt hier euch?!« Der Chefredakteur fixierte Fischer, der sich aus seinem Sessel hochstemmte. »Wir sind eine Crew. Da gibt's kein euch – nur wir!«

Fischer schwebte einen Moment unschlüssig zwischen Sitzen und Stehen. Sein Zorn ängstigte Reydt. Der Blattmacher winkte generös ab. »Als Reportage ist Triathlon o.k., aber als Titel? Sorry. Wer von unseren Lesern packt denn mehr als eine Viertelstunde Jogging? No way, boys. Wir können die kurzatmigen Laumänner nicht verarschen!«

Der Chefredakteur sah seine Crew herausfordernd an.

»Leute, ihr stellt euch Blattmachen zu simpel vor! Ein Nachrichtenmagazin ist kein Abfalleimer, in den jeder reinwirft, was er nicht brauchen kann. Das Heft muß den Leser von der ersten bis zur letzten Zeile fesseln. Die Themen müssen unseren Käufern in die Augen springen. Sie müssen alles lesen wollen! Sie müssen auf unsere Stories total scharf sein. Vor allem auf die Coverstory. Das muß ein Eyecatcher der Sonderklasse sein – kein Abturner mit Selbstmord, Krankheit und Tod. Frustriert sind die Typen ohnehin.«

Reydt verschränkte die Arme wieder hinter dem Kopf.

»Bei uns muß die Post abgehen. Joy and fun – and people and sex. Wie vögeln die Promis?« Reydt berauschte sich am eigenen Monolog.

»Macht Macht geil? Aber so dürfen wir nicht titeln. Scheiß-Presserat!« Reydt trommelte mit seinem *Mont Blanc*-Stift auf die Tischplatte. »Durch Sex zu Macht und Geld! Darauf fährt jeder ab!«

»Ich dachte, wir sind ein Polit-Magazin ...«, entfuhr es Keller unwillkürlich. Er hätte sich ohrfeigen mögen. Das Titelthema war ihm schon seit der Ressortleiterbesprechung um zehn Uhr bekannt. Ohne Not machte er sich den Giftzwerg zum Feind.

»Politmagazin – eh? Du bewirfst mich mit Junkfood wie ›Schreibfrust statt Lust‹, ›Postmoderner Theaterquatsch‹ und ›Ausgefiedelt‹ und tönst hier groß von Politmagazin. Wer interessiert sich in diesem Scheißland noch für Politik? Die Vögel wollen höchstens wissen, ob der Kanzler die 130 Kilo schon passiert hat, wie die Scharping-Tochter zu ihrem Negerlein kommt oder welcher Politiker schwul oder pervers ist. Und da kommst du daher und nölst von wegen Politmagazin.«

Der Blattmacher wandte sich wieder an die Redakteure. »So geht's nicht weiter, Leute! Ich bin für Teamwork. Ich bin für jede Idee offen, auch für Kritik. Allzeit. Aber was ich nicht dulden kann und nicht dulden werde, ist Destruktivität. Wenn jemand versucht, unser Blatt kaputt zu machen, mach' ich ihn kaputt – verstanden?!«

Reydt empfand die Redaktion an diesem Tag mehr denn je als einen Haufen ausgemachter Verschwörer. »Ihr müßt endlich lernen, Probleme zu lösen, statt dauernd welche zu schaffen! Wenn ihr so weitermacht wie bisher, dann laufen wir unweigerlich auf Grund. Dann ist's aus mit dem faulen Redakteursleben – dann steht ihr auf der Straße.«

Er packte die Sessellehne mit aller Kraft. Du mußt deine Crew in den Griff kriegen – diesen Sauhaufen. Du mußt Klarschiff machen! befahl sich der Redaktions-Kapitän und verschränkte die Arme.

»Wir haben gegen eine gigantische Konkurrenz zu kämpfen. Woche für Woche 500 000 Exemplare in den Markt drücken und die entsprechenden Anzeigen zu akquirieren, ist eine titanische Aufgabe. Sie kann nur gelingen, wenn wir alle wie ein Mann gegen Wind und Wetter ankämpfen – gnadenlos!«

Reydt warf seine Hände auf den Tisch. Er wandte sich an Roland Kern. Der aufgedunsene Chef vom Dienst saß zu seiner Linken.

»Berichte uns mal über die Entwicklung von Auflagen und Werbezahlen, Rollo!«

Kern begann in seinen Unterlagen zu blättern. Reydt ahnte noch vor Kern, daß der CvD nichts finden würde. Endlich gab Kern auf, griff zum Telefon und wählte. »Bringen S' mir den grünen Hefter mit den Auflagenzahlen her, Frau Moser … sofort, bitte!«

»Die Zahlen gehören nicht in die Ablage deiner Sekretärin, sondern in deinen Schädel – verdammt nochmal!« schnarrte Reydt, ohne Kern anzusehen.

»Die Auflage ist in den letzten Monaten nach unten gerutscht …« Der Chef vom Dienst versuchte, Zeit zu gewinnen.

»Um wieviel? In welchem Zeitraum? Aus welchen Gründen?«

»Frau Moser kommt sofort …«

»Die weiß wohl mehr als du?!«

Reydt sah einige Redakteure grinsen.

Die automatische Tür öffnete sich. Eine kräftige Hand mit

zu engen Goldringen, die eine grüngetönte Klarsichtfolie umklammerte, schob sich in den Raum. Ihr folgte die stattliche Figur Irmgard Mosers. Mit entschlossenen Schritten stampfte sie auf Kern zu, zog das Papier aus der Hülle, reichte es ihm. Der bedankte sich und begann nach einem Blick ins Exposé sogleich zu referieren: »Unsere Auflage ist im vergangenen Quartal um 4727 Exemplare gefallen, das sind ...«

»4728!« korrigierte Reydt.

Moser und die anderen Konferenzteilnehmer sahen ihn erstaunt an. Reydt genoß ihre stumme Verwunderung nur kurz, ehe er fortfuhr: »Das letzte gefallene Exemplar bist du, Kern!«

Der Redakteur hielt sich krampfhaft am Papier fest. Er registrierte, daß seine Sekretärin mit gesenktem Kopf aus dem Raum schleichen wollte. Alle, auch Reydt, verfolgten ihre Schritte. »Am besten, du begleitest Frau Moser gleich, Kern.«

»Aber die Konferenz ...«

»Ist hiermit beendet – zumindest für dich.«

»Nur, weil ich die Auflagezahlen nicht auswendig gelernt habe ...« Kerns Stimme verebbte. Seine Mundwinkel zuckten »... wir sind hier doch nicht in der Schule!«

»Trotzdem müssen wir unsere Hausaufgaben machen – verdammt nochmal, sonst säuft unser Kahn ab. Der Chef vom Dienst hat Auflage und Werbung aus dem Effeff zu kennen.«

»Dafür ist der Vertrieb zuständig.«

»Nein!« Reydts Stimmte überschlug sich. »Dafür ist jeder einzelne zuständig! Und weil du das als CvD nie kapiert hast, bekommst du jetzt die Quittung.«

Irmgard Moser blieb an der Tür stehen. Sie war unfähig, den Raum zu verlassen. Die Sekretärin wollte ihren Chef schützen – doch ihr fehlte der Mut, es zu tun. Viele hätten in diesem Moment Roland Kern beistehen wollen, der sie alle gelegentlich angetrieben hatte, dabei aber seine Macht nie ausgespielt hatte. Doch keiner solidarisierte sich mit dem CvD.

Die Feigheit seiner Redakteure wirkte auf Knut Reydt wie ein Aphrodisiakum. Er wandte sich Kern zu: »Das war's, Rollo! Du mußt von Bord! Sofort!« Kern stemmte sich aus seinem

Sessel. Auf dem Weg zur Tür war er bemüht, sich aufrecht zu halten. Ehe er durch die geöffnete Flügeltür trat, wandte er sich noch einmal um: »Gott mit euch, ihr ...« Er winkte ab, wollte schon durch die Tür treten, doch dann straffte sich sein Körper, und er zwang sich ein trauriges Lächeln ab: »... Arschlöcher!«

»Bei rauher See haben Leichtmatrosen und Dummbeutel nichts an Bord verloren. Da muß unnötiger Ballast abgeworfen werden, damit der Kahn wieder auf Knoten kommt. Jetzt weht ein frischer Wind an Bord, Leute! Ab heute geht's mit vollen Segeln voran.«

»Wohin?« wollte Heiner Keller wissen. Seine Feigheit war in Fatalismus umgeschlagen.

»Zum Erfolg!« Reydt schlug mit der Faust auf den Tisch und freute sich an seiner Kraft. »Leute! Ich steure unser *logo!*-Schiff durch dick und dünn – mit euch! Die Konferenz ist beendet.«

Reydt wandte seinen Kopf leicht zur Seite, gerade so weit, daß die Umstehenden ihn hören mußten, und sprach mit gewollt ruhiger Stimme: »Keller, du wirst mir erklären müssen, was du unter Polit-Magazin verstehst.«

Das Herz des Kulturleiters setzte einen Schlag lang aus. Während er sich im allgemeinen Gedränge an Reydt heranzwängte, sprang sein Puls wieder an und begann zu rasen. »Wann wollen Sie mich sprechen, Herr Reydt?« Keller erschrak über seine brüchige Stimme.

Der Chefredakteur roch seine Angst. »Ich will überhaupt nicht. Du mußt.« Reydt sah Keller in die Augen – und wartete. Er hatte Zeit.

»Ja«, hauchte der Journalist.

Reydt lächelte. »Gut. Komm am Nachmittag in mein Büro.«

Knut Reydt ließ Heiner Keller ausgiebig warten. Als er endlich Zeit für ihn fand, gab er sich aufgeräumt. Unvermittelt bot er Heiner den vakanten Posten des Chefs vom Dienst an, »falls du gewillt bist, dich ins Zeug zu legen«. Der Redakteur war über die ausbleibende Kündigung so erleichtert, daß er für einen Moment mit dem Gedanken spielte, den Buchhalterjob anzunehmen – Hauptsache, er behielt seine Stelle. Schließlich fand er doch die Kraft, das »lukrative Angebot« wegen »mangelnder Erfahrung« abzulehnen und dabei gleichzeitig seine Qualitäten hervorzuheben: »Ich bin eben Kulturschreiber, durch und durch.«

»Hör mir bloß auf mit Kultur, Keller!« Reydt winkte unwillig ab. »Ganze vier Prozent unserer Leser interessieren sich für den Schmonzes. Als Kaufgrund für *logo!* gibt knapp ein Prozent deine Kultur an. Also!«

»Immerhin über 5000 Leser.«

»Versuch nicht, mich für dumm zu verkaufen, Keller!« zischte Reydt. »Das ist Augenwischerei!«

Heiner wußte, daß sein Chef recht hatte.

»Die *Zeit* wird von vierzig Prozent wegen ihrer Kulturberichterstattung gelesen, der *Spiegel* immerhin von 14 Prozent, *FAZ, Süddeutsche, taz,* sogar *Focus* – alle mehr als ein Zehntel Kultur-Käufer. Und wir weniger als ein Prozent. Stell dir vor, Politik, Gesellschaft, Sport kommen mit ähnlichen Werten daher, dann saufen wir auf der Stelle ab.« Reydt hatte sich wieder in Rage geredet.

»Wir tun, was wir können ...«

»Dann kannst du eben nichts!«

»Wir haben letzte Woche über die Schreibgewohnheiten von Günter Grass berichtet.«

»Wen interessiert dieser Dino noch? Wenn Reich-Ranicki ihn nicht an seinem Verriß-Tropf halten würde, wäre der schon bis zu seinem Nachruf vergessen.«

»Wir haben eine Dirigenten-Rangliste erstellt ...«

»Seit Karajan, Bernstein und dieser Rumäne, wie heißt er doch gleich, Celibadsche oder so, tot sind, interessiert sich doch kein Mensch mehr für diese notorischen Krachmacher!«

»Die Beatles ...«

»Sind tot, Mann!«

»1996 haben sie wieder einen Hit gelandet ...«

»Mensch, Keller, wo lebst du eigentlich?« Reydt ballte seine Knabenfaust. »Hast du dir schon mal die Mühe gemacht, unser Leserprofil anzusehen?«

»Selbstverständlich.« Selbstverständlich nicht. Das war unter der Würde eines Kulturredakteurs.

»Dann wüßtest du, daß 68 Prozent unserer Leser zwischen 17 und 39 sind – das ist unsere Stärke im Anzeigenbereich. Unser einziges Pfund!« Reydt sprang auf, marschierte auf und ab, ohne den Redakteur zu beachten. Plötzlich blieb er stehen, machte auf dem Absatz kehrt, baute sich wieder vor Keller auf: »Das heißt, daß mehr als zwei Drittel unserer Leser nie etwas von den Scheiß-Beatles mitgekriegt haben. Die haben ihren Laden schon vor dreißig Jahren dichtgemacht ...«

»Aber jetzt haben sie einen Megahit gelandet ...«

Der Chefredakteur konnte nicht an sich halten: »Alles Tattergreise!« Knut Reydt war erst 38. Er kämpfte um seine Rolle als Jungstar des deutschen Journalismus. Hastig fuhr er fort: »Tattergreise, wie du! Keine *logo!*-Leser. Was ihr Redakteur-Opas fabriziert, ist eine Beleidigung für jeden Papierkorb! Scheißdreck. Sündhaft teurer Scheißdreck!« Reydt setzte seinen Marsch fort, hielt mit einem Mal inne: »Wieviel verdienst du?«

»Vierzehntausend ...«

»Mit Weihnachtsgeld und dem ganzen Sozialtinnef fast eine Viertelmillion jährlich, plus zwei Redakteure, plus Sekretärin, plus Volontär und Spesen, Spesen, Spesen. Gut zwei Millionen per anno. Für die Hälfte schreibt mir der Fußballkönig eine exklusive Kolumne!«

»Das ist keine Kultur ...«

»Macht aber Auflage. Garantiert mehr als dein mickriges Prozent.«

»Ich bin überzeugt, daß wir Kulturthemen finden können, die auch unsere Leser ...«

»Welche?«

»Wenn wir gemeinsam überlegen.« Keller holte tief Luft.

»Sie haben doch einen untrüglichen Riecher für Scoops, die die Leser …«

Reydt setzte sich so auf die Kante seines Schreibtisches, daß der Redakteur ihm in den Schoß sehen mußte. »Aha! Wenn ihr den Kahn in Flachwasser manövriert habt, soll ich ihn wieder flott machen!«

»Ja!« Arschkriecher zu sein war einfacher, als Keller befürchtet hatte. Wenn einem das Wasser bis zu den Ohren steht, kümmert man sich nicht um nasse Füße. »Ja!« wiederholte er.

Reydt setzte seine Wanderung fort. »Welche Themen bewegen die Menschen?« fragte er sich laut. »Sport, Mord, Intrigen, Macht, Verbrechen …«

»Kriege«, assistierte Keller eifrig.

»Well done! Endlich beginnst du mitzudenken!« Reydt eilte an seinen Schreibtisch, wühlte unter seinen Papieren einen *Globus* hervor, blätterte. »Aha! Hier ist sie!« Er wuselte über die Bestsellerliste: »Dale Carnegie: *Sorge dich nicht, lebe!* Der deutsche Dauerseller … Ich lasse von Gesine Hella Schmidt eine Titelstory schreiben. Kelder: *Die Fünf ›Tibeter‹* – haben die sich immer noch nicht ausgeturnt? Wigant: *Technik – Menschenfeind*, alter Hut … Da müssen wir trotzdem am Ball bleiben!« Sein Finger fuhr die Liste herab, Reydt stutzte. »Was ist denn das? *In Memory's Kitchen* – Was soll das heißen?«

Keller beugte sich vor. »Ein KZ-Kochbuch.«

Reydt verzog den Mund. »Ich dachte, die Brüder sind im KZ verhungert oder vergast worden. Jetzt stellt sich heraus, daß sie dort Kochbücher geschrieben haben. Also kann's wohl so schlimm nicht gewesen sein …«

Heiner Keller stellte sich vor, was sein Freund Moische auf Reydts Bemerkung antworten würde. Oder dessen Mutter Hanna. Die würde ihm ihre Tasche so lange um die Ohren schlagen, bis er sein Maul ein für alle Mal hielt. Keller grinste unwillkürlich. Er hielt es für angebracht, sich ins Asyl der politischen Korrektheit zu flüchten. »Die Juden haben im KZ nicht gekocht. Sie haben lediglich Rezepte aufgeschrieben, um sich von Hunger und Leid abzulenken …«

»Das behaupten sie jetzt zumindest.« Reydt schüttelte den Kopf, schnippte mit seinen Kinderfingern. »Eins muß man den Jitzigs lassen. Dauernd fällt denen was ein, um uns Deutschen ein schlechtes Gewissen zu machen.«

»Ich persönlich habe kein schlechtes Gewissen. Ich wurde erst 1957 geboren ...«, rechtfertigte sich Keller.

Reydt beachtete ihn nicht. Plötzlich riß er seinen Kopf zurück. »Das ist eine Riesen-Story: Feinschmecker im Todeslager!« Er brütete kurz. »Nein. KZ muß in den Titel. KZ: Kochen und Sterben. Oder, Küchengeheimnisse aus dem KZ. Die besten Rezepte aus dem Todeslager.« Er sah Keller beifallheischend an. »Worauf wartest du noch? Düs in dein Büro und schreib uns die Kulinarische Todesfuge!«

Heiner Keller stand unsicher auf. »Ich will's versuchen ...« Er ging zur Tür.

»Hiergeblieben!« befahl Reydt. »Du bist der falsche Mann. Du guter Deutscher.«

Abschätzig sah er sein Gegenüber an. »Dein Hirn ist blockiert von lauter christlicher Ethik und Germanisten-Ästhetik.« Reydt verschränkte für einen Moment die Arme vor der Brust, ehe er seine Hände wieder gestikulieren ließ.

»Diese Story muß ein Jud' schreiben. Rotzfrech. Voller Chuzpe – kein zaghafter Goj wie du. Aus deiner Feder fließt nur die Kamille politischer Korrektheit.«

»Das wird schwierig ...«

»Schwierig! Schwierig! Ich höre immer nur schwierig, kompliziert, unmöglich! Gibt es für dich nichts Einfaches? Einmal im Leben?«

Keller schüttelte den Kopf. »Der Broder ist beim *Spiegel*. Der Bubis schreibt nicht ...«

»Was ist mit dem Michel Friedman?«

»Der arbeitet lieber mit Fernsehsendern.«

»Und der Militär-Professor aus München? Der viel patriotischer ist als alle Deutschen zusammen?«

»Wolffsohn schreibt vorwiegend für Springer ...«

»Verdammte Scheiße! Warum wirfst du mir immer wieder

Knüppel zwischen die Beine, während ich versuche, dir zu helfen?«

Reydts Augen flogen hin und her. »Es wird doch irgendeinen jüdischen Writer geben, der für gutes Geld ... Reich-Ranicki!«

»Weigert sich, für uns zu schreiben. Ich hab's vor kurzem versucht. Er macht die *FAZ*-Anthologie ...«

»... und schreibt für den *Spiegel* und macht Fernsehen. Also!«

Während Heiner Keller angestrengt nachdachte, kam ihm eine Idee, die sein und das Leben seines Freundes Moische umwälzen sollte: »Einen wüßte ich vielleicht schon ... Ein früherer Journalist ...«

»Na also! Sobald du und deinesgleichen ordentlich eins zwischen die Hörner kriegt, seid ihr sogar fähig zu denken.« Reydt beschloß, Keller und die anderen »Fettärsche« ab jetzt so oft und so kräftig zu kujonieren, daß sie spuren würden. »Los, ab im Schweinsgalopp auf deine Planstelle, Heini.«

Keller rührte sich nicht, er atmete tief durch.

»Los, los! Dalli, dalli!« Reydt schaufelte in Richtung Tür.

»Dieser Bernstein ... kann nicht schreiben«, Keller sah Reydt unsicher an.

Der Chefredakteur lachte schallend: »Etwas Besseres kann uns doch gar nicht passieren, du Simpel. Dann pfuscht uns der Bursche nicht ins Handwerk ... Bernstein, köstlich.« Reydt hob die Arme. »Ein Juden-Name, wie von 'ner PR-Agentur kreiert.«

Keller sah den Chefredakteur unsicher an. »Und wer soll den Artikel schreiben?«

»Na, wer wohl? Du!« Reydt schwang seine geballte Faust in die Luft. »Du!« wiederholte er triumphierend. »Aber frech wie ein Jitzig, sonst hast du hier endgültig ausgeschissen. Habe ich mich klar genug ausgedrückt, Heinrich?!«

»Ja, Herr Reydt.«

So begann die unaufhaltsame publizistische Karriere des Moische Bernstein.

6
Brüderlichkeit

Der Bursche machte Moische meschugge. Er ließ sich das gesamte Sortiment vorführen: *Levi's 501, 601, Lee, Diesel*, sogar *Joop!*. Obwohl Moische auf den ersten Blick gesehen hatte, daß der Typ bestenfalls bereit war, hundert Mark für eine neue Jeans zu investieren. Für Ski und Computer haben sie Tausende übrig, ganz zu schweigen von Rädern, Autos und Motorrädern. Nur bei Jeans ließen sie den Knauser raus. Die Gojim feilschten schlimmer als jüdische Marktweiber. Hitler hat Juden und Deutsche rochieren lassen, überlegte Moische. Die Juden haben gelernt zu killen, und die Deutschen zu handeln. »Beim *Oliver* gibt's die *501* schon für unter hundert Mark«, echauffierte sich der langaufgeschossene Jüngling. »Und Sie verlangen einhundertundachtzwanzig!« Er sah ihn vorwurfsvoll an.

»Warum kaufen Sie die Hose dann nicht bei dem?« wollte Moische wissen.

»Der hat nicht meine Größe ...«

»Unpassende Jeans kriegen Sie bei mir schon für neunzehnachtzig.«

»Wie?«

Find einen Goj mit Humor! »Also nehmen Sie die Hose oder nicht?«

»Hundertachtundzwanzig Mark sind viel!«

»Weniger, als Sie denken. Damit haben Sie im Puff keine zehn Minuten Spaß.«

»Entschuldigen Sie mal – ich habe eine Freundin!«

Ich glaub' eher, du bist schwul, mutmaßte Moische ... Auf jeden Fall geizig.

Nach langem Beraten, Anprobieren und Zureden kaufte der Kunde endlich eine israelische *Jewel*-Jeans für neunundvierzigachtzig. Daran »verdiente« Manfred gerade mal vierzehnachtzig. Wenn er Miete, Steuer, Versicherung, Telefon und andere Schmonzes abzog, blieben ihm etwa vierachtzig. Dafür hatte er sich eine Stunde mit dem Goj abgeplagt.

Ich sollte Klofrau werden, da kassier' ich dreimal so viel, ging es ihm durch den Kopf. Brigitte verdiente pro Stunde achtundvierzig Mark. Dennoch schimpfte Hanna sie dumm.

Das Telefon schrillte. Heiner Keller! »Du?«

»Du hast dich erboten ...«

»Ja!« Moisches Atem stockte.

»... einen Beitrag über jüdische Werte zu schreiben ...«

»Genau!«

Keller mußte über Manfreds Eifer lächeln. »Ich habe mit unserem Chefredakteur gesprochen. Wir können dein Angebot im Moment nicht wahrnehmen.«

Warum ruft das Schwein mich an, um mir das unter die Nase zu reiben, empörte sich Moische innerlich.

»Das Thema paßt zur Zeit nicht ins Blatt.«

Dafür hast du gesorgt! »Wann dann?«

»Das ist im Moment nicht absehbar.«

Keller kostete die Enttäuschung des Freundes aus.

»Wir hätten aber durchaus Interesse an einem anderen Beitrag von dir ...«

Moische wollte Heiners sadistisches Spiel nicht länger mitmachen:

»Sorry«, krächzte er in den Apparat.

»Schade, Manni. Wir hätten wirklich gern einen Kommentar von dir ...«

»Ich dachte, er paßt nicht in euer logisches Magazin?«

»Nicht dein jüdischer Wertequatsch!« Keller machte eine Kunstpause. »Aber an einem Beitrag von dir zur *Woche der Brüderlichkeit* ...«

»Und willst du nicht mein Bruder sein, dann schlag ich dir den Schädel ein ...«

Keller hatte keine Zeit für Manfreds Albernheiten.

»Du hast mich gebeten, dir Gelegenheit zu geben, bei uns zu schreiben. Bist du bereit oder nicht?«

Meinte der Goj es ernst, oder wollte er ihn total meschugge machen? Einerlei! Er mußte seine Chance wahren: »Ja!«

»Gut. Kannst du mir bis Mittwoch einen Kommentar zur *Woche der Brüderlichkeit* schreiben?«

»Ja!«

»Hast du schon mal einen Kommentar geschrieben?«

»Sicher!« Moische hatte vier Kommentare in *Nudnik*, dem Organ des *Jüdischen Studentenbundes in Bayern* geschrieben, ehe man ihn mit Hilfe einer Intrige aus der Redaktion warf.

»Gut! Dann schreib heute abend deinen Sermon zusammen und faxe ihn mir rüber.«

Moische besaß weder eine Schreibmaschine noch einen Computer, von einem Faxgerät ganz zu schweigen. Hanna hatte ihm die Anschaffung verboten.

»Wie lang soll mein Leitartikel werden?«

»Kommentar, nicht Artikel und schon gar nicht Leitartikel. Wir sind ein Nachrichtenmagazin, kein Boulevardblatt.« Obgleich der Chefredakteur zu dumm ist, das zu begreifen. »Acht Blatt.«

»Ich habe noch keinen *logo!*-Artikel gelesen, der länger als vier Seiten ...«

»Blatt, nicht Seiten!« Der Bursche hatte keinen Schimmer. »Ein Blatt hat 20 Zeilen à 42 Anschläge.«

»Verstehe.«

»Weißt du schon, was du schreiben wirst?«

»Ja.«

»Jetzt bereits?«

»Ja, alles ist Tinnef.«

»Wieso?«

»Das deutsch-jüdische Verbrüderungsgetue ist kompletter Schwindel!«

»Das seh ich anders!«

»Dann schreib du den Kommentar!«

Heiner geriet über die Chuzpe dieses Ignoranten in Zorn.

Vor zwei Tagen bettelt er mich um Protektion an wie ein jüdischer Hausierer. Kaum hat er dank meiner Fürsprache Aussicht, eine Zeile zu veröffentlichen, führt er sich auf wie ein Schriftleiter. »Ich möchte gleich zu Anfang etwas klarstellen«, beschied Heiner scharf. »Ich bin der Redakteur! Ich bestimme, was ins Blatt kommt. Wenn dir das nicht paßt, mußt du dir eine andere Zeitschrift suchen!«

Schwein! »Entschuldige, Henry. Ich meine nur, wir sollten unseren Lesern ...«

Unseren Lesern! Heiner mußte höllisch auf den Burschen aufpassen.

»... die Augen über das verlogene Verbrüderungstheater öffnen.«

»Kümmere dich um deinen Artikel, statt um die Augen der Leser!«

»Ja.« Du Idiot!

»Ich möchte heute abend einen ersten Entwurf deines Opus' sehen.«

»Wann soll ich in die Redaktion kommen?«

»Überhaupt nicht. Ich treff' dich um acht im *Extrablatt*.« Heiner hängte ein.

Moische Bernsteins aufgeflammte Euphorie über seinen journalistischen Durchbruch wurde erstickt von der deprimierenden Angst, Heiner Keller könnte sein Katz-und-Maus-Spiel mit ihm fortsetzen. Hinzu kam die Sorge, wie er sich umgehend eine Schreibmaschine verschaffen könnte, und die Furcht, im Café abends um acht keinen ruhigen Platz für das Redaktionsgespräch zu finden. Allein von der Angst, ihm könne nichts zur christlich-jüdischen Brüderlichkeitswoche einfallen, blieb Moische verschont. Er war von seiner journalistischen Genialität überzeugt und meinte, alles über die »Heuchelshow« zu wissen. Wenn er nur vor Jahren seine alte Schreibmaschine nicht weggeschmissen hätte. Wo bekam er so schnell einen neuen Schreibapparat her? Durfte er, ohne Hanna zu fragen, Geld aus der Kasse nehmen? Manfred beschloß, ein Problem nach dem anderen zu regeln. Das Wichtigste zuerst. Er schloß das Geschäft ab – wer kauft schon mittags eine Jeans? – und marschierte durch die Türkenstraße.

Es war Ende Februar. Ein Föhnsturm blies warme Luft über die Alpenkämme nach München. Das Thermometer in der Amalienpassage, durch die Moische am *Café Oase* vorbei zur Rückfront der Universität gelangte, zeigte zwölf Grad. Er öffnete seine schwere Lederjacke. Vor der Akademie der Künste schossen die ersten Krokusse aus dem stoppeligen Rasen. Moische stapfte zum Siegestor, wo er in die Leopoldstraße abbog. Die Alleebäume waren noch kahl. Studenten, die von der Mensa zur Uni schlenderten, trugen Sonnenbrillen. Ich werde dieses Jahr neben Pilotenbrillen von *Ray Ban* auch verspiegelte israelische Modelle anbieten, nahm sich Moische vor.

Durch die Bögen des Siegestores sah er die von der Sonne bestrahlten klassizistischen Bauten der Ludwigstraße. In der Ferne erhob sich die spätbarocke Theatinerkirche. Dahinter leuchteten die Ziegelbögen der Feldherrnhalle. Auf dem Platz davor hatte berittene bayerische Polizei am 9. November 1923 den Nazi-Putsch zusammengeschossen. Hitler entkam und verkroch sich beim Verlegersohn Putzi Hanfstaengl, der den späteren Führer gegenüber der Polizei als seinen Diener deklarierte.

Der Adolf steckte damals viel tiefer in der Scheiße als ich und hat es binnen weniger Jahre zum größten Gauner aller Zeiten gebracht. Ich habe meine Zukunft noch vor mir, witzelte Moische in Gedanken.

Unwillkürlich hob er den Kopf. Sein Blick wanderte über die Silhouette der Innenstadt, von den Doppelhauben der Frauenkirche über die Zuckerbäckerspitze des Neuen Rathauses zum gotischen Dach des Alten Peter. Darüber leuchtete der kobaltblaue Münchner Föhnhimmel. Only the sky is the limit! Wenn ich nicht sofort aufhöre zu träumen, lande ich im Irrenhaus statt in der Chefredaktion. Er wandte sich um und überquerte mit hurtigen Schritten die Georgenstraße.

Im *Extrablatt* herrschte Hochbetrieb. Die weißgeschürzten, pomadehaarigen Kellner in schwarzroten Papageienwesten balancierten ihre Tabletts durch die engen Bistrotischreihen. Manfred reservierte für zwanzig Uhr »einen ruhigen Ecktisch«, wo er mit Keller konferieren wollte, und überzeugte sich, daß der Ober die Bestellung auch notierte.

Danach eilte Moische wieder zurück in den Laden. Unterwegs erwarb er einen Füller, schwarze Tinte und Papier. In der ruhigen Zeit des frühen Nachmittags wollte er seinen Kommentar schreiben. Doch ausgerechnet heute riß der Kundenstrom nicht ab. Lauter hübsche Studentenflunsen, mit denen Manni gerne geflirtet hätte. Noch einmal eine 19jährige Schickse trennen! Brigitte war schon Mitte dreißig. Wie ein streunender Kater schlich er um die Umkleidekabine. Als er gegen halb vier den Laden dichtmachen wollte, erschien Sonja Rosengold.

Die rothaarige Dame war vom Fach. Mehr als dreißig Jahre hatte sie mit ihrem gefügigen Gatten Fulja ein Textilgeschäft in der Bayerstraße nahe am Hauptbahnhof betrieben. Der Laden war eine Goldgrube gewesen. Die Kunden, eilige Reisende, Sozialhilfeempfänger, Bundesbahnarbeiter und Taxifahrer, fackelten nicht lange. Sie zahlten zügig für die billigen Schmattes.

Nachdem die Rosengolds ihre vier Töchter verheiratet hatten, verkauften sie ihren Laden und investierten ihr Geld in Immobilien in München, Tel Aviv und New York, wo die Schwiegersöhne die Liegenschaften verwalteten. Sonja Rosengold sorgte dafür, daß sie ehrlich blieben. Die vitale Siebzigerin besuchte Moische gelegentlich, um mit ihm ein Schwätzchen zu halten. Sie hielt wenig von Hanna und den anderen europäischen Juden: »KZniks und Versteckspieler, die vor den Nazis davonliefen oder sich von ihnen vergasen ließen, nachdem sie bis zuletzt um ihr kümmerliches Leben gewinselt hatten.«

Sonja Rosengold war mit fünfzehn vor den anrückenden Deutschen aus Minsk in die Wälder Weißrußlands geflohen und hatte sich den Partisanen angeschlossen, um gegen die Nazis zu kämpfen.

»Glaube ja nicht, daß mich die Muschiks mit offenen Armen aufgenommen hätten, Moischale! Die haben mich durchgezogen wie eine Chonte. Na und!?« Sonjas bernsteingelbe Augen leuchteten bei der Erinnerung an die derben Fickereien ihrer Jugend. »Lieber jeden Partisanenschwanz lecken und sich von jedem verlausten Iwan in den Arsch stoßen lassen, als vor den glattrasierten germanischen Mördervisagen zu buckeln.«

Sonja stolzierte durch den Laden, prüfte mit geübtem Blick und Griff die Ware, ehe sie fortfuhr. »Von mir haben die Banditen gekriegt, was sie verdient haben. Wir haben ihnen einen Zug nach dem anderen in die Luft gejagt. Den Verbrechern, die das überlebt haben, haben wir die Gurgel durchgeschnitten.« Grinsend streckte sie ihre altersgefleckte Hand nach Moisches Hals aus. Der zuckte zurück.

»Wenn Sie die Deutschen so hassen, warum leben Sie dann hier?«, fragte er unwillkürlich.

»Hier macht man gute Geschäfte, Moischikl.«

»Sie haben doch Ihren Laden längst dichtgemacht.«

Sonja stutzte. Sie überlegte kurz, ehe ihre lebendigen Augen wieder erstrahlten. »Mir ... uns, Fulja und mir geht's wie dem alten Cohn. Als er gefragt wurde, wie man schnell reich wird, meinte er: Wenn du reich werden willst, mußt du dich fünf Jahre wie ein Schwein benehmen. Du darfst keinen Freund, keinen Bruder, keine Schwester kennen!«

»Und danach?« wollte Moische wissen.

Sonja lachte schallend. »... danach hat man sich an die Schweinerei gewöhnt.« Unvermittelt wurde sie ernst: »Wir haben uns an die deutschen Schweine gewöhnt. Und vergessen, was sie uns angetan haben – zumindest tagsüber.« Sonja Rosengold holte tief Luft. »Nachts beschimpft mich meine abgeschlachtete Familie. Sie schreien, ich soll aus dem Mörderland nach Israel. Ich werde es tun! Eines Tages! Spätestens wenn ich tot bin, mit den Beinen voraus in der *El Al*-Maschine nach Tel Aviv. Ich muß in Erez Israel begraben werden. Dort werde ich Scholem finden. Nicht hier im Mörderland!« Sie runzelte die Stirn. »So ist es, Moischikl. Bei den deutschen Banditen ist gut leben, bei den heiligen Juden in Erez Israel liegt man gut in der Erd'!« Sonja winkte energisch ab, um ihre Gedanken zu verscheuchen: »Genug gequasselt. Von solchen Chochmes wird man irre im Kopf!« Sie wandte sich um. »Ich brauche Hosen und Hemden für meine Enkelkinder! Aber keinen Tinnef! Nur das Beste und zu einem vernünftigen Preis, sonst trete ich dir in deinen fetten Toches, Moischik.« Sie zog ihn freundlich am Ohrläppchen.

Eine halbe Stunde später verließ Sonja Rosengold Manfred Berns Laden. Sie hatte acht Jeans, sechs Hemden, ein Dutzend *Adidas*-T-Shirts, vier Jeansjacken, 4 Paar Cowboystiefel, 2 Paar israelische Kommandoschuhe, zwei *Oshkosh*-Overalls und drei Lederjacken gekauft. Ein gewöhnlicher Kunde hätte gut zweieinhalbtausend Mark dafür hinlegen müssen; Frau Rosengold hatte nicht viel mehr als den Einkaufspreis bezahlt. Moische mochte sie dennoch. Die Alte machte sich und anderen nichts vor.

Moische setzte sich mit Füller und Papier in seine Höhle im Hinterraum des Ladens. Prompt tauchte Hanna auf. Sie forderte Rechenschaft über den aktuellen Geschäftsgang und ermahnte ihn, endlich Frau Doktor Grinstein zu treffen, »sonst verliert sie die Geduld!«

»Genau wie ich!« antwortete Moische und verabschiedete sich.

Draußen dämmerte es. Es war bereits fünf Uhr. Manfred eilte ins *Café usw.* Die Gäste unterhielten sich in voller Lautstärke. Einige schrien, um sich in dem allgemeinen Lärm verständlich zu machen, andere lachten ungehemmt. Manfred wollte das Café wechseln, verwarf den Plan jedoch. Woanders ist es auch nicht ruhiger. Außerdem darf ein guter Journalist sich von nichts und niemandem ablenken lassen. Er setzte sich an den einzigen freien Zweiertisch und wollte sich eine Zigarette anzünden. Moische kramte in seiner Tasche nach der Packung. Er hatte sie im Geschäft gelassen, als er vor Hanna geflohen war. Das war ein Zeichen des Himmels! Seine Mamme hatte recht. Rauchen war gefährlich. Gerade für ihn. Er mußte seine labile Gesundheit schonen, um seine harte journalistische Karriere durchzustehen. Er bestellte einen doppelten Espresso, öffnete seinen Block und schrieb los. »Die christlich-jüdische Brüderlichkeit ist ein gutes Ziel.« Nein! Er ersetzte das »Die«

durch »Eine«. Auch damit gab er sich nicht zufrieden. Was geht die Leser »die« oder »eine« christlich-jüdische Brüderlichkeit an? Sie interessiert, was in Deutschland los ist, also: »Eine christlich-jüdische Brüderlichkeit in Deutschland ...« Moische entschloß sich, direkt ins Thema einzusteigen. »Christlich-jüdische Brüderlichkeit in Deutschland ist gut.«

Ist »wäre gut« nicht besser? Die lärmenden Gojim machten Moische meschugge. Er zwang sich zur Konzentration.

»Wäre« ist gut, Brüderlichkeit – alles Scheiße. Aber der ignorante Heinrich wollte es so, und der hatte das Sagen. Wes Brot ich ess, des Lied ich sing'! Moische geriet in Zorn. Noch ehe ich das erste Wort geschrieben habe, will er mich erpressen. Kommt nicht in Frage! Der läßt mich doch nur schreiben, weil er muß, ahnte er. Manfred Bern schwor sich, ein unbestechlicher Journalist zu bleiben. Meine Ehrlichkeit wird meine schärfste Waffe sein! Alle anderen Kritzler sind käuflich. Karl Kraus hat sie zurecht als »Schreibsklaven« denunziert. Die Leser haben die Schnauze voll vom korrupten Journalismus. Sie lechzen nach Ehrlichkeit und Wahrheit. Ich werde sie ihnen geben!

»Die Woche der Brüderlichkeit ist eine amerikanische Erfindung. 1948 zwang der amerikanische General Lucius D. Clay die Deutschen, allenthalben Christlich-Jüdische Gesellschaften zu gründen. Diese Vereine waren bei den alten Nazis beliebt. Denn in ihnen erhielten sie Gelegenheit, sich als Judenfreunde aufzuspielen und konnten sich entnazifizieren lassen. Die alten Nazis sind tot, die Woche der Brüderlichkeit siecht dahin. Die Vereine vergreisen. Dennoch zelebriert Deutschland nach wie vor die Geisterparty der christlich-jüdischen Brüderlichkeit. Ein verlogenes Theater! Der Antisemitismus feiert fröhliche Urständ! Jüdische Friedhöfe werden geschändet. Neonaziblätter hetzen ungehindert. Jeder dritte Deutsche beklagt heute wieder die Macht der Juden. Vier von zehn Deutschen glauben, daß Hitler und die Nazis auch gute Seiten hatten. Den Antisemitismus ...« Manfreds Füller flog übers Papier. Er fühlte eine bis dahin nie gekannte geistige Befriedigung. Endlich hatte er Gelegenheit, sein Wissen und seine Gedanken der Öffentlichkeit mitzuteilen. Sein Kopf war klar. Seine Darstellung überzeugend, das Fazit mitreißend. »Die deutsch-jüdische Brüderschaft ist in Auschwitz vergast und verbrannt worden. Heute davon zu reden, ist pure Heuchelei. Seien wir ehrlich! Sprechen wir lieber von gegenseitigem Respekt. Wir Juden sind zur Aussöhnung bereit. Nicht mehr und nicht weniger!«

Manfred las seinen Kommentar mehrmals konzentriert und selbstkritisch durch. Von ein paar sicher irgendwo verborgenen Kommafehlern abgesehen, stand der Artikel. Er war logisch, plastisch, aufklärerisch und zugleich versöhnlich. Die Sprache war ebenso klar wie die Gedanken, flüssig zu lesen war er auch – kurzum: der Kommentar war perfekt. Er lehnte sich zurück. Gelassen beobachtete der Publizist die übrigen Gäste, die nutzlos ihre Zeit totschlugen, während er, ohne daß sie es ahnten, ihr zukünftiges Denken prägte.

Natürlich ließ der arrogante Kulturredakteur seinen Kommentator zappeln. Keller tauchte kurz vor neun im *Extrablatt* auf. Er hielt es nicht für notwendig, sich für seine Verspätung zu entschuldigen. Nachdem er den Kommentar überflogen hatte, fällte er sein Urteil, ohne die Stimme zu erheben: »Mist.«

»Ich habe die Wahrheit geschrieben!« Moisches Augen wurden feucht, seine Stimme war verklebt.

»Die Wahrheit gibt es nicht! Das wüßtest du, wenn du dir die Mühe gemacht hättest, Philosophie zu studieren – oder zumindest einen Einführungskurs an der Volkshochschule zu absolvieren.« Keller beobachtete, wie sein Gegenüber sich verstohlen die Tränen aus den Augenwinkeln wischte. Manfred tat ihm leid.

»Die Wahrheit ist im Journalismus uninteressant …«

»Das glaube ich nicht …« Moische hatte Mühe, zu sprechen.

»Für deinen Glauben ist die Synagoge zuständig. Wir Redakteure halten uns an Leserumfragen. Und deren Ergebnisse sind eindeutig. Unsere Käufer wollen nur eins: Unterhaltung. Abstrakte Wahrheiten gehen sie nichts an …«

»Aber meine Wahrheit ist konkret. Ich habe …«

Keller wurde unwirsch, seine Stimme nahm einen harten Klang an. »… auch keine konkreten Wahrheiten, sondern Unterhaltung, Unterhaltung, Unterhaltung!«

Die Schwäche des zusammengesunkenen Freundes stimmte Keller keineswegs mild. Er hatte das Bedürfnis, dem Besserwisser die Augen zu öffnen. »Du hast keine Wahrheiten ans Licht gebracht, sondern leeres Stroh gedroschen. Langweiligen Mist verzapft. Und …«, Heiner Keller redete sich in Rage, sein blasses Gesicht rötete sich, »… du hast eine journalistische Todsünde begangen. Du hast, beziehungsweise du wolltest den Leser provozieren.« Er senkte die Stimme und hob den Blick. »Scheiße!«

Einen Tag später wurde das fatale Urteil wiederholt. Knut Reydt bemühte sich nicht um einen moderaten Ton. Er brüllte: »Scheiße! Komplette Scheiße! Langweiliges Versöhnungsgesülze! Der schreibt noch bescheuerter als unsere germanischen Judenfreunde. Von jüdischer Unverfrorenheit keine Spur! Was hast du da für einen Laumann angeschleppt, Keller?« Reydt sah auf den Bildschirm.

»Manfred Bern? Das ist doch kein jüdischer Name! Der Bursche heißt doch anders.«

»Bernstein möchte nicht als Jude erkannt werden …«

»Was der will, interessiert mich einen Scheißdreck!« Reydt sprang auf. »Unsere Leser wollen einen Juden! Also geben wir ihnen einen! Der Bursche heißt bei uns Bernstein. Moritz Bernstein!« Der Chefredakteur nahm seine Wanderung durch sein Büro auf.

»Moritz Bernstein?« Reydt hielt inne. »Wer weiß heutzutage, daß Moritz ein jüdischer Name ist? Jeder germanische Holzkopf stellt sich heute einen siebenarmigen Leuchter ins Fenster …« Der Chefredakteur setzte seinen Marsch fort: »… und gibt seinen Kindern biblische Namen: David, Miriam, Sara. Jeder Nazi-Enkel heißt heutzutage Moritz. Nein! Wir brauchen einen eindeutigen Markennamen. Moische Bernstein?«

Keller sah seinen Chefredakteur an. »Ist das nicht denunzierend?«

»Denunzierend ist allein deine Dummheit, Keller!« Reydt dachte kurz nach. Seine Miene hellte sich auf. »Es kann gar nicht denunzierend genug sein, du Laumann. Wir werden deinen Juden so markieren, daß ihn jeder erkennt. Wir werden ihn Moische Israel Bernstein nennen.«

»Die Nazis haben alle Juden gezwungen, sich Israel zu nennen. Das können wir doch nicht ebenfalls …«

»Und ob wir das können! Die Nazis kannten sich aus mit Propaganda. Goebbels war ein Genie. Ich würde ihn sofort einstellen.« Reydt besann sich. »Zeig mir ein Foto von unserem Moische Israel.«

»Er muß erst fotografiert werden. Ich wußte nicht, ob wir seinen Beitrag nehmen. Er hat absoluten Mist geschrieben.«

»Und du gibst die Scheiße ungefiltert ins System?«

In seiner Rechtfertigungsnot beging Heiner Keller einen nicht wiedergutzumachenden Karrierefehler. Er sagte die Wahrheit: »Nein! Ich mußte den Beitrag völlig neu verfassen. Der Kerl hat vom Schreiben keine Ahnung. Das einzige, was er kann, ist provozieren …«

»Was?« Mit einem Satz sprang Reyd auf Keller zu. »Und du Idiot hast ihm alles rausredigiert und statt dessen deinen Verdummungs- und Betroffenheitseintopf geschmort. Das dacht' ich mir, daß du diesen Dreck produziert hast. So stupid kann kein Moische sein! Die Kerle müssen ihre Chuzpe rauslassen. Die können gar nicht anders!«

Reydt zog einen engen Kreis um Keller. Die Borniertheit im Gesicht des Feuilletonisten reizte den Chef zur Weißglut. »Du kannst auch nicht anders! Du bist so dumm wie das Stroh in deinem Eselshirn und so stur wie Zement. Du beneidest jeden Menschen, der einen Funken Geist besitzt und trachtest danach, ihn mundtot zu machen. Ich will das Manuskript von Moische!«, befahl Reydt.

»Ich hab's weggeworfen.«

»Dann hol es aus dem Müll! Und bring es mir sofort her!«

Knut Reydt kostete die Chuzpe aus. Er deutete auf Moisches Artikel und blickte Heiner Keller zornig an. »Bernstein kann provozieren, darauf kommt's an. Das wollen die Leser – nicht deinen geistigen Dünnschiß. Für die Form hast du zu sorgen. Dafür wirst du bezahlt! Mehr kannst du nicht.«

Von Stund an war Heiner Keller zum redaktionellen Flickschuster und Steigbügelhalter des frischgebackenen Publizisten Moische Israel Bernstein degradiert.

Der *logo!*-Chef verstand es, den ungewöhnlichen Kommentar zu seinem Erfolg zu machen. Er ließ den Beitrag durch eine Bilddokumentation über die Schrecken der Schoah, Fotos von Schändungen jüdischer Friedhöfe in der Bundesrepublik sowie von Veranstaltungen zur *Woche der Brüderlichkeit* ergänzen und mit Statistiken über die Zahl der ermordeten Juden garnieren. Moisches Konterfei wurde in den Kommentartext eingeblockt. Reydt veranlaßte einige Retuschen: dunkle Augen, schwere Lider, volle, rote Lippen, die dem Autor ein nach seiner Auffassung jüdisches Aussehen verleihen sollten.

Auf der Titelseite prangte ein gelber Davidstern mit dem Nazi-Signum »Jude«. Darunter firmierte in nüchternen blauen Lettern die Coverstory:

Droht ein neues Auschwitz?
Antisemitische Geisterparty

Am Sonntagnachmittag erstand Moische am Bahnhofskiosk die Montagsausgabe von *logo!*. Beim Durchblättern des Magazins entdeckte er sein verjudetes Konterfei, seinen aufgejudeten Namen: *Moische Israel Bernstein*. Er lachte laut auf, warf das Heft in die Luft, tanzte durch die Bahnhofshalle. Die Blicke der Umstehenden und Passanten erheiterten ihn. Moische tanzte, sang, lachte, Tränen liefen über sein Gesicht. Er bemerkte, daß ihm das Magazin abhanden gekommen war. »Egal! Scheißegal!« brüllte er.

Moische rannte zum Kiosk zurück, kaufte fünf *logos!* und nahm sich ein Taxi. Er schenkte dem Fahrer ein Exemplar und ließ sich zu Brigitte fahren. Sie begrüßte ihren Schatzi mit einer kräftigen Umarmung. Nach einer Weile machte er sich behutsam frei. Er wollte in der Wirtschaft an der Ecke einen Schampus kaufen, um mit ihr zu feiern.

Brigitte hatte anderes vor. Sie zog ihn an sich. »Jetzt wird net g'soffen! Jetzt wird endlich g'vögelt!«

Moisches Kommentar wurde noch vor der Veröffentlichung in voller Länge und in einer zugespitzten Kurzfassung an alle Nachrichtenagenturen und an jede größere deutsche Feuilletonredaktion gefaxt.

Das Echo war überwältigend. *Tagesschau, heute, RTL-aktuell, SAT1* und andere Nachrichtensendungen befaßten sich mit Moisches *logo!*-Kommentar. Ein Sprecher der Bundesregierung und ein Repräsentant des Verfassungsschutzes dementierten entschieden die »Gefahr eines neuen Holocaust«. Die Feuilletons ließen ihre jüdische Schreibergarde aufmarschieren. Mißgünstige Kommentatoren in Intelligenzblättern ziehen *logo!* der »Panikmache« und »Sensationshascherei«. Damit animierten sie – wider Willen – ihre Leser, *logo!* zu kaufen. Die Nachfrage war so stark, daß das Heft nachgedruckt werden mußte. Die verkaufte Auflage kletterte um 150 000 Exemplare auf fast 700 000.

Knut Reydt ließ sich von Presse und Fernsehen sowie von seinem Verlagsleiter und seinem Verleger als »genialer Blattmacher« feiern. Ein wenig Glanz des Chefredakteurs strahlte auch auf den Leiter des Feuilletons ab, Heiner Keller.

Mißgünstige Kollegen schalten ihn einen Politclown. Das sah der *logo!*-Kulturchef anders: »Wir wollen unsere Leser nicht nur unterhalten. Das besorgen andere Organe. Unsere Pflicht ist die kritische Information. Wir konfrontieren unsere Leser mit der Wahrheit, auch wenn sie als Provokation empfunden wird!« betonte er in einem Fernsehinterview.

Der ausführlichen Berichterstattung in den Nachrichtensendungen folgte die Nachgeburt in den Talkshows. Knut Reydt wurde von Sendung zu Sendung geschleust. Der *logo!*-Chef scheffelte soviele Termine und Honorare, wie er konnte.

Seinen Oberfeuilletonisten Heiner Keller schickte er derweil in die »Diskussionsrunden« der Dritten Fernsehprogramme. Die ungewohnte Beachtung ließ Keller die doppelte Demütigung durch den Chefredakteur und den Neu-Kommentator zeitweilig vergessen.

Während Knut Reydt und Heiner Keller von Diskussionsrunde zu Talkshow und zurück eilten, wurde Moische Israel Bernstein von der *logo!*-Redaktion mit Auftritten in drittrangigen lokalen Rundfunksendern und Zeitungen beschäftigt. Moische fiel seine Zurücksetzung zunächst nicht auf. Er kostete seine plötzliche Berühmtheit aus. Willig posierte er für Fotografen, sprach in jedes Mikrofon, das ihm unter die Nase gehalten wurde. Brigitte sammelte alle Artikel, klebte sie auf weißes Papier, datierte sie und heftete sie in einem Ordner ab, den sie eigens zu diesem Zweck gekauft hatte. Mit rotem Filzstift schrieb sie auf den Rücken des Bandes: Artikel v. Manni.

Sein erstes Live-Interview erlebte Moische in einem Rundfunkstudio von *Radio Bavaria 7*. Neunzig Sekunden lang durfte »Herr Bernstein aus Israel über das neue Auschwitz« berichten. Ehe Moische richtiggestellt hatte, daß er »kein Israeli, sondern Münchner« sei – »aber da steht doch Israel«, hatte der gojische Moderator beharrt – war das »Interview« vorbei: »Weiter mit Vekehrsmeldungen aus dem Raum Rosenheim.«

Moisches Berühmtheitseuphorie erlosch rasch. Mißgünstig verfolgte er die Auftritte von Reydt und Keller in populären TV-Sendungen. Diese arischen Ganoven, jammerte er resigniert. Nächste Woche wird eine neue Sau durch *logo!* getrieben – dann bin ich vergessen und darf für den Rest meines Lebens wieder Judenhosen verscherbeln.

Unter normalen Umständen hätte der gekränkte Autor recht behalten. Aber im meschuggenen deutsch-jüdischen Verhältnis ist nichts normal. Diesem Umstand hatte Manfred-Moische Bern-Bernstein den Beginn seiner furiosen Fernsehkarriere zu verdanken.

Der Vizepräsident des *Centralvereins der Juden* in Bayern, Ludwig Dessauer, sollte mit der bekannten TV-Journalistin Fatima Örsel-Obermayr in der Sendung *Kultur intellektuell* über »Fremde in der Heimat. Ausländer und Minderheiten in Deutschland« diskutieren. Dies erregte die flammende Eifersucht des niederbayerischen Landesrabbiners Isaak Weininger, der ursprünglich zur Sendung eingeladen gewesen war. Der Geistliche hatte sich jedoch gezwungen gesehen, seine Teilnahme abzusagen. Die Sendung werde zwar am Samstagabend, nach dem Ende des Sabbat gesendet, doch die Gäste müßten während des Tages anreisen und würden dadurch die Sabbatruhe verletzen. Der so verhinderte Geistliche Weininger ließ nichts unversucht, den Auftritt seines Intimfeindes Dessauer zu verhindern. Der Intendant wiederum wollte unter allen Umständen »eine Auseinandersetzung unter unseren jüdischen Mitbürgern« vermeiden. Denn dies bedeutete Ärger im Rundfunkrat. Daher überredete er Dessauer zu einem anderen Auftritt am Sonntag der nächsten Woche. So war die ratlose Kultur-Redaktion am Samstagvormittag gezwungen, einen jüdischen Ersatzkandidaten für den gleichen Abend zu beschaffen. Doch um diese Zeit feiern deutsche Zeitungsredaktionen ebenso wie die jüdischen Gemeinden ihren freien Samstag! Ein Mitarbeiter von *Kultur intellektuell* hatte zufällig im *logo!*-Magazin geblättert, bei der Auskunft Moisches Nummer erfragt und rief auf gut Glück bei ihm an.

Moische sagte umgehend die Teilnahme an der Sendung zu. Sein Ticket nach Frankfurt war bereits beim *Lufthansa*-Schalter am Franz-Josef-Strauß-Flughafen hinterlegt. Das beeindruckte ihn. Sein Ego, das so lange unter der Mamme-Herrschaft und eigener Trägheit gelitten hatte, entfaltete sich im Flugzeug rasch. Nie zuvor war Moische Business Class geflogen. Eine lächelnde Stewardess kredenzte ihm ein Glas Champagner. Er genoß den Blick über die vom Sonnenlicht angestrahlten Wolkengebirge. So ließ sich's leben! Und das war erst der Anfang.

Am Rhein-Main-Flughafen wartete ein Fahrer mit einem Namensschild **Moische Israel Bernstein** auf den Autor. Lässig ließ sich Moische in den Fond des Gäste-Mercedes sinken und genoß die Fahrt zum Fernsehsender.

Die Betriebsamkeit des Studios, das Geschminktwerden, die Vorbesprechungen mit Redakteuren, Assistenten, Kameraleuten und dem Moderator von *Kultur intellektuell*, das Anbringen der Mikrofone – alles heizte Moisches Euphorie an und nährte seinen aufblühenden Glauben an die eigene Bedeutsamkeit.

Der Studiogast fühlte sich beschwingt und angeregt. Doch der Aufzeichungstermin verstrich ohne Fatima Örsel-Obermayr. Jens Schultzen, der Moderator, wurde zunehmend nervös. Er war ein Yuppie mit flinken Gesten, gewinnendem Lächeln und ausdruckslosen Augen. Schultzen funktionierte perfekt. Er konnte alles und wußte nichts.

Eine halbe Stunde später erschien die prominente Fernsehjournalistin. Sie hatte eine zierliche Figur und war wesentlich kleiner, als Moische sie sich vorgestellt hatte. Doch beim Blick in ihre grünen Ziegenaugen befiel den Neuling Angst. Örsel-Obermayr nahm sie mit feiner Witterung sofort wahr. »Sie wollen uns also weismachen, daß die Juden ein Monopol auf's Leiden besitzen, während wir Ausländer in Deutschland das Paradies auf Erden haben?« fuhr sie Moische mit einer klar artikulierenden Stimme an.

»Nein, aber ...«

Örsel-Obermayr wandte sich zum Moderator um, ohne auf Moisches Worte zu achten.

»Wie lange habe ich Zeit, Jens?«

»Sechs Minuten, Frau Örsel.«

»Ich brauche mindestens doppelt so lange!«

»Wir haben fünf Beiträge, à sechs Minuten ...«

»Dann werft einen raus.«

»Das geht nicht ...«

»Es geht! Sonst gehe ich! Auf der Stelle.« Örsel-Obermayr

erhob sich aus ihrem Ledersessel. Schultzen legte der berühmten Journalistin die Hand beschwichtigend auf den Arm.

»Laß das!« fuhr sie ihn an.

»Entschuldigen Sie, Frau Örsel. Ich will mein Möglichstes versuchen.«

Er telefonierte mit seinem Redaktionsleiter.

»Neun Minuten! Mehr können wir selbst Ihnen, Frau Örsel-Obermayr, beim besten Willen ...«

Sie winkte ab. »In Ordnung! Aber schnell. Ich muß heute noch nach Berlin fliegen. Um zwanzig Uhr muß ich eine Podiumsdiskussion in der Deutschlandhalle leiten. Also los.«

Die Journalistin ließ sich wieder in den Sessel fallen und fixierte den Moderator. »Laß erst ihn reden.«

Örsel-Obermayr streifte Moische mit einem Blick, dessen aggresive Verachtung ihn verzagen ließ.

»Sogleich danach werde ich natürlich Ihnen das Wort erteilen, Frau Örsel-Obermayr«, versicherte Schultzen eifrig.

»Natürlich!« die Starjournalistin lächelte den Moderator mit gekräuselten Lippen an.

»Im Anschluß sollen Sie beide miteinander diskutieren ...«, Schultzen entblößte sein Gebiß. »Ich werde mich mit eigenen Wertungen zurückhalten und nur eingreifen, wenn Ihr Gespräch ins Stocken geraten sollte ...«

»Da mach dir mal keine Sorgen!«

»Nein ...«

Während Schultzen sich vorbeugte, blickte Örsel-Obermayr ungeduldig auf die Studiouhr. »Genug mit dem ganzen Klimbim! Laß uns anfangen!«

»Selbstverständlich, Frau Örsel-Obermayr.«

Der Moderator gab dem Aufnahmeleiter ein Handzeichen. Der Countdown lief. Tontechniker, Kameraleute, Assistenten und andere Wichtigtuer huschten durchs Studio.

Zuletzt wurde das Make-up der drei Akteure kurz aufgefrischt. Moische fühlte einen drückenden Hustenreiz, seine Hände waren eiskalt, er mußte zur Toilette, beherrschte sich aber, weil er keine Angst zeigen wollte.

Endlich leuchtete das rote Licht der Hauptkamera auf. Jens Schultzen begrüßte die »verehrten Zuschauer recht herzlich«, stellte seine »lieben Gäste, die bekannte Fernsehjournalistin und unerschrockene Vorkämpferin für die Rechte unserer ausländischen Mitbürger, Frau Fatima Örsel-Obermayr sowie den kritischen Leitartikler, den jüdischen Publizisten Moische Israel Bernstein« vor und erläuterte mit der gebotenen Betroffenheit das Thema der Sendung. Dann wandte sich der Moderator an Moische: »Herr Israel Bernstein, vor wenigen Tagen warnten Sie in einem großen deutschen Nachrichtenmagazin eindringlich vor der Gefahr eines neuen Auschwitz. Droht uns wieder ein Holocaust?«

Moische war konsterniert. So hatte er es doch nicht ausgedrückt.

Heiner und die anderen Schmierer hatten seine Botschaft verfälscht. Doch das durfte er unmöglich in der Öffentlichkeit preisgeben. Wieviel Millionen sahen ihm jetzt zu? Auf jeden Fall Brigitte, seine Mamme und die ganzen Jidn in München. Eben noch hatten sie ihn als kleinen Jeansverkäufer verachtet und als Trunkenbold denunziert, und nun erwarteten sie von ihm – wie alle anderen – die erlösenden Worte der Wahrheit. Aber was war die Wahrheit? Moische spürte die Anspannung des Moderators und die verächtliche Herablassung der berühmten Journalistin. Was war die Wahrheit? Er sah ins Glasauge der Kamera. »Fest steht, daß es trotz der unvergleichlichen Verbrechen der Schoah in Deutschland nach wie vor einen massiven Antisemitismus gibt. Jüdische Friedhöfe werden geschändet ...«

»Jüdische Friedhöfe!« unterbrach ihn Fatima Örsel-Obermayr. »Sie jammern darüber, daß Kinder oder Betrunkene Grabsteine umstoßen! Das ist unschön, gewiß. Aber geradezu unappetitlich ist, wie Sie und Ihre Glaubensgenossen seit über einem halben Jahrhundert nur im eigenen Leid schwelgen. Auch ich lehne die Untaten der Nazis ab. Aber tun Sie doch bitte nicht so, als ob die Juden die einzigen Opfer von Gewalt und Rassismus in diesem Jahrhundert gewesen wären!«

Die Armenier. Die Armenier! Damit setze ich die Türkin matt, hoffte Moische. »Die Armenier ...«

»Unterbrechen Sie mich nicht!« herrschte ihn die Örsel-Obermayr an. Moische duckte sich unter ihrem intensiven Blick. »Und hören Sie auf mit Ihren ollen Kamellen! Zuerst lamentieren Sie über die mehr als ein halbes Jahrhundert alten Naziuntaten, dann wehklagen Sie über angebliche Vergehen gegen die Armenier ...«

Moische unterdrückte seine Angst und zwang seinen kurzen Atem in die Stimmbänder: »Nicht angeblich. Die Armenier waren wirklich ... Franz Werfel hat ...«

»Werfel war ein jüdischer Märchenerzähler wie Sie ...«

Jens Schultzen erwog einzugreifen. Sendeleitung und Chefredaktion reagierten empfindlich, wenn Juden angegriffen wurden. »Bitte, Frau Örsel-Obermayr ...«

Mit erhobenem Zeigefinger brachte die berühmte Journalistin den Moderator zum Schweigen und drehte sich sogleich wieder zur Flügelkamera, deren rotes Aufnahmelicht aufleuchtete. Ihre Stimme wurde eine Nuance weicher. Sie bemühte sich um Aufklärung. »Hier geht es aber nicht um Märchen, liebe Zuschauer, sondern um Tatsachen. Um geschichtliche Tatsachen. Herr Israel Bernstein ...«

Dem Moderator gelang es gerade noch ein »Moische« einzuwerfen, als die Dampfwalze Fatima auch schon über ihn hinwegrollte.

»... kommt mit Armeniersagen daher, die zudem mehr als hundert Jahre zurückliegen ...«

»Achtzig ...«, ächzte Moische.

»Halten Sie den Mund, während ich rede!« donnerte die famose Journalistin und sah Moische vernichtend an.

»Als nächstes kommen Sie mit der Bibelgeschichte vom Auszug der Kinder Israels aus Ägypten vor viertausend Jahren daher.« Als das Licht der Frontkamera anging, wandte sich Örsel-Obermayr halb Moische zu, so daß ihr scharfes Profil ins rechte Bild kam.

»Herr Bernstein, versuchen Sie nicht, unsere Zuschauer für

dumm zu verkaufen! Verbiegen Sie nicht die Tatsachen. Sie wissen genau, daß es gegenwärtig nur einen Völkermord gibt. Er ereignet sich seit einem halben Jahrhundert in Palästina. Seine Opfer sind unschuldige arabische Frauen, Kinder, Greise und Männer. Die Täter sind Juden. Juden wie Sie!«

Ihre Stimme zitterte vor Abscheu. »Sie sind Täter! Sie rotten das palästinensische Volk systematisch aus!« Örsel-Obermayr spürte an Moisches Gestik, daß er kapitulierte.

Er wollte Örsel-Obermayr widersprechen, doch ihre Ziegenaugen fixierten und lähmten ihn. Tränen rannen ihm über die Wangen. Die berühmte Journalistin registrierte es zufrieden. Sie hob die Stimme und den rechten Zeigefinger. »Sie persönlich haben in den zionistischen Streitkräften gedient, Israel Bernstein, und sich dort schwerster Verbrechen schuldig gemacht. Sie haben eine Hetzjagd auf palästinensische Kinder veranstaltet!« schrie es aus der Empörten.

Moische würgte seine Tränen hinunter, endlich fand er seine Sprache wieder: »Das stimmt nicht.« Er wischte sich die Tränen ab, sein Make-up verschmierte.

»Lüge! Hören Sie auf zu lügen!« schrie die Örsel-Obermayr.

»Nein. Ich möchte, ich werde …«

»Sie werden gar nichts mehr, Israel Bernstein! Die neun Minuten sind um. Die Diskussion ist beendet! Kamera ab!« Ihre Stimme war dermaßen gebieterisch, daß die Kameraleute augenblicklich gehorchten.

Fatima Örsel-Obermayr erhob sich elastisch. Befriedigt sah sie, wie ihr Feind schluchzend in seinem Sessel versank, während der Moderator ungläubig den Kopf schüttelte. Die Journalistin konnte nicht begreifen, daß die Frauen vor solchen Kreaturen jahrtausendelang gezittert hatten. Sie hätte die Männer schon früher in die Schranken gewiesen.

Die Stimme seines Redaktionsleiters im Ohrhörer riß Jens Schultzen aus seiner Lethargie. Er sprang auf, eilte zur berühmten Journalistin. »Frau Örsel-Obermayr. So können wir unsere Runde nicht beenden. Herr Bernstein sollte Gelegenheit erhalten, zu Ihren Vorwürfen Stellung zu nehmen …«

Sie schüttelte bestimmend den Kopf. Ihre Augen belächelten den jugendlichen Moderator. »Kommt nicht in Frage! Israel Bernstein hatte die gleiche Zeit zur Verfügung wie ich.«

»Aber unser Redaktionsleiter, Dr. Streithofer, meint, das können wir so nicht senden ...«

»Was Hansi Streithofer meint, ist mir egal. Wir hatten neun Minuten vereinbart. Dabei bleibt es!«

Schultzen lauschte in seinen Ohrhörer, ehe er fortfuhr: »Dr. Streithofer besteht aber darauf, daß Herr Bernstein ...«

Fatima Örsel-Obermayr wurde ungehalten: »Und ich beste-he darauf, daß unsere Abmachung eingehalten wird! Ich werde nicht zulassen, daß ihr dem Israel einen besonderen Judenbo-nus einräumt. Sonst werde ich unangenehm!« Sie fixierte Schultzen: »Habe ich mich deutlich ausgedrückt – oder willst du juristische Nachhilfe von meinem Anwalt?«

»Nein.« Jens Schultzen ängstigte sich wie jeder unbeschulte-ne Deutsche vor Juristen wie Juden vor Nazis. Noch mehr al-lerdings fürchtete er eine Beeinträchtigung seiner TV-Karriere.

»Die Diskussion geht genau so über den Äther, wie sie ge-laufen ist, verstanden?«

»Jawohl.«

Dabei blieb es. Doch der momentane absolute Sieg Fatima Ör-sel-Obermayrs geriet, ehe sie sich's versah, zu einem Debakel, von dem sie sich nie mehr erholen sollte. Durch die mitleidlose Behandlung ihres Diskussionspartners hatte sie ihre Glaub-würdigkeit als Streiterin der Unterdrückten eingebüßt. Moi-sche Bernsteins bedingungslose Niederlage dagegen verwan-delte sich in einen strahlenden Triumph. Denn die Deutschen lieben jüdische Opfer. Moische Israel Bernstein war ein jüdi-sches Opfer. Ein Opfer zudem, das nicht sie, sondern das eine überhebliche Ausländerin zu verantworten hatte.

Wann immer den Deutschen der Sinn danach stand, hatten sie die Hebräer verfolgt, beraubt, mißhandelt und erschlagen. Gefürchtet hatten sie die Juden nie. Die Ausländer hingegen, die sie sich nach dem Krieg als preiswerte Arbeitskräfte ins

Land holten, hatten sich nie vollständig zu Sklaven ihrer Furcht vor den Deutschen machen lassen. Sie entzogen sich der vollständigen Kontrolle. Das machte den Deutschen angst.

Fatima Örsel-Obermayr hatte, ohne es zu ahnen, ein deutsches Tabu gebrochen. Sie hatte die Deutschen ihrer Lieblingsopfer beraubt. Was blieb den Deutschen, wenn man ihnen den wertvollsten Teil ihrer Seele nahm, das schlechte Gewissen gegenüber den Juden? Noch während der Sendung gingen Hunderte empörter Anrufe bei der Redaktion ein. Auch die Sonntagszeitungen wurden mit aufgebrachten Telefonaten bestürmt. Dies veranlaßte sie zu einem hektischen Wechsel des Frontpage-Themas. Statt sich mit dem neuen Liebhaber ihrer Tenniskönigin zu beschäftigen, widmeten die Redaktionen sich nun eingehend der infamen Antisemitin. Die größte Sonntagszeitung erschien mit einem ganzseitigen Foto des weinenden Moische und der Schlagzeile:

Nazimethoden im TV:
Schwindeljournalistin mißhandelt Juden

Im Innenteil nahm sich das Blatt die »Schwindeljournalistin« ausgiebig vor. Fatima Örsel heiße tatsächlich Frauke Obermayr. »Sie ist waschechte Holsteinerin. Ihr Vater war Feldwebel in Hitlers Wehrmacht. Den Namen Örsel hat sie sich erschlichen. Nur kurz war sie mit einem türkischen Mitbürger liiert. Mustafa Örsel, ein ehemaliger Ringkämpfer beim Bundesligaverein TSV Ratzeburg leidet noch heute unter den Folgen seiner unglücklichen Verbindung mit der unlauteren Schreiberin. ›Sie war herrschsüchtig! Sie hat mich ausgequetscht wie eine Zitrone. Als sie mich nicht mehr brauchen konnte, ist sie mit einem deutschen Boxer durchgebrannt und hat mich mit unserer kleinen Tochter Suleika sitzengelassen. Das war vor neun Jahren. Seither hat sie sich nie um das Kind gekümmert, nicht einmal eine Postkarte geschrieben und keinen Pfennig für Suli gezahlt, obwohl sie gut verdient und ich lange ohne Stelle war‹, berichtet der Lagerarbeiter schluchzend. Auch er ein Opfer von Frauke Obermayr.«

Der Kommentator der *Gazette* ging mit der »empörenden

Heuchelei der Schwindel-Journalistin Frauke Obermayr« noch härter ins Gericht: »Seit Jahr und Tag betrügt und demütigt sie den eigenen Mann, einen unbescholtenen ausländischen Mitbürger. Gleichzeitig spielt sie sich als Anwältin der Ausländer in Deutschland auf. Mit ihrem Schwindel schürt sie die Fremdenfeindlichkeit. Diese Infamie genügt ihr nicht! Nun mißhandelt sie auch noch unsere jüdischen Mitbürger in der Öffentlichkeit, wie einst die Nazis. Damit muß Schluß sein! Legt der Gaunerin endlich das Handwerk, ehe sie noch mehr Schaden anrichtet!«

Der Appell an den Volkszorn verhallte nicht ungehört. Frauke Obermayr, wie sie fortan allenthalben genannt wurde, erhielt mehrere Morddrohungen. In ihrem Haussender wurde sie kaltgestellt. Chefredaktion und Intendanz bemühten sich nach Kräften um Schadensbegrenzung. Nach einem geharnischten Protest des *Centralvereins der Juden* war die aggressive Journalistin aber nicht mehr zu halten. Der Chef der Personalabteilung handelte mit Frauke Obermayrs Anwälten eine großzügige Abfindung aus. Fortan war die Journalistin ohne Forum. Presse, Rundfunk und Fernsehen, einerlei, ob öffentlich-rechtlich oder privat, lobten die rasche Trennung des Senders von der Verfemten. Allein die *Deutsche Reichs-Zeitung* sah »die Vernichtung der unerschrockenen Journalistin« als »Beispiel für die unumschränkte Herrschaft des zionistischen Presse- und Medientrusts«, der nicht zulassen könne, »daß in Deutschland endlich einmal jemand die Wahrheit über seine Macht verkündet«.

Moische Bernstein war nach seiner Demütigung zunächst unfähig, sich aus seiner depressiven Lähmung zu lösen. Phlegmatisch blieb er im Sessel hocken. Der Moderator und der Redaktionsleiter bemerkten Moisches Paralyse zunächst nicht. Beide waren noch damit beschäftigt, den furiosen Abgang der berühmten Journalistin zu verdauen. Als Örsel-Obermayr endlich die Bühne ihres vorläufigen Triumphes verlassen hatte, berieten die Redakteure im Studio über die Taktik des weiteren

Vorgehens. Dabei wurden sie Moisches gewahr, der auf ihre Zusprache nicht reagierte.

»Jeder muß beim ersten Mal Lehrgeld zahlen.«

»Sie haben sich doch recht tapfer geschlagen.«

»Gegen Fatimas Guillotine-Klappe hat keiner eine Chance.«

Moische wollte fragen, welcher Untat er sich schuldig gemacht habe, daß man gerade ihn dieser Guillotine zum Köpfen vorwarf, aber er war nicht in der Lage, seinen Mund zu öffnen.

Die beunruhigten Journalisten ließen einen Arzt kommen. Der diagnostizierte eine »exogene Depression« und verabreichte Moische eine Valiuminjektion, um »präventiv einen Suizidversuch zu unterbinden«. Moische wurde schläfrig. Er bekam kaum mit, wie ihn ein Redaktionsassistent und der Fahrer zum Flughafen brachten und in eine Maschine nach München verfrachteten.

Am Franz-Josef-Strauß-Flughafen wurde der Diskutant von seiner Mutter, die von der *Kultur intellektuell*-Redaktion verständigt worden war, in Empfang genommen. »An allem ist nur deine Schickse schuld!« schimpfte Hanna. Sonst wußte sie nichts. Ihr Sohn war unfähig, ihr irgendetwas zu erläutern. Im Taxi schlummerte Moische an der Schulter der Mutter ein. Hanna betrachtete ihr schlafendes Kind. Der Herr der Welten hatte ihr Moische in den Schoß gelegt, wie er einst seinen Vorfahren in einem Schilfbötchen der ägyptischen Prinzessin geschickt hatte. Sie mußte jetzt das Glück ihres Kindes und damit das ihres Volkes sichern. Sofort!

Sobald Hanna Moische in ihr Bett gelegt und ihn versorgt hatte, ging sie ins Nebenzimmer und rief Frau Dr. Manja Grinstein an. Die Ärztin reagierte zunächst reserviert. Hanna appellierte an »das jüdische Herz und das medizinische Gewissen« der Medizinerin: »Mein Kind braucht dringend Ihre Hilfe, Frau Doktor ... Außerdem ist das eine einmalige Gelegenheit, meinen Sohn Moische kennenzulernen. Er ist ein wirklich ungewöhnlicher Mann ... Ich bin sicher, der Herr der Welten hat Sie und ihn füreinander bestimmt.«

Manja Grinstein zögerte. Dieser Moische war nicht ganz koscher, sonst würde ihn seine Mutter nicht anpreisen wie versalzenen Wodka. Wahrscheinlich hatte er eine Freundin. Schließlich gab sie nach: »Wenn ein Mensch meine Hilfe braucht, werde ich ihm sie geben ... Vor allem, wenn der Mensch ist Kind von meine Freundin, Frau Bernstein.«

Hanna war zu Tränen gerührt.

Als die Wirkung des Beruhigungsmittels nachließ, wurde Moisches Schlummer unruhig. Allmählich wurde ihm seine demütigende Niederlage wieder bewußt. Er warf sich unruhig hin und her. Ein süßlicher, mit weiblichem Geruch vermengter Parfümduft drang in seine Nase. Er spürte weibliche Wärme. Aufsteigende sexuelle Lust verdrängte die Erinnerung an seine Niederlage. Moische wälzte sich wohlig, dehnte seine Glieder, das milde gelbe Licht der Nachttischlampe weckte ihn.

Manja Grinstein beugte sich über Moische. Er blickte in ihr tiefes Dekolleté, sah die üppigen Rundungen ihrer hochgehobenen Brüste. Das Fleisch war zartrosa. Es verbreitete den schweren Duft reifer Zitrusfrüchte. Moische hob den Kopf, wollte mit seinen Lippen die Brüste küssen, sein Schmock wurde hart. In dem Moment zog sich Manja Grinstein zurück. Er sah in ihre hellbraunen Augen, die ihn wissend anlächelten. Die Russin setzte sich auf die Bettkante. Ihre kräftige Hand ergriff Moisches Linke. Die Ärztin fühlte seinen jagenden Puls. Manja Grinstein lächelte versonnen.

»Patient ist in Ordnung.«

»Danke, Frau Doktor Grinstein.« Hanna trat näher ans Bett. »Frau Doktor Grinstein ist sofort gekommen, als ich sagte, daß es dir nicht gut geht ...« Sie spürte, daß die Frau ihrem Sohn gefiel. Der Ewige hat meine Gebete erhört, jubelte Hanna.

Moisches Verlangen dagegen war von dieser Welt. Er wollte auf der Stelle mit ihr schlafen. Er packte Manjas heiße Hand. Die Frau drückte sie mit aller Kraft. Sie zogen am gleichen Luststrang.

Hanna und das Judentum hielten dagegen. Die Mamme schob einen Stuhl heran und bat die »Frau Doktor«, es sich bequem zu machen. Die Ärztin mußte der höflichen Bitte Folge leisten. Moische verfluchte seine Mutter. Ich will doch die russische Jüdin ficken, wie du dir's wünscht. Warum läßt sie mich nicht? Weil keine Mutter ihren Sohn die Lust gönnt, mit einer anderen Frau zu schlafen, selbst wenn sie von der Nützlichkeit des Unterfangens überzeugt ist.

Als Manja Grinstein von Moische Bernstein abrücken mußte, begann gerade die Ausstrahlung der Sendung *Kultur intellektuell.* Unmittelbar danach riefen jüdische Freunde und Bekannte bei Hanna an, um sich mit ihr und ihrem »armen Jungen« gegen »diese türkische Nazi-Chonte« zu solidarisieren.

Einer der ersten Anrufer war der Vorsitzende der jüdischen Gemeinde. Er berichtete, er haben Protesttelegramme an den Bundeskanzler, den Bundespräsidenten, die Ministerpräsidenten von Hessen und Bayern, die Bundestagspräsidentin, »die eine Freundin des jüdisches Volkes ist«, an die Katholische Bischofskonferenz, an die Evangelische Landeskirche, an den Europäischen Gerichtshof für Menschenrechte und viele andere gesandt, in denen er »in aller Schärfe gegen eine neue antisemitische Welle im deutschen Fernsehen« protestierte. Gegen Mitternacht verabschiedete sich die Ärztin. Dabei biß sie Moische heimlich ins Ohr und flüsterte: »Montag komm' ich zu dir in Geschäft.«

Früh am nächsten Morgen riefen erneut Juden an, um Hanna zu dem »herrlichen Artikel über deinen heldenhaften Sohn zu gratulieren«. Moische stürzte auf die Straße. Vom Blechgestell des Zeitungsautomaten flatterte das Foto seines verweinten Gesichts. Er erstarrte, das Blut wich ihm aus dem Kopf, ihm wurde schwindlig. Werd nicht ohnmächtig wie ein Jud vor dem Krematorium, befahl er sich. Er atmete durch, vergewisserte sich, daß niemand ihn sah, und fummelte eine Zeitung aus dem Apparat. Mit dem Blatt lief er in den Hauseingang. Er schloß kurz die Augen, dann entfaltete er das Blatt mit zittrigen Fingern und blickte in seine tränenüberströmte Visage. Eine nie gekannte Wut stieg in ihm auf, drohte seine Schläfen zu sprengen. Diese Drecksau! Diese miese Nutte! Der Zorn wurde von Moisches Gewissensweiche gegen ihn selbst gelenkt. Seine Magennerven flatterten. Sein Verstand lief heiß.

Die Sau bin ich! Keine Sau, ein Wurm! Ein elender kleiner Judenwurm! Nein! Ein Wurm krümmt sich, wenn man ihn tritt. Ich bin ein Stück Dreck! Scheiße! Scheißdreck, der sich treten läßt, ohne sich zu wehren. Der stinkt. Ich habe mich nicht mal gekrümmt, als mich diese Türkenhure vor der ganzen Welt fertiggemacht hat. Ich habe nur vor Angst gestunken. Ich bin nicht besser als die Jidn, die willig ins Gas gelaufen sind, weil sie vor den hirnlosen deutschen Herrenmenschen noch mehr Angst hatten als vor dem Tod! Moische heulte auf, während er spürte, wie seine Magenwände von der Säure seines Hasses auf den furchtsamen Diasporajuden in sich zerfressen wurden. Er zerknüllte die Zeitung, warf sie zu Boden und trampelte darauf herum. So überhörte er, daß Herr und Frau Breding, langjährige Nachbarn der Bernsteins, die Treppe herunterkamen. Verdutzt sahen sie dem Tobenden zu. Der alte Breding, der Moische schon als Kind gekannt hatte, gewann schnell seine Fassung. »Ja, ja. Manchmal schreiben die Zeitungen so einen Schmarrn, daß man wild werden möcht'. Letzte Woche hat so ein Hanswurscht behauptet, daß Bayern München nicht die beste Fußballmannschaft ist. Seither kauf ich a andere Zeitung.« Er trat näher an Moische heran. Dessen Angst, durch schlechtes Benehmen den Unmut der Nachbarn zu erregen, lag im Widerstreit mit seinem Zorn. »Habn's wieder an Unsinn geschrieben?« wollte Breding wissen.

»Nein! Ich!«

Breding erschrak über Moisches wutverzerrtes Gesicht. Er lupfte seinen Hut »Nichts für ungut, Moische«. Der Nachbar hakte seine Frau unter. »Komm, Mimi!« Das Paar machte sich auf den Weg zum obligatorischen Sonntagsspaziergang im Englischen Garten.

Moische lief in seine Wohnung. Ich habe zum letzten Mal in meinem Leben geweint, schwor er sich. Ab jetzt wird mich keiner mehr, kein Deutscher, kein Türke, kein Jud, nicht einmal meine eigene Mamme zum Weinen bringen! Ich werde hart sein wie ein Stein. Wenn jemand weint, dann die anderen.

Dennoch ließen Moisches Leibschmerzen nicht nach. Auch nicht, als er den Artikel gelesen hatte, der zum Mitleid mit ihm aufrief. Moische bereitete sich einen Haferschleim zu. Später wollte er versuchen, Hanna die Rufnummer der Russenärztin zu entlocken.

Da schrillte das Telefon. Doch statt Manja meldeten sich diverse Journalisten von Presse, Funk und Fernsehen. Es ging um Interviews. Dem mißhandelten jüdischen Mitbürger und Autor wurde ausführlich Gelegenheit gegeben, seinen Standpunkt zu erläutern. Moische brannte darauf, Rache für seine Demütigung zu nehmen. Er wollte es dieser kleinen türkischen Schickse heimzahlen. Aug um Aug, Zahn um Zahn, Blut um Blut, Niederträchtigkeit um Niederträchtigkeit! Moische hatte es satt, wie Jesus und die Diasporajuden die andere Wange hinzuhalten.

»Fatima, Frauke, oder wie sich dieses Frauenzimmer ...«, brüllte er der ersten Reporterin, die ihn befragte, ins Mikrofon, bemerkte jedoch rechtzeitig deren erschrockene Reaktion. In diesem Moment begriff er, daß er nicht in den Fehler seiner Feindin verfallen durfte, sonst würde er genauso wie sie alle Sympathien verlieren. Ich werde als der Versöhner auftreten, nahm sich Moische vor. Das erwarten die Deutschen von uns. Deshalb haben sie den Weisen Nathan erfunden. Sie schütten uns Kübel voller Jauche ins Gesicht, und wir sollen weise Versöhner sein. Dafür sollt ihr zahlen! Und ich werde bei der Wahrheit bleiben. Versöhnung und Wahrheit! Das wird meine Erfolgsformel sein.

Der Interviewte zwang sich ein Lächeln ab. »Frau Obermayr ist ein bedauernswerter Mensch. Sie ist das Opfer ihres Geltungsbedürfnisses geworden.« Moische registrierte den bewundernden Blick der Reporterin. »Doch auch Opfer müssen bei der Wahrheit bleiben! Sonst werden sie zu Tätern. Zu Wahr-

heit und Versöhnung gibt es keine Alternative!« Die letzten
Worte hatte Moische mit erhobener Stimme gesprochen.

»Heißt das, Sie hegen keinen Groll gegen Frau Obermayr,
obgleich sie Sie denunziert hat?« staunte die Journalistin.

»Ganz sicher nicht. Doch hier geht es nicht um mich. Frau
Ör.., Verzeihung, Frau Obermayr, hat Millionen ermorderter
Juden beleidigt. Das zu vergeben, habe ich kein Recht. Das
muß sie mit ihrem eigenen Gewissen ausfechten.« Diese gewis-
senlose Nutte!

Die Reporterin bedankte sich gerührt. Ihre Kolleginnen und
Kollegen erhielten von Moische ähnlich lautende Botschaften.
Alle waren beeindruckt und hoben in ihren Kommentaren »die
Versöhnungsbereitschaft und unbedingte Wahrheitsliebe des
jüdischen Zeitgeistkritikers« hervor. Gleichzeitig betonten sie,
»daß selbst ein Gutwollender wie Moische Israel Bernstein sich
nicht in der Lage sieht, Frau Obermayrs Frevel zu verzeihen.
Denn sie hat die Holocaustopfer verunglimpft.« Unisono forderten sie »harte Konsequenzen, damit sich eine derartige Untat in Deutschland nie wieder ereignen kann«.

Moische war's zufrieden. Er hatte seine Feindin besiegt, weil
er die tödliche Waffe »Made in Germany« erkannt und be-
nutzt hatte: das schlechte deutsche Judengewissen.

Nachmittags erhielt Moische Besuch von Brigitte. Moisches
Magenkrämpfe hörten auf. Doch Lust, mit Brigitte zu schlafen, hatte er nicht.

Am frühen Abend rief Knut Reydt an. Er lud den »lieben Kollegen Bernstein« für den kommenden Tag um 14 Uhr ein –
»falls Ihnen der Termin recht ist …?« Moische war wie jedem
Aufstrebenden jeder Termin recht. Der *logo!*-Chefredakteur
bat ihn, »vorläufig anderen Blättern kein Interview zu geben.
Denn wir haben etwas Besonderes mit Ihnen vor.«

Moische war nach dem Gespräch dermaßen aufgeregt, daß
Brigitte ihn fest in ihren Armen bergen und lange streicheln

mußte, ehe er endlich in einen flachen Schlaf fiel. Nachts wachte er mehrfach auf. Aus welchem Grund hatte sich der Chefredakteur persönlich bei ihm gemeldet? Sollte er Heiner als Feuilletonchef ablösen? Moische schlug sich an die Stirn. Brigitte seufzte kurz auf und wälzte sich zur Seite. Moische schmiegte sich an ihren stattlichen Körper. Er drückte seinen Schoß gegen ihren ausladenden Hintern, schlang seinen Arm um ihre feste Schulter und kuschelte sein Gesicht an ihren kräftigen Nacken. Brigittes Wärme und Ruhe übertrug sich auf Moische und ließen ihn einschlummern.

Knut Reydt hatte im Radio zufällig ein Bernstein-Interview gehört. Der Kerl spielte sich als guter Jude vom Dienst auf. Bernstein war ein jüdischer Rohdiamant, den er schleunigst schleifen und in eine goldene *logo!*-Fassung pressen mußte, sonst schnappte ihm die Konkurrenz das Kleinod weg.

Am Montagmorgen verschob der Chefredakteur die Heftkritik-Runde und beriet sich statt dessen mit dem Hausjustitiar. Reydt wies Dr. Frommhold an, ihm bis Mittag drei alternative Vertragsentwürfe für eine Mitarbeit Moische Israel Bernsteins bei *logo!* auszuarbeiten.

Knut Reydt empfing Moische mit offenen Armen. Ihm entging nicht, daß sein Gegenüber von den gleichen Minderwertigkeitsgefühlen geplagt wurde wie er selbst. Doch Bernstein hatte noch nicht gelernt, seine Unsicherheit hinter einer Fassade von abgeklärter Smartheit und charmanter Höflichkeit zu verbergen. Dieses Manko kostete den publizitätsgierigen Moische in wenigen Minuten ein Vermögen. Denn der Chefredakteur war entschlossen, Moische um jeden Preis an sein Magazin zu binden. Reydt kalkulierte nüchtern. Mit Hilfe des Juden war es ihm bereits einmal gelungen, die Auflage um 150 000 Exemplare hochzujagen. Das waren 100 000 Mark netto. Gelang ihm dieses Kunststück noch einmal, dann hatte Bernstein sein Geld bereits eingespielt. Die mangelnde Erfahrung und Selbstsicherheit des Autors reizten den Chefredakteur jedoch zu einem Pokerspiel. Er bot dem Schreiber an, jährlich mindestens ein Dutzend seiner Beiträge abzudrucken und ihm dafür eine Pauschale von monatlich 5000 Mark zu garantieren.

Das war doppelt soviel, wie Moische bei seiner Mamme verdiente, wenn er sich den ganzen Monat im Geschäft abplagte. Für den Artikel aber hatte Moische nur zwei Stunden gebraucht. Moische nahm das Angebot unverzüglich an. Knut Reydt war von der eigenen Cleverness und Verhandlungskunst angetan. Für 'n Appel und 'n Ei hatte er ein künftiges Zugpferd des deutschen Journalismus für ein Jahr mit Verlängerungsoption auf weitere zwölf Monate an sich gebunden.

Im Beisein von Dr. Frommhold unterzeichneten Knut Reydt und Moische Israel Bernstein den Vertrag und begossen die Zusammenarbeit anschließend mit Champagner. Der Chefredakteur und sein Autor waren in ausgelassener Stimmung. Beide genossen die Gewißheit, ein hervorragendes Geschäft gemacht zu haben.

Als der sich angeheitert gebende Chefredakteur seinen neuen Mitarbeiter mit besten Wünschen und gewollt herzlichem Schulterklopfen verabschieden wollte, faßte sich Moische endlich ein Herz.

»Wie soll ich mit Herrn Keller zusammenarbeiten? ... Ich meine rein technisch?«

»Gar nicht!« Reydt erkannte in den Augen seines Gegenübers eine aufglimmende Unsicherheit.

»Mit dem guten Keller haben Sie fortan nichts mehr zu tun. Sie sind mir persönlich zugeordnet. Wenn Sie was schreiben wollen, wenden Sie sich direkt an mich.«

Knut Reydt sah amüsiert, wie seine Worte Moische Israels Ego aufblähten. Er fand Gefallen daran, sein neues »Schreibpferdchen« wiehern zu lassen.

»Keller ist ein braver Redakteur und Ressortleiter. Aber kein Maßstab für Sie, Bernstein!« Reydt blickte in Moisches grüne Chamäleonaugen: »Sie sind ein Schreiber, an den ein Zeilen-Handwerker wie Keller nie herankommen wird. Sie werden bald in meiner Liga spielen, Bernstein!«

Moische war nahe dran, seinem Chef um den Hals zu fallen.

Er unterdrückte die Anwandlung. Stattdessen straffte er sich. Dann drückte er Reydt mit aller Kraft die Hand. Der Chefredakteur stieß unwillkürlich einen Schmerzenslaut aus, den er mit breitem Lächeln überspielte. Er sah forschend in Moisches Gesicht, spürte dahinter die Anspannung. Er hat Angst vor dem Leben – genau wie ich, wußte Reydt. Ich muß auf ihn aufpassen.

Moische Bernstein fror. Der Winter hatte in der zweiten Märzwoche wieder eingesetzt und die vereinzelten Krokusse unter einer zentimeterhohen Schneeschicht begraben. Alles war grau, der Himmel, der verdreckte Schnee und die feinen Streusteine, die unter seinen grauverschmierten, ungeputzten Winterstiefeln knirschten.

Die Trunkenheit, in die Knut Reydt Moisches Selbstwertgefühl versetzt hatte, verebbte rasch. In der linken Innentasche seines gefütterten Ledermantels trug er seinen Autorenvertrag, der ihm Geld und Freiheit garantierte. Freiheit? Welche Freiheit? Sein Leben würde im gleichen eintönigen Trott verlaufen wie bisher. Er würde weiterhin im magischen Dreieck zwischen Mamme, Jeansknast und Geliebter zappeln. Hanna wird mich zwingen, mein *logo!*-Geld ins Geschäft zu investieren, und Brigitte wird jetzt Himmel und Hölle in Bewegung setzen, um mich zu heiraten.

Da kam Moische Manja Grinstein in den Sinn. Prompt roch er ihr schweres Körperaroma, spürte das Glühen ihrer fleischigen Hand. Er mußte sie haben! Sofort! Moische fiel ein, daß Manja ihn heute in seinem Laden aufsuchen wollte. Das hatte er in der Aufregung nach Reydts Einladung verschwitzt. Manja war bestimmt schon im Geschäft gewesen. Moische stellte sich vor, wie er mit der Russin auf dem Boden seiner Höhle zwischen T-Shirts und Cowboystiefeln vögelte. Sein Herz jagte. Statt seiner hatte Hanna die Russin empfangen! Und Manja war gewiß enttäuscht wieder nach Hause gegangen.

Nein! Seine Geilheit gab Moische die Gewißheit, daß Manja

bei Hanna auf ihn wartete. Doch wie sollte er die begehrte Frau aus den Fängen seiner lusttötenden Mamme befreien? Ich muß! Moische rannte los.

Wenige Minuten später stürzte er außer Atem in den Laden. Manja beobachtete gelangweilt, wie Hanna einen jüngeren Typen bediente. Als sie Moische kommen sah, erstrahlten ihre Augen. Mit wenigen Schritten war er bei ihr, packte ihre feuchtheiße Hand. »Moischikl«, hauchte Manja. Hanna wandte sich von dem Kunden ab. »Warum bist du gestern ohne ein Wort weggelaufen?« fragte sie. »Setz dich erst mal her und erzähl uns, wie es bei der Zeitung war ...«

Moische beachtete sie nicht. Er zog Manja Grinstein aus dem Laden.

»Moische!« schrie die Mutter. »Was fällt dir ein, was tust du?«

»Wozu ich Lust habe!«

7
Geborgenheit

Moische küßte Manja ungestüm. Sie schlang ihre Arme um seinen Nacken. Moische preßte Manjas weichen, weiten Körper an sich.

Hanna hatte den Kunden rasch abgefertigt und trat vors Geschäft. Diese russische Schlampe verführte ihren Jungen schamlos auf offener Straße, kaum daß sie ihn ihr vorgestellt hatte. »Schämen Sie sich!« rief die Mutter. »Sie führen sich schlimmer auf als die ordinärste Schickse! «

Moische ballte die Faust und schlug mit voller Wucht gegen den Türrahmen, daß ihn die Hand schmerzte.

»Halt endlich deinen Mund!« schrie er.

Hanna rührte sich nicht und sagte kein Wort.

»Komm!« Moische nahm Manjas Arm und ging mit ihr fort.

Moisches Zorn mischte sich in Bewunderung für seine Mutter. Ich wäre weggelaufen, wenn jemand auf mich losgegangen wäre, der einen halben Kopf größer ist als ich, wußte er. Sie hat nicht mal mit der Wimper gezuckt. Sie hat keine Angst! Moische begriff, warum seine Mutter die Nazis überlebt hatte. Nicht alle KZniks waren Feiglinge, wie die Zionisten tönen.

In seiner Wohnung wollte Moische da weitermachen, wo seine Mutter dazwischengetreten war. Doch Manja löste sich aus seiner Umarmung und trat ans Fenster.

Moische war enttäuscht. Er fürchtete, seine Anziehungskraft auf Frauen habe nachgelassen. Moische betrachtete Manja verstohlen. Sie war alt! Mindestens zehn Jahre älter als Brigitte und dick.

Das Telefon schrillte. Aus dem Lautsprecher des Anrufbeanworters erklang Brigittes Stimme: »I bin's, Schatzi! Wo bleibst' denn? Sogar deine Mamma hat bei mir angerufen ...«

Die Sau!

»Meld dich fei sofort, wenn'st da bist. Gell!«

Moische war es peinlich. Er wollte Manja loswerden – aber nicht so plump, wie Hanna es mit Brigittes Hilfe eingefädelt hatte. Manja setzte sich zu Moische auf die Couch. »Keine Sorge, Moische.« Ihre hellbraunen Augen umarmten ihn. Manja gab ihm Ruhe und Sicherheit. Moische ergriff Manjas Hand, zog sie an sich. Er spürte ihren warmen Atem, roch wieder ihren Körper. Moische küßte Manjas weichlippigen Mund. Er genoß ihre Lust. Sie war nicht fordernd. Ihre Zärtlichkeiten wurden intensiver. Als sie sein Verlangen spürte, begann Manja sich zu entkleiden.

Moische erschrak. Manjas Körper wurde von einem mächtigen Korsett zusammengepreßt. Als sie es auszog, zerfiel ihre Figur. Sie spürte Moisches Entsetzen. Unwillkürlich bedeckte sie Geschlecht und Brüste mit Händen und Armen.

Erbarmen überkam ihn.

»Ich gefalle dir nicht?« Ihre Stimme zitterte leicht im Rhythmus ihres fröstelnden Körpers.

»Oh doch!« Er küßte Manjas Augen, streichelte sanft ihre Haare, den runden Nacken und besah ihren großen, nutzlosen Busen. Er empfand Widerwillen, das schlaffe Fleisch zu berühren. Aber er wußte, daß sie es gerade jetzt brauchte. Moisches Finger fuhren sachte über die Brüste. Manja rührte sich nicht.

Ich muß es tun! Mamme hat sich ja auch nie vor mir geekelt! Moische zögerte, spürte Manjas Erwartung. Er schloß die Augen und küßte ihren Busen. Er spürte Manjas tiefes Durchatmen, hörte ihr leises Stöhnen. Sie schloß ihn in ihre Arme. Manja entkleidete ihn sanft mit ihrer Rechten, während sie mit der Linken seinen Kopf an ihrem Busen barg. Als Moische nackt war, zog Manja ihn an sich. Mühelos drang er in sie ein, tanzte auf den Wellen ihrer zärtlichen Hingabe, die ihn immer höher trugen, ehe seine aufgetürmte Lust in langen Stößen zu Tal stürzte.

Langsam öffnete Moische die Augen. Er sah das verklärte Antlitz seiner Gespielin und mußte lachen. Manja fuhr zusammen. »Du lachst von mir?« Ihre Stimme bebte. Moisches Herzschlag stockte. »Nein, Manjinka. Nein! Im Gegenteil. Ich lache, weil es mir gut geht. Mir ist es noch nie so gut gegangen!«

»Sicher?«

»Ganz sicher!« Er wandte ihr sein Gesicht zu. »Guck mich an!«

Manja stemmte sich auf, betrachtete ihn eingehend. Ihre Augen gewannen erneut den matten Glanz der Hingabe, die Unterlippe fiel leicht herab und wurde breit. Sie nahm sein Gesicht in ihre Hände, streichelte seine Wangen, küßte seine flatternden Wimpern.

»Moische, du bist mein Golubtschek …«

Er sah sie fragend an.

»Mein Täubchen.« Manja blickte in seine ruhigen, weichen Augen, streichelte seine Stirn, hielt inne, atmete durch. Ihre dunkle Stimme klang klar und fest: »Ich liebe dich!«

War das möglich? Nach einem Fi…, nein! Es war kein Fick! Es war Liebe machen. Schon beim ersten Mal? Moische betrachtete Manjas verklärtes Gesicht, ihre umarmenden Augen. Sie liebt mich tatsächlich, jedenfalls glaubt sie's. Versteh einer die meschuggenen Weiber! Und er? Selbstverständlich liebte er sie nicht. Manja war viel zu alt und häßlich … Nicht häßlich! Sie war dick. Doch sie konnte abnehmen. Er hatte sich noch nie so gut bei einer Frau gefühlt wie bei Manja. Nicht mal bei Hanna! Jedenfalls nicht, seit er erwachsen war – oder zumindest so tun mußte.

Weil Manja ihn liebte, würde sie alles daransetzen, ihn an sich zu binden. Genau wie Hanna und Brigitte. Doch Manja war im Gegensatz zu den beiden anderen nicht aggressiv. Noch nicht! Moische badete in Manjas Zärtlichkeit.

Moische erzählte Manja von sich. Sein Leben erschien ihm nicht mehr als eine Kette von Demütigungen und Niederlagen. Moische hatte bei Manja nur ein sexuelles Vergnügen gesucht, statt dessen hatte er Geborgenheit, Zärtlichkeit, Hingabe, sexuelle Erfüllung und Liebe – oder sowas ähnliches – gefunden. Er mochte Manja. Moische interessierte sich für sie. Von seiner Mamme abgesehen, waren ihm bislang alle Menschen gleichgültig geblieben – sogar Brigitte.

Manja log ihr Leben vor Moische nicht neu zusammen. Sie war zweiundvierzig Jahre alt und keine »koschere Jüdin« – Hanna hatte nicht umsonst gezetert. Manjas Vater Alexander war Jude, Ukrainer und Kommunist. Sein Judentum war ihm gleichgültig. Er hatte eine Nichtjüdin geheiratet. Manjas Eltern lebten in Charkow. Beide hatten als Ingenieure in einem metallverarbeitenden Kombinat gearbeitet. Manja, ihre einzige Tochter, hatte in ihrer Heimatstadt Medizin studiert und in Kiew ihre Facharztausbildung zur Radiologin absolviert. Sie war in der Stadt geblieben und hatte in einer Klinik gearbeitet.

War Manja verheiratet?

»Nein. Ich war lange Freundin von Kollegen.« Eine zarte Röte verfärbte ihre Wangen. »Er war verheiratet ...« Sie blickte zur Decke. »Nach paar Jahre er hat mich verlassen.«

Moische legte seine Hand auf ihren Arm. »Das ist gut so«.

»Warum?«

»Sonst hätte ich dich nie kennengelernt.«

Sie umarmte ihn.

Moische wollte wissen, warum Manja nach Deutschland ausgewandert war. »Stört es dich nicht, daß die Deutschen die Juden massakriert haben?«

Sie ergriff seine Hand und drückte sie fest. »Kein Jude kann das vergessen. Die ganze Familie von meinem Vater ist in Babi Jar erschossen worden.« Manja sah Moische intensiv an. »Aber der Mensch muß verzeihen! Man kann nicht das ganze Leben Haß in der Seele tragen.«

Moische wechselte das Thema. »Hast du hier gleich Arbeit gefunden?«

Sie holte tief Luft. »Ich arbeite nicht, ...nicht als Ärztin.« In Deutschland müßte sie ihre Facharztausbildung wiederholen. »Das dauert drei Jahre – mindestens ...«

»Warum arbeitest du nicht als praktische Ärztin?«

»Wozu? Es gibt genügend Ärzte ohne Arbeit.«

Manja bemerkte Moisches Enttäuschung. Da die Geliebte nicht schön war, erwartete er von ihr zumindest eine aufregende Karriere. Statt dessen bezog Manja Sozialhilfe, die sie durch gelegentliche Nachtwachen und Aushilfsstunden in einem Kosmetikstudio aufbesserte.

»Sozialhilfe!« Moische war schockiert. Er kannte niemanden, der Stütze bezog. Damit war man gesellschaftlich stigmatisiert.

War Manja erpicht auf sein Geld? Bis heute habe ich auch nicht viel mehr gehabt als ein Sozialhilfeempfänger, gestand er sich ein. »Und was tust du den ganzen Tag?«

Manja lächelte breit. »Ich habe erstes Mal im Leben viel Zeit für mich. Das ist besser als Geld.«

»Ja, ja.« Moische würde nie wieder in den Laden seiner Mamme gehen, nur noch schreiben und lieben.

Gegen Morgengrauen schliefen sie ein.

Am nächsten Vormittag wurde das Paar durch anhaltendes Telefonschrillen aus dem Schlaf gerissen. Heiner Keller war am Apparat. Moische wollte ihn abwimmeln. »Ich habe meinen Artikel für März schon geschrieben.«

»Ich muß jetzt schon für April planen. Du …«

»Du kannst planen soviel du Lust hast – aber ohne mich.«

Moische genoß es, dem frechen Goj seine Macht zu demonstrieren.

»Dein Vertrag verpflichtet dich, monatlich einen Beitrag …«

»… deinem Chef abzuliefern. Damit hast du nichts zu schaffen, Heinrich!«

»Ich …«

»Das ist eine Nummer zu groß für dich!«

Moische hätte gerne Heiners verduztes Gesicht gesehen

»Herr Reydt hat mich beauftragt …«

»Das möchte ich von ihm selbst hören. Ciao, Baby.«

Genußvoll legte Moische den Hörer auf.

Manja hatte sich aufgesetzt. »Hast du Ärger, Moischek?«
Sie sah ihn besorgt an.

»Nein! Diesmal bereite ich anderen Ärger.«

Das Telefon läutete erneut. Moische ließ es läuten. Heiner
meldete sich auf dem Anrufbeantworter.

»Ich habe soeben mit Herrn Reydt gesprochen. Er besteht
darauf, daß du mit mir zusammenarbeitest.«

Moische sprang aus dem Bett, schlüpfte in seine Hosen.
»Laß uns von hier verschwinden, Manja, sonst erdrosseln die
unsere Liebe mit dem Telefonkabel!«

Liebe? Manja sah ihn strahlend an.

Moische packte eilig seinen Rucksack, lieh sich von seinem
Freund Fredy Schiff für einige Tage dessen alten Golf und fuhr
mit Manja nach Steinberg in Tirol.

Wie jeder Feigling redete Moische sich ein, besser durch
Flucht als durch Konfrontation eine Auseinandersetzung bestehen zu können.

Es war ein strahlender Vorfrühlingstag. In Bad Tölz kaufte
Moische für Manja Bergschuhe, Socken und Hosen. Von dort
fuhren sie über den Sylvensteinspeicher zum Achenpaß. Manja
war zum ersten Mal in den Alpen. Sie war begeistert von den
Bergen, der gepflegten Landschaft, den guten Straßen. Die le-
gere Kontrolle an der Staatsgrenze nach Österreich gefiel ihr.
»Einfach wink, wink und schon bist du in anderem Land. Das
ist Freiheit. Wunderbar!« Sie fiel Moische um den Hals.

Von Achenkirch wand sich eine schmale Fahrbahn durch
dichte Wälder steil bergauf nach Steinberg. Die tiefe Nachmit-
tagssonne leuchtete ihm und Manja ins Gesicht. »Der Winter
ist tot«, jauchzte Moische und kurbelte das Schiebedach auf.

An einer alten Holzhütte bog Moische nach rechts ab, überquerte eine schmale Holzbrücke und brachte den Wagen auf
dem breiten Parkplatz vor dem Hotel *Alpenpanorama* zum
Stehen. Sie gingen ins Haus.

Die Hotelchefin, Frau Paula Dobler, begrüßte das Paar se-
lektiv. »Das ist schön, daß Sie uns wieder besuchen, Herr Bern-

stein.« Sie musterte Manja, ehe sie sich wieder Moische zuwandte. »Wir haben alle gesehen, wie tapfer Sie sich gegen diese Schwindeljournalistin durchgesetzt haben. Wir empfangen
hier ja glücklicherweise die deutsche Television ...«

»Glücklicherweise!« raunzte Moische.

»Mein Mann ...« Wie auf Befehl erschien der puttengesich-
tige Gatte hinter dem Empfangstisch. Sein sensibler Mund
lächelte. »Grüß Sie, Herr Bernstein ... und die gnädige Frau?«

»Frau Doktor Grinstein.« Moische versuchte durch die
Nennung von Manjas Titel ihre fehlende Attraktivität wettzu-
machen.

»Guten Tag«, stellte sich die Ärztin vor.

»Welches Zimmer dürfen wir Ihnen anbieten, Herr Bernstein? Die Skisaison ist noch nicht ganz um. Aber für Sie als
alten Stammgast mach' ich einen Extrapreis. Zwölfhundert
Schilling Halbpension.«

Moische wußte nicht, woher er das Geld nehmen sollte.

»Können wir nicht nur Zimmer und Frühstück haben?«

»Freilich, Herr Bernstein«, meinte Dobler. Seine Frau schüttelte bestimmt den Kopf. »Die Halbpension kostet grad' hundertfünfzig Schilling mehr, und dafür haben'S unser hervorragendes Essen, Herr Bernstein.«

Warum mußte sie ihm vorschreiben, was man zu essen und
wann man zu furzen hatte? Warum nahm sich diese Tiroler
Hoteliere nicht ein Beispiel an seiner bescheidenen Ärztin? –
Weil sie sonst von der Sozialhilfe schnorren müßte wie Manja
oder Jeans verkloppen wie ich, ahnte Moische.

Paula Dobler dachte ähnlich. »Ich geb' Ihnen ein Zimmer
im alten Haus schon für 1100.«

Sie nahm einen Schlüssel aus dem Fach hinter der Rezep-
tion. »Mein Mann zeigt Ihnen Ihr Zimmer, Herr Bernstein. Ich
weiß, was ich einem alten Stammgast schuldig bin.«

Der Raum lag im dritten Stock unterhalb des Dachs. Das
Zimmer war mit sechziger Jahre-Möbeln ausgestattet. Ein
breites Doppelbett, ein kleiner Tisch, zwei Polstersessel und
das obligatorische Fernsehgerät. Moische führte Manja auf

den Holzbalkon, der sich um das gesamte Stockwerk zog. Er deutete auf den Berg im Westen, der von den letzten Sonnenstrahlen beschienen wurde.

»Das ist der Guffert!«

»Gehen wir da rauf?«

Moische lachte. »Traust du dir zu, vier Stunden bergauf zu steigen?«

»Ich weiß nicht ...«

Er legte seinen Arm um ihre Schultern. »Wenn du ein wenig mit mir übst, sicher!«

»Wirst du Geduld mit mir haben, Moischek?« Wieder umarmten ihn ihre Augen.

»Ganz bestimmt!«

Moische und Manja nutzten das letzte Tageslicht für einen Spaziergang. Sie gingen zum Friedhof, dessen polierte Granitsteine die Kirche umgaben. Am Grab von Katharina Thummer blieb Moische stehen. »Früher habe ich mit meinen Eltern bei den Thummers gewohnt. Frau Thummer hat dem ganzen Haus Ruhe und Zufriedenheit gegeben.« Er sah Manja an. »Wie du!« Er griff nach ihrer Hand. »Ich will, daß du bei mir bleibst, Manja!«

»Ja! Das will ich tun!«

Moische legte einen Stein auf das Grab.

»Ist das nicht jüdische Sitte, Moischek?«

»Steine stehen für Ewigkeit. Ewigkeit ist Ewigkeit. Bei den Juden ebenso wie bei Katholiken.«

Arm in Arm schlenderten sie zurück. Es dämmerte.

Ich habe ihr fast einen Heiratsantrag gemacht, ging es Moische durch den Kopf. Na und? Mir geht's bei ihr bestimmt besser als Aaron bei Mamme.

Die Auseinandersetzung mit Heiner und die Unzufriedenheit mit der eigenen Unzufriedenheit hatten Moische erschöpft. Trotzdem schlief er mit Manja. Wie die meisten unsicheren Männer glaubte Moische, die Frauen mit seinem Schwanz gefügig machen zu können. Manja bemühte sich mehr um seinen

Seelenfrieden als um ihre eigene sexuelle Lust. Das dämpfte Moisches Verlangen.

Manja wußte, daß ihr Moischek eine »verwirrte Seele« war. Aber er bemühte sich, ihr gutzutun. Die meisten Männer machten sich nicht einmal diese Mühe. Manja betrachtete den schlafenden Moische. Er konnte oder wollte nicht erwachsen werden. Aber besser ein gutes Kind als ein schlechter Mann, glaubte sie.

Was weiß eine Frau schon von einem Mann? Und ein Mann von einer Frau? Was weiß ein Mensch vom anderen? Wenn es am wichtigsten ist, bei der Geburt oder beim Sterben, ist man immer allein, auch wenn alle um einen herumstehen! Manja drückte Moisches Gesicht an ihren Busen.

Moische und Manja erwachten früh am Morgen. Sie traten auf den Balkon. Die Luft war kalt und klar. Moische reckte sich, während Manja frierend ihre Schultern hochzog. Er nahm ihren Kopf in seine Hände, küßte ihre Stirn. Sie schmiegte sich an ihn.

Nach dem Frühstück fuhren sie zum Achetal. Moische schulterte den Rucksack und ging voran. Das Sonnenlicht glitzerte im Gebirgsbach. Manja mußte sich an die ungewohnt dicken Sohlen der Bergschuhe gewöhnen. Sie beschritten den Wanderweg zum Rofanmassiv. Der Weg stieg stetig bergan. Manja war die Anstrengung nicht gewöhnt. Ihre Schenkel schmerzten, ihr Atem wurde kurz, sie fühlte beengenden Schmerz in der Brust, Schweiß trat auf ihre Stirn, ihr tapsender Schritt wurde langsamer. Sie wollte stehenbleiben und eine Weile ruhig durchatmen. Doch Manja hatte den Ehrgeiz, nicht schlapp zu machen. Moische spürte es. Er verlangsamte seinen Schritt, bis sie ihn einholte. Er führte Manja vorsichtig über den steil ansteigenden Weg. Sie umkrampfte seine Hand. Moische holte eine Flasche Mineralwasser aus dem Rucksack und gab ihr zu trinken. Nach einer Weile zwang sie sich zum Weitergehen. Allmählich wurde der Weg breit, stieg weniger steil an. Bald tauchte rechter Hand die Schmalzklause auf. Unterhalb der Hütte strömte die Ache.

Sie stiegen zum Gebirgsbach herab. Moische breitete seine Isoliermatte aus, befestigte sie mit runden Flußsteinen. Manja ließ sich neben ihn fallen. Sie zog die Schuhe aus und kühlte ihre geschwollenen Füße im eisigen Flußwasser.

»Du bist sehr tapfer marschiert«, lächelte Moische, während er die Vesper hervorholte.

»Tapfer wie Kuh im Schlachthaus.«

Später gestand Manja ihm, daß sie »seit ich dich kenne, mir überlege, ob ich doch wieder soll versuchen, als Ärztin zu arbeiten ...« Moische umarmte Manja. Sie ließen sich von der Sonne wärmen, tollten durch den Bach, aßen, tranken, küßten, liebten sich und schliefen schließlich ein.

Die Kühle des späten Nachmittags weckte sie. Manja und Moische machten sich auf den Rückweg. Hannas Abwesenheit, Manjas Liebe, das klare Licht des Hochgebirges und die Ruhe gaben Moische Kraft. Er beschloß, Schluß mit der Hosenzwangsarbeit zu machen. Moische wollte seine Zeit als Publizist nutzen und den Menschen die Augen zu öffnen.

5000 Mark im Monat waren ihm genug. Wenn Manja Arbeit als Ärztin fand, um so besser!

Als Moische und Manja das Hotel betraten, kam ihnen Paula Dobler entgegen. Ihre wissenden Augen verrieten ihm, daß sie eine unangenehme Nachricht bereithielt. Sein Magen krampfte sich zusammen. Hatte Brigitte seinen Aufenthaltsort erfahren?

»Herr Bernstein, Ihre Frau Mutter und ein Herr erwarten Sie ...«

Wenigstens nicht die Schickse! »Ich möchte von niemandem gestört werden ...«

»Aber Ihre Frau Mama ...«

»Von niemandem!«

»Was du möchtest, interessiert mich nicht!« rief Hanna, die in einem feuerwehrroten Seidenkostüm auf ihn zustürmte.

»Du Tunichtgut!« Hanna blieb vor Manja stehen. »Ich habe mit meinem Sohn zu reden. Allein!«

Manja wollte sich davonmachen. Doch Moische hielt ihre Hand so fest umklammert, daß es ihr weh tat.

»Laß uns in Frieden, Hanna! Ich habe nichts mit dir zu bereden!«

»Oh doch, Manni!« Auf leisen Sohlen war Heiner Keller in den Raum getreten. »Du wirst dich mit uns auseinandersetzen müssen, Manfred!«

»Aber ohne diese Person!« beharrte Hanna.

Heiner wandte sich an Manja. »Gnädige Frau …«

»Frau Doktor!« verbesserte ihn Moische.

»Frau Doktor. Wir haben eine geschäftliche Angelegenheit zu besprechen, die für Sie gewiß nicht von Interesse ist …«

»Manja bleibt hier!«

»Manni, sei doch vernünftig!«

Manja verstand Moisches störrischen Versuch, sein Gesicht zu wahren. Sanft, aber bestimmt löste sie ihre Hand aus seinem Griff.

»Moischek, ich möchte mich ein wenig ausruhen.«

Er forderte sie halbherzig auf zu bleiben, doch seine traurigen Augen dankten Manja für ihr Verständnis.

Frau Dobler führte die Gesellschaft in den Aufenthaltsraum. Ein schmales, deckenhohes Ölgemälde zeigte einen ältlichen Trenchcoatträger. Er sieht genauso tot aus wie Heiner, bemerkte Moische.

Heiner orderte Getränke. Tee für Hanna und Veltliner für sich und Moische.

»Geben Sie meinem Jungen lieber einen Tee! Er verträgt keinen Alkohol«, korrigierte ihn Hanna. Ihr Sohn ließ sie gewähren. Heiner lehnte sich zurück und beobachtete Moische. Er spürte dessen Angst.

Warum hab ich Esel Manja gehen lassen? Ich brauche ihr Vertrauen, wurde Moische nun wieder zur Gewißheit, und er stand auf.

»Bleib bitte hier, Manni!«

»Auf der Stelle!« befahl Hanna. Sie besaß kein Verständnis für die Logik der Sprache und der Angst.

Moische stand unschlüssig vor seinem Cocktailtisch. Er wartete, daß Heinrich ihn nochmals zum Bleiben aufforderte. Doch der dachte nicht daran.

»Du scheinst nicht zu begreifen, wie ernst deine Situation ist, Manni.«

Moische setzte sich zögernd.

»Manni! Du hast diese Woche einen hochdotierten Vertrag mit unserem Verlag abgeschlossen. Er verpflichtet dich zur Zusammenarbeit mit unserer Redaktion ...«

»Mit dem Chefredakteur ...«

»... sowie mit jedem von ihm bestimmten Redaktionsmitglied. Und das bin ich!«

»Nein!« Ich werde mit diesem Schwein nicht zusammenarbeiten. Ich hab's nicht nötig. Manja wird Arbeit als Ärztin finden, und ich als Journalist. Und falls nicht, werde ich mit ihr von der Stütze leben. Aber ich laß mich von diesem Nazi nicht terrorisieren, schwor sich Moische.

»Du wirst tun, was Herr Heiner von dir verlangt!« Hannas Gesicht rötete sich vor Zorn.

»Nein!«

Frau Dobler servierte Moische den von Hanna bestellten Tee. Heiner nippte an seinem Wein. Er lehnte sich zurück, schlug salopp ein Bein übers andere und modulierte seine Stimme sorgfältig.

»Du scheinst immer noch nicht den vollen Ernst deiner Lage begriffen zu haben, Manni.« Er machte eine Pause. »Wenn du dich weigerst, mit mir zusammenzuarbeiten, wird eine Konventionalstrafe in Höhe von 500 000 Mark fällig.«

»Und wenn ich mich weigere, den Vertrag anzutreten?« Moische suchte verzweifelt nach einer Ausflucht.

»Ich habe mich kundig gemacht, ehe ich herkam.« Heiner lächelte süffisant. »Die erste Rate an dich ist bereits angewiesen, damit ist der Vertrag rechtsgültig.«

»Ich habe keinen Pfennig.«

»Dann müßten wir wohl auf das Vermögen deiner Familie zurückgreifen und jedes weitere Einkommen von dir pfänden lassen.«

»Dann bin ich ruiniert! Das dürfen Sie nicht zulassen, Herr Heinrich!«

In Heiners tote Augen kam Leben.

Der Redakteur beugte sich mit betroffener Miene zu Hanna hinüber. »Machen Sie sich keine Sorgen, Frau Bernstein. Ich bin sicher, Ihr Sohn nimmt Vernunft an!« Er lächelte Moische gewollt aufmunternd an. »Stimmt's, Manni?«

Moische biß sich auf die Oberlippe. Wenn ich eine Sekunde dürfte, wie ich wollte, würde ich dir den Schädel spalten, du mieses Schwein! Er schwieg.

»Bist du bereit, vertragsgemäß mit uns zusammenzuarbeiten, Manfred?«

»Werd endlich normal, du Meschuggener!« herrschte ihn die Mutter an.

Moische und Heiner beachteten sie nicht. Sie konzentrierten sich darauf, den anderen zur Blickkapitulation zu zwingen. Moische wußte, daß er in der Sache nachgeben mußte. So fixierte er Heiner mit aller Kraft.

Heiner sah knapp über ihn hinweg. »Ich brauche eine klare Antwort, Manfred! Erklärst du dich zur Zusammenarbeit mit uns bereit, ja oder nein?«

Moische sah ihn schweigend an.

»Herr Reydt erwartet bis heute achtzehn Uhr eine definitive Antwort. Sonst sieht er sich gezwungen ...«

Das war die Rettung! Moische stand auf. »Ich rufe ihn gleich an.«

Heiners Gesichtszüge entgleisten. »Das ist nicht nötig, Manni. Ich werde mit Knut Reydt sprechen. Wir sollen ihn ohnehin morgen um zwölf Uhr sehen.«

Moisches Hand zuckte. Er wollte dem Feind ins Gesicht schlagen. Doch er besann sich eines Klügeren. »Das hättest du mir alles in einem kurzen Telefonat mitteilen können ...«

»Ich habe es mehrmals vergeblich versucht.«

Moisches Stimme wurde ungewohnt scharf. »Aber dir war daran gelegen, mich vor meiner Mutter und meiner Freundin bloßzustellen ...«

»Nein.«

»Doch! Du mieser, kleiner Bluffer.«

Moische ging grußlos davon.

Manja saß in der anbrechenden Dämmerung schweigend auf dem Bett. Sie hatte ihre wenigen Habseligkeiten gepackt. Moische wollte sie küssen, doch sie drehte ihren Kopf weg.

»Was ist, Manjuschka?«

»Du weißt genau.«

»Wir können bis morgen früh hierbleiben ...«

»Ich will, daß du mich nach Hause bringst – gleich.«

»Warum?«

Sie sah ihn an. Ihre Stimme zitterte leicht. »Vor einer Stunde lag ganzes Leben vor uns mit Liebe. Jetzt ist alles kaputt.«

»Unsinn!«

Moische sah, daß Manja ihn durchschaute.

»Ich habe gesehen die Augen von diesem Mann. Er haßt dich. Er will dir weh tun.«

»Er kann mich am Arsch lecken! Ich hab ja dich, Manjuschka.« Seine Stimme klang unsicher.

»Nein! Du mußt dein Leben leben. Du suchst Erfolg. Erfolg ist dir wichtiger als Liebe.«

»Ich habe einen Vertrag unterschrieben ...«

Sie legte ihre Hand auf seine Wange. »Du suchst Erfolg, weil du Angst hast. Ich suche Liebe, weil ich Angst habe. Das paßt nicht zusammen, Moischek.«

Sie umarmten sich, hielten einander lange Zeit fest, beide weinten.

Am nächsten Morgen fuhren sie nach München. Fortan versuchte jeder von ihnen, seine Angst alleine zu bekämpfen. Sie sollten dabei so wenig Erfolg haben wie alle anderen Menschen.

8
Hitlers Jahrhundert

Heiner Keller bestellte Moische Bernstein in sein Büro, um ihn ans Thema zu führen.

»In drei Wochen ist Ostern. Da feiert ihr doch euer Passah-Fest. Du weißt ja, daß den Juden früher vorgeworfen wurde, Christenblut in die Mazze zu mischen …«

Was heckte der Antisemit aus?

»Ich möchte, daß du einen Essay über die Ritualmordlegende verfaßt, Manni!«

»Das kommt nicht in Frage!«

Keller kümmerte sich nicht um Moisches Widerspruch. Er hantierte an seinem Computer. Auf dem Bildschirm erschien das Layout der zweiten April-Ausgabe von *logo!*

Moische starrte auf den Monitor. Auf den Seiten 148 und 149 war als Titel eingespiegelt:

logo! Essay
Ritualmord
Von Moische Israel Bernstein

»Ich werde nicht über Ritualmord schreiben! Das ist ein ausgelutschter Knochen, der keinen Hund mehr interessiert!«

Keller gab sich gelassen. »Ich will mich nicht mit dir streiten, Manni. Du bist verpflichtet, uns einen Essay über Ritualmord zu schreiben. Unser Chefredakteur wünscht es!«

Was sollte er tun? Moische hatte noch nicht über seinen nächsten Artikel nachgedacht. Er sah zum Kalender. Wenn er seinen Beitrag am 13. abgab, würde er am 20. April erscheinen. »Führers Geburtstag,« rief der Autor.

»Du meinst Hitlers Geburtstag.«

Moische lachte auf. »Ich find's lustig, wenn ein Deutscher einen Juden über Nazi political correctness aufklärt.«

»Ihr Juden habt keine Narrenfreiheit!«

»Dafür habt ihr Deutschen schon gesorgt.«

»Du schreibst deinen Ritual-Mord Essay und damit basta!«

»Nein, Herr Schriftleiter! Ich werde über euren Führer schreiben, über Adolf Hitler.«

»Das ist nicht dein Thema.«

»Du meinst, wir Juden dürfen nur über unser Leid jammern. Während es euch Deutschen Herrenmenschen vorbehalten bleibt, über euren Gröfaz zu schwadronieren ...«

»Dein Selbstmitleid kotzt mich an, Bernstein!«

»Wenn du meinen Hitler-Essay liest, wird dir dein Gerede über mein Selbstmitleid vergehen!«

»Die Nazis nannten Hitler zu recht Deutschlands größten Sohn ...«

»Er war Österreicher ...«

Moische beachtete den Einwurf nicht. Statt dessen umriß er sein Thema. »Hitler war der größte Deutsche dieses Jahrhunderts!

Das ist's! Hitlers Jahrhundert!«

»Das kommt nicht in Frage, du, du ...«

»Jude!«, ergänzte Moische. »Ich werde über Hitlers Jahrhundert schreiben!«

»Nein!«

Moische sah Heiner Keller ruhig an.

»Ich werde über Hitlers Jahrhundert schreiben, Heinrich Keller. Und du wirst mich nicht daran hindern.«

Moische Bernstein hatte das Bedürfnis, allein zu sein. Der Streit mit dem stupiden Redakteur hatte ihn so angewidert, daß er einen genialen Gedanken gefaßt hatte. Das war praktische Dialektik! Versteht sich, daß ein Jude das dialektische Prinzip erfunden oder zumindest entwickelt hatte: Karl Marx. Der Bursche war zwar auch Antisemit, doch was blieb ihm übrig? Er litt unter jüdischem Selbsthaß! Von Freud analysiert, von Kafka erlitten und besungen. Geniale jüdische Köpfe – alle drei. Sie hatten das 20. Jahrhundert geprägt.

Moische stiefelte durch die Ohmstraße in den Englischen Garten. Das naßkalte Aprilwetter störte ihn nicht. Er nahm die grünenden Sträucher kaum wahr.

Ein weiterer genialer Jude kam dem Autor in den Sinn: Karl Popper. Der hatte nachgewiesen, daß die sogenannte Wahrheit der traditionellen Wissenschaften, auf die sich die Deutschen und andere Gojim, vom antiken Griechenland bis zum modernen Amerika, so viel einbildeten, ein ausgemachter Schwindel und logischer Unfug war. Ihr Zweck bestand vor allem darin, Beweise für jede beliebige Behauptung zu sammeln, statt zu überprüfen, ob die Behauptung nicht widerlegt werden kann.

So konnte jeder Antisemit erklären, die Juden seien geborene Mörder. Er stellte dazu fest, daß die Hebräer Jesus vor zweitausend Jahren über den Jordan befördert hatten – von den römischen Kreuzerbuben spricht bezeichnenderweise niemand – und schon hat er »bewiesen«, daß alle Juden Killer sind. Und die Deutschen Mörder?! Es gab auch die guten Deutschen. Die anständigen Pfaffen, Offiziere und Schindlers, die Juden gerettet hatten. Die paar barmherzigen Germans falsifizieren nach Popper die These vom Mördervolk. Kein Wunder, daß die Deutschen Popper liebten – wenigstens einen Juden.

Sein Weg führte Moische über ein freies Feld zum Monopteros. Mit raschen Schritten erstieg er die Serpentine zur Säulenkuppel. Die vereinzelten Spaziergänger interessierten ihn ebensowenig wie die Silhouette der Innenstadt, deren Ränder mit dem dunstigen Horizont verschwammen.

Moische zürnte Poppers Logik. Wenn Marx, Freud, Kafka und Popper die Gegenwart geprägt hatten, dann konnte Moische nicht behaupten, dies sei »Hitlers Jahrhundert«.

Er überdachte konzentriert seine Argumentation und fand die Lösung. »Genial!«, rief er unvermittelt. Moische erklomm die drei steilen Steinstufen und sprang mit einem Satz in eine flache Pfütze. Das Wasser spritzte auf. Karl Popper drückte Moische das Handwerkszeug quasi in die Hand. Er mußte lediglich seine eigene Eingangsthese widerlegen. Marx war ein fulminanter Philosoph. Er hatte eine Geschichtstheorie entwickelt, die jeden Denkenden begeistern mußte – auch Moische. Aber Karl Marx war 1883 macht- und mittellos in London gestorben. Den Kommunismus durchgesetzt hatte der Goj Lenin, mit Hilfe des Juden Trotzki. Als Dank ließ Stalin, der neidische Priesterzögling, Trotzki später ermorden.

Freud war ebenfalls ein gewaltiger Theoretiker, aber schon sein Lieblingsschüler Jung entpuppte sich rasch als übler Judenfeind. Was war die Psychoanalyse wert, wenn sie Freud nicht vor dem Antisemitismus seines Jüngers zu schützen vermochte? Ganz zu schweigen von dem pathologischen Judenhaß der Nazis, die den alten, todkranken Freud 1938 zum Sterben ins Londoner Exil zu den Gebeinen Karl Marx' trieben? Und Franz Kafka? Er schrieb Kurzgeschichten und Romane, die die Literatur revolutionierten, war jedoch so schwach, daß ihn sein herrschsüchtiger, cholerischer Vater und vereinnahmende Frauen zur Flucht in Krankheit und Tod trieben. Ich muß aufpassen, daß es mir mit meiner Mamme und den Weibern nicht ähnlich ergeht, ermahnte sich Moische, während er am Chinesischen Turm vorbeischritt, wo regendurchnäßte Fiaker vergeblich auf Touristen warteten.

Der einzige Jude, der unsere Zeit nachhaltig geprägt hat, ist Albert Einstein. Wir leben im Atomzeitalter. Aber Einstein hat nicht die Kernspaltung durchgeführt. Das hat – auch auf der Basis seiner Theorien – der Deutsche Otto Hahn getan, mit Hilfe der Jüdin Lise Meitner. Moische staunte über die Parallelität der Geschichte. Hahn war der Lenin Einsteins, der die Hilfe der Praktikerin Meitner brauchte, wie Lenin auf den Juden Trotzki nicht verzichten konnte. Die christlich-jüdische Symbiose funktionierte wie ein Sandwich. Die Gojim sind gewissermaßen der Schinken zwischen jüdischer Theorie und Praxis. Und die Antisemiten sorgen stets dafür, daß die Juden am Ende erschlagen werden oder, im besten Fall, mit leeren Händen dastehen.

Moische hatte Popper auf den Kopf gestellt, um die eigenen Einwände zu widerlegen. Damit hatte der Philosoph für ihn heute seine Schuldigkeit getan.

Nun schlug Moische eine Volte. Er machte sich daran, Beweise für die Theorie von »Hitlers Jahrhundert« zu sammeln. Damit kehrte er zur traditionellen Wissenschaftslogik zurück, die er kurz zuvor noch als goischen Schwindel entlarvt hatte. Warum nicht? Weshalb soll ein Jude ehrlicher sein als ein Goj?

Moische überquerte die Fahrbahn, die den Englischen Garten von West nach Ost zerschnitt. Vor ihm lag die Hundewiese, die sich konisch zum Kleinhesseloher See ausbreitete. Warum war dies das Jahrhundert Adolf Hitlers? Moisches Leser erwarteten von ihm eine ehrliche Antwort.

Durch Hitlers Krieg war Deutschland geteilt worden. Na und? Die Westdeutschen schwelgten in ihrem Wohlstand. Sie wollten nicht wiedervereinigt werden. Die meisten Ossis verfluchten die Wiedervereinigung ebenfalls – nachdem sich die kapitalistischen Verheißungen als Fata Morgana erwiesen hatten.

Dennoch! Das 20. Jahrhundert war die Ära Adolf Hitlers. Das wußte jeder! Doch keiner getraute sich, es auszusprechen, außer den unheilbaren Nazis und ihrer jungen Avantgarde. Moische gelangte an den Kiesweg, der den See umrundete. Mit gesenktem Kopf schritt er durch den Regen. Warum hatten die Deutschen Hitler zu ihrem Führer erkoren? Weil er einer von ihnen war! Mehr! Der Braunauer lebte die geheimen Sehnsüchte der Deutschen aus. Hitler war ein verklemmter Kleinbürger, der Ordnung und Haustiere liebte und Juden, Zigeuner, Kommunisten, Schwule, Intellektuelle, moderne Technik, moderne Kunst und modernen Kapitalismus, kurz: die Moderne, haßte, vor der sie sich alle insgeheim fürchteten. Hitler zeigte seinen Deutschen, daß man mit der modernen Zeit fertig werden konnte, indem man ihre Funktion vernichtete. Der Reaktionär gab sich revolutionär! Er veranstaltete einen faulen Budenzauber, wie er ihn bei Richard Wagner gelernt hatte. Nein! Gesellschaftlich war Hitler ein Revolutionär. Er erzwang, woran die demokratischen Weimarer Parteien gescheitert waren. Beim »Führer« hatten erstmals alle den Marschallstab im Tornister.

Die Deutschen machten den Nachtasylanten Hitler zu ihrem Chef und er sorgte dafür, daß jede andere verkrachte Existenz Minister, General oder Industrieboß werden konnte – sofern er Nazi war. Da die Mehrheit der Deutschen in guten Nazizeiten mitmachte, brachte Hitler mehr gesellschaftliche Demokratie als die impotenten Weimarer Demokraten.

Hitler servierte die alten Eliten, die Junker und den Sardinenadel ab und gab die Juden zum Mord frei. Deutschlands Gesellschaft wurde von Hitler und seinen Nazis nivelliert und demokratisiert. Das stand fest. Daran konnte kein Karl Popper rütteln. Moische straffte seinen Oberkörper.

Die Ergebnisse des Weltkriegs waren eine dialektische Umkehr der Ziele Hitlers. Der braune Diktator hatte seine Landsleute in einen chauvinistischen Feldzug für eine deutsche Dominanz im osteuropäischen »Lebensraum« und für die »Reinheit der germanischen Rasse« gehetzt. Doch die drohende Niederlage zwang die Nazis, die Völker Europas gegen die bolschewistische Sowjetunion zu mobilisieren. So wurde die Waffen-SS ab 1944 zur ersten multinationalen europäischen Eingreiftruppe. In ihr kämpften neben Deutschen Holländer, Belgier, Skandinavier, Bosnier und zuletzt sogar die russischen Soldaten der Wlassow-Armee. Dies geschah im Namen Europas. Hitler war der Vater der europäischen Einigung und der Pionier einer europäischen Armee.

Hitler hat den Krieg gewollt. Durch die deutsche Niederlage konnte die Sowjetunion ihren Machtbereich bis Mitteleuropa ausdehnen. Damit hat Hitler indirekt für den gesellschaftlichen und politischen Umbruch in Mittelosteuropa gesorgt. Hitler hat Amerika aus seinem Isolationismus gerissen und als zentrale Macht in Westeuropa etabliert: politisch, militärisch, wirtschaftlich und gesellschaftlich. Der Obernazi hat Politik vom elitären Spiel zum Volkssport umgewandelt. Adolf Hitler hat die Gesellschaft und die Landkarte Europas total umgekrempelt.

Auch Asien! Ehe Hitler in Deutschland ans Ruder kam, lebten in ganz Palästina gerade 150 000 Juden, weniger als in

Berlin. Sie waren Idealisten, Bankrotteure, Spinner, religiöse Schwärmer. Kein normaler deutscher, französischer oder polnischer Jude dachte zunächst daran, sich in die Wüstenei Zions zu begeben. Hitler und seine Nazis sorgten dafür, daß die Hebräer froh waren, wenn ihnen die Flucht ins Gelobte Land gelang. So lebten 1945, als die Deutschen endlich ausgemordet hatten, in Palästina bereits über 600 000 Juden.

Die Vereinten Nationen beschlossen 1947 die Errichtung eines jüdischen Staates. Angeblich aus Mitleid. Tatsächlich jedoch wollte niemand noch mehr Juden in seinem Land haben. Die Araber mußten die Suppe auslöffeln, die die europäischen Antisemiten gründlich aufgekocht hatten. Israel war Hitlers unfreiwilliges Geschenk an seine jüdischen Opfer.

Moische trat in ein Häufchen Hundekot. Wütend schabte er seine Schuhsohle auf den nassen Kieselsteinen des Fußwegs ab. Doch der Gestank blieb in seiner Nase haften.

Dann trat er ins *Seehaus*-Restaurant. Vorsichtig sah er sich um, ob die Gäste sich an seinem Scheißegeruch störten. Niemand nahm daran Anstoß. Die haben genug eigenen Dreck am Stecken, dachte er.

Moische setzte sich an einen Ecktisch. Er bestellte einen Kamillentee, um seine Magennerven zu beruhigen, zog Block und Füller aus seinem Jackett und begann zu schreiben.

»Adolf Hitler war der einzige deutsche Revolutionär. Er hat die Gesellschaft Deutschlands demokratisiert und Europa geeint. Wenn heute der Sohn einer Putzfrau Bundeskanzler werden kann, ist das nicht zuletzt Hitlers Verdienst ... Hitler hat die Karte Europas und der Welt neu gezeichnet.«

Moische beeilte sich, die Verbrechen des Diktators zu erwähnen. Doch sein journalistisches Gewissen und die sadomasochistische Lust an der Provokation geboten ihm, Hitler als »Vollstrecker des Zionismus« hervorzuheben: »Ohne Hitler wäre ein jüdischer Staat der Wunschtraum eines idealistischen Häufchens geblieben. Adolf Hitler hat den Staat Israel erzwungen, er ist der Geburtshelfer des Judenstaates.«

Erschrocken hielt er inne. Wenn diese Sätze unter meinem Namen veröffentlicht werden, steinigen mich die Juden. Hanna wird den ersten Brocken werfen! Vielleicht sollte er vorsichtiger formulieren? In der Sache standhaft, doch in der Form gefälliger. Intelligente Leser würden seine Botschaft zwischen den Zeilen erkennen und begreifen. Auf das Verständnis der Dummen konnte er ohnehin verzichten. Bist du meschugge geworden, schalt er sich. Der kundige, kluge und gebildete Leser ist eine intellektuelle Wunschgestalt. Die Masse ist dumm. Sie will hören, was sie tun soll – denken kann sie ohnehin nicht. Das hat Hitler früh in Gustave Le Bons Buch *Psychologie der Massen* gelesen – und begriffen. Die Masse liebte ihn, weil er sie verachtete. Deshalb erkor sie ihn zu ihrem Führer. Und du Idiot fühlst dich über das Gros der Leser erhaben?! Du wirst ihnen genau wie Hitler deine Wahrheit ins Hirn hämmern und den gleichen Erfolg haben!

Moische erschrak über den Gedanken wie Charlie Chaplins *Großer Diktator* Hynkel über die Prophezeiung seines Propagandaministers Garbitsch: »Sie werden Herr der Welt sein, mein Führer.« Hynkel erklettert aus Größenwahnsinns-Angst die Vorhänge, Moische Bernstein hangelte sich zur Wahrheit hoch.

Ich habe mir geschworen, meinen Lesern die Wahrheit zu sagen. Es gibt keine halbe Wahrheit, auch keine »Wahrheit light«. Es gibt nur eine Wahrheit. Ich muß sie ausspucken – auch wenn sie so furchtbar klingt wie eine tödliche Diagnose. Als Journalist bin ich der Arzt der Gesellschaft. Ich kann nur heilen, wenn ich die Wahrheit sage!

Nachdem Moische so sein Gewissen, das Hitler »eine jüdische Erfindung« genannt hatte, beruhigt hatte, fühlte er sich stark genug, das Fazit seiner Analyse zu Papier zu bringen. Mit großen Buchstaben schrieb er: »Adolf Hitler ist der Mann des 20. Jahrhunderts«. Er zögerte, dann setzte er ein Ausrufezeichen ans Ende.

Moische klappte seinen Block zu, warf einen Zehnmarkschein auf den Tisch und machte sich davon.

Zu Hause versuchte er, seinen Text zu redigieren. Aber er war zu aufgeregt. Moische war überzeugt, daß sein Artikel den Deutschen die Augen über ihre Vergangenheit und Gegenwart öffnen und ihn mit einem Schlag berühmt machen würde. Die unvoreingenommene Würdigung des gigantischen Einflusses von Adolf Hitler auf dieses Jahrhundert würde Moische Israel Bernstein zum Vordenker Deutschlands bestimmen.

Moische trommelte mit den Fäusten auf den Küchentisch bis ihm die Handballen schmerzten. Seine Erregung klang ab. Er zwang sich, nüchtern nachzudenken. Er mußte dafür sorgen, daß sein Manuskript direkt zum Chefredakteur gelangte. Knut Reydt war zwar ein Deutscher, aber er besaß Verstand. Zweifellos würde er die Genialität seines Hitler-Aufsatzes erkennen und ihn gebührend publik machen. Falls er in seine Hand gelangte! Wenn Moische seinen Artikel mit der Post versandte, landete er bei einer Sekretärin, die ihn wegwerfen oder an Heiner weitergeben würde. Da konnte er auf den Umschlag schreiben, was er wollte. Moische hatte keine Wahl. Er mußte seinen Aufsatz Reydt persönlich übergeben.

Moische machte sich unverzüglich auf den Weg. In der Adalbertstraße kopierte er sein Manuskript zweimal. Einen Abzug steckte er in ein Kuvert und sandte ihn an die eigene Adresse. Diesen Trick hatte er in einem Agentenfilm gelernt. Danach ging er in die *logo!*-Redaktion. Die Chefsekretärin, Frau Lang, behauptete, Reydt sei schon aus dem Haus. Doch Moische hörte Stimmen aus dem Nebenzimmer. Er bestand darauf, auf Reydt zu warten. Nach einer halben Stunde öffnete sich die Tür, und einige Redakteure, darunter Heiner Keller, verließen das Büro. Bemüht salopp winkte Moische Keller zu: »Hallo, Heinerle!«

Frau Lang steckte ihren Kopf durch die offene Tür. »Herr Reydt. Draußen wartet ein Herr Bernstein auf Sie ...«

»Ich will jetzt von niemandem gestört werden!« brüllte Reydt.

»Viel Vergnügen, Moische-Israel,« rief Heiner im Davongehen.

Heiners Süffisanz zwang Moische, der bereits aufgeben wollte, zum Handeln. Er schob sich an Frau Lang vorbei ins Chefzimmer. Reydt saß hinter seinem Schreibtisch. Er sah den Eindringling ärgerlich an. »Ich habe im Moment leider keine Zeit für Sie, Herr Bernstein.«

»Ich habe einen sensationellen Aufsatz geschrieben, Herr Reydt. Er wird noch viel mehr Aufsehen ...«

»Wir können uns in den nächsten Tagen gerne darüber unterhalten. Aber im Moment geht es nicht!« Reydts Ton wurde gereizt. Frau Lang reagierte erwartungsgemäß. »Sie müssen jetzt gehen, Herr Bernstein!« Die Sekretärin machte eine ausladende Geste.

Du mußt deinen Willen durchsetzen, zwang sich Moische.

»Hitler ist der Mann des Jahrhunderts!«

Reydt und seine Sekretärin zuckten simultan zusammen.

»Ich weise nach, daß Adolf Hitler der Mann des Jahrhunderts ist!« Moische legte sein Manuskript vor Reydt auf den Tisch. Der starrte wie hypnotisiert auf die Papiere.

Du hast gewonnen, Bernstein, jubelte es in Moische.

»Wie?« Reydt sah ihn entgeistert an. »Sie meinen, Hitler ... also Adolf Hitler wäre der Mann ... dieses Jahrhunderts?«

»Ja.« Moische genoß Reydts Erschütterung.

»Aber der Holocaust ...«

Frau Lang war unfähig, sich zu rühren.

»Hat die Schaffung Israels bewirkt. Hitler ist der Gründer des jüdischen Staates.«

»Das kann man doch nicht schreiben. Ich ...«

»Sie nicht! Ich schon!« warf Moische ein.

Reydt versuchte mit seiner Hand das Hitler-Gespenst zu verscheuchen. »Nein ...!«

» Hitlers Krieg führte zur Gründung der NATO, des Warschauer Pakts ...«, fuhr Moische fort.

»Schon ...«

»Das wichtigste ist jedoch ...«, Moische kostete die Spannung Reydts aus, »... Hitlers soziale Revolution. Er hat die Gesellschaft demokratisiert!«

Reydt sah Moische entsetzt an. »Hitler war ein Diktator!«

»Sicher. Aber er hat dafür gesorgt, daß in Deutschland jeder Tellerwäscher nicht nur Millionär, sondern auch General, Minister ...« ... Chefredakteur ... – Moische unterdrückte seinen selbstzerstörerischen Trieb – »... oder Konzernchef werden kann.«

»Schon ...«

»Eben! Wenn wir Hitler als Mann des Jahrhunderts präsentieren, spielen die Leser verrückt!«

»Kaufen Verrückte denn unser Blatt?«

»Selbstverständlich!« Moische lächelte maliziös. »Alle wollten auch die Hitler-Tagebücher lesen.«

»Die waren gefälscht ...«

»Mein Artikel dagegen ist authentisch!« trumpfte Moische auf. Er fühlte, daß er Reydt überzeugt hatte.

»Geben Sie Herrn König Bescheid, daß er heute die Schlußkonferenz leiten und anschließend den Umbruch abnehmen soll, Frau Lang.«

Die Sekretärin löste sich nur allmählich aus ihrer Benommenheit.

Reydt dagegen vibrierte vor neuem Tatendrang.

»Machen Sie uns einen starken Kaffee. Und lassen Sie uns die nächsten zwei Stunden vollkommen ungestört. Kein Telefon, kein Besucher, kein Niemand! Verstanden?!«

»Jawohl.«

Drei Stunden später verließ Moische das Büro des Chefredakteurs. Unmittelbar danach trommelte Knut Reydt seine Stellvertreter, den Chef vom Dienst sowie den Werbeleiter zu einer vertraulichen Sitzung zusammen. Die Männer waren über Reydts Heftprojekt »AH 20« entsetzt. Doch der Chefredakteur duldete keinen Widerspruch. Er hatte sich von Moisches Euphorie anstecken lassen. Wie jeder Unsichere klammerte er sich an seinen jeweils neuesten Glauben.

Reydts Stellvertreter, Jürgen König, dagegen kalkulierte nüchtern. Die Hitler-Nummer war ein Himmelfahrtskommando. *logo!* würde dadurch die Seriosität, die Reydts Wirken noch übrig gelassen hatte, vollends einbüßen. Als Reydts natürlichem Nachfolger würde es ihm kaum möglich sein, *logo!* wieder aus dem Dreck zu ziehen. Ging Reydts Nazi-Hazard-Rechnung aber wider Erwarten auf, dann würde er allein die Lorbeeren einheimsen. König mußte sofort handeln. Er suchte den Verlagsleiter Eberhardt von Caunitz in dessen Bogenhauser Villa auf und berichtete ihm von Reydts »Kamikaze-Aktion«. Der Verlagsleiter konnte sein Entsetzen nicht verbergen. Er fürchtete um seine Position. Caunitz dankte König für sein »verantwortungsbewußtes Handeln« – vielleicht würde er ihn bald brauchen. Sobald Jürgen König sein Haus verlassen hatte, zitierte von Caunitz Knut Reydt zu sich nach Hause.

Kurz vor Mitternacht erschien der nervöse Chefredakteur. Von Caunitz brüllte den perplexen Reydt zusammen wie ein Feldwebel seinen lieblingsfeindlichen Rekruten. »Du wahnsinniges Arschloch! Du machst den ganzen Verlag kaputt!« Reydt versuchte vergeblich, das AH-20-Projekt als »Planspiel« hinzustellen. »Niemand denkt im Traum daran, ein derartig gewagtes Thema ...«

»Lüg mich nicht an!« schrie der Verlagschef. Er wußte detailliert Bescheid.

König hat ihn informiert, durchzuckte es Reydt. Die anderen waren zu feige für eine derartige Infamie. Außerdem konnten sie keinen Vorteil daraus ziehen. Leugnen hatte also keinen Sinn. Reydt versuchte es daher mit seinem bewährten Slalom. Er schob die Verantwortung auf andere und reklamierte die Erfolge für sich. »Die Idee stammt von diesem Bernstein. Er hat mit seiner Warnung vor einem neuen Auschwitz ja gewisses Aufsehen erregt.«

»Das ist doch alles vollkommener Humbug!«

»Gewiß. Aber ich habe dafür gesorgt, daß die Auflage um 20 Prozent gestiegen ist.«

Wenn von Gewinnen die Rede war, nickte Eberhard von Caunitz stets reflexartig. Knut Reydt nutzte das zum Nachhaken: »Jetzt behauptet dieser Bernstein, daß Hitler der Mann unseres Jahrhunderts ...«

»Das kommt nicht in Frage, Reydt!«

»Bernstein ist Jude. Niemand kann ihm Antisemitismus vorwerfen ...«

»Aber uns! Wir dürfen nicht riskieren, uns als Nazis verleumden zu lassen. Ob mit oder ohne jüdischen Hofnarren!«

»*Time*-Magazine hat Hitler bereits 1936 zum »Mann des Jahres« gewählt.«

Von Caunitz verlor die Geduld. »Ich will kein Wort mehr über den Kerl hören!« brüllte er. »Wenn Sie das geringste in dieser Richtung unternehmen, Reydt, setze ich Sie sofort an die Luft, verstanden?!«

Doch der Erfolg von Bernsteins Auschwitzartikel hatte den Manager Blut riechen lassen. Er siezte den Chefredakteur wieder. Reydt mußte von Caunitz am Geldsack packen, da waren Christen und Juden, Antisemiten und Humanisten gleichermaßen empfindlich.

»Herr von Caunitz. Ich will nie mehr über eine Hitlernummer reden.«

»Na also! Ich wußte ja, daß Sie zur Vernunft kommen, Reydt ...«

Der Chefredakteur kratzte all seinen Mut zusammen und fiel zum ersten und einzigen Mal seinem Verlagsleiter ins Wort.

»Erlauben Sie mir dennoch, Sie um ein Experiment zu bitten, Herr von Caunitz.« Reydt atmete mehrmals kurz durch. »Ich möchte Sie bitten, Ihre Frau zu fragen, ob ein *logo!*-Heft sie interessieren würde, in dem Hitler zum Mann des Jahrhunderts ...«

»Jetzt ist's aber endgültig genug, Reydt.«

»Nur eine kleine Probe aufs Exempel.«

Der Vorgesetzte sah seinen Untergebenen ungläubig an. Soviel Energie hatte er dem Schönschwätzer nicht zugetraut. Jürgen König war gewiß leichter zu lenken.

»Bitte!« flehte Reydt.

»Von mir aus. Ich werde sie morgen früh fragen.« Von Caunitz ging auf den schmächtigen Journalisten zu, legte ihm gewollt väterlich die Hand auf die Schulter. »So! Und jetzt wollen wir unser Gespräch beenden, Reydt.«

Er will mich rausschmeißen, erkannte Reydt. Jetzt ist alles egal! Dann gehe ich mit wehenden Segeln unter! Er blieb stehen. »Ehe ich gehe, möchte ich Sie bitten, Ihre Gemahlin zu fragen.«

»Morgen!« beschied von Caunitz.

»Herr von Caunitz, ich merke, daß Sie erwägen, mich aus meinem Amt zu entfernen. Das ist Ihr gutes Recht. Doch bitte ich Sie, mir vorher meinen kleinen Wunsch zu erfüllen.«

»Was denn jetzt schon wieder?«

»Fragen Sie Ihre Frau.«

»Sie schläft.«

»Dann wecken Sie sie, bitte. Es ist wichtig.«

Von Caunitz mußte den Verrückten endlich loswerden. Diskutieren war sinnlos. Gewalt! Nein. Er konnte sich keinen Skandal leisten. »Gerlind!« rief er laut. Kurz darauf erschien sie.

»Ja?« überrascht sah sie den späten Gast an.

»Grüß Gott, Herr Reydt. Darf ich Ihnen etwas anbieten?«

»Ja. Geben Sie mir zwei Minuten Ihrer Zeit, Frau von Caunitz! Würde Sie eine *logo!*-Ausgabe interessieren, in der ein begabter jüdischer Essayist mit Esprit begründet, warum er Adolf Hitler für die prägende Persönlichkeit unseres Jahrhunderts hält?«

»Ja.«

»Danke!« jubelte Reydt.

Eberhard von Caunitz sah seine Gattin ungläubig an. »Warum, Gerlind?«

»Weil es mich interessieren würde, Eberhard.« Sie ging zur Bar. »Einen Drink vielleicht, Herr Reydt?«

»Nichts, danke, Frau von Caunitz.«

»Aber mir! Einen Cognac!« Von Caunitz ließ sich in seinen Sessel fallen.

»Sicher schreibt dieser Herr über Juden und Autobahnen und Krieg.«

»Und über viele andere interessante Dinge mehr.« Reydt heftete seinen Blick auf den Verlagsleiter. »Sie vermuten, Ihre Frau sei ein Einzelfall, Herr von Caunitz.«

»In der Tat!«

»Dann befragen Sie bitte weitere Personen.«

Der Hausherr nahm einen kräftigen Schluck. »Morgen!« Er winkte den Gast zu sich. »Jetzt setzen Sie sich erstmal her, Reydt, und trinken ein Glas mit uns!«

Reydt tat wie geheißen, bestand aber darauf, daß von Caunitz trotz der vorgerückten Stunde in seiner Befragung weitermachte. Von Caunitz' zwanzigjährige Tochter Jutta, eine Medizinstudentin, war auf die Hitler-Ausgabe ebenso neugierig wie sein Fahrer und seine Sekretärin, die er aus dem Schlaf holte. Schließlich wagte der entflammte Manager, »die finale Probe«. Er rief seine ältere Schwester Arnhild, eine Amtsrichterin in Paderborn, an. Die Dame beschimpfte den Ruhestörer zunächst gehörig, fühlte sich aber geschmeichelt, ihm »in einer eminent wichtigen Frage« ihren Rat erteilen zu dürfen. »Wer ist der Autor?«

»Ein gewisser Rubin ... «, Reydt verbesserte ihn zischend »Bernstein.«

»Den kenne ich! Das ist ein anständiger Jude. Der hat den ersten vernünftigen Beitrag in deinem Schundmagazin geschrieben und sich anschließend sehr korrekt verhalten. Ja. Wenn er über Hitler schreibt, würde mich das interessieren. Ja, ganz sicher!«

»Auch wenn er Hitler als Mann unseres Jahrhunderts anpreisen würde?«

»Dann erst recht! Hitler war doch ein großer Mann. Und wenn sogar ein Jude das sagt, dann hat er gewiß schwerwiegende Gründe dafür.«

Von Caunitz dankte seiner Schwester. Darauf trank er seinen dritten Cognac an diesem Abend.

»Mit welcher Auflage rechnen Sie, lieber Reydt?«

»Eine Million!« Reydt zwang sich, seiner Risiko-Strategie treuzubleiben.

»Erzählen Sie mir kein Seemannsgarn, Reydt!«

»Eine Million! So wahr ich *logo!*-Chefredakteur bin, Herr von Caunitz.«

»Das könnte sich schnell ändern.«

»Bei einer Million Auflage?«

»Meinen Sie das im Ernst, Reydt?«

»Ja.«

»Das wäre eine Steigerung um vierzig Prozent! Wir würden *Spiegel, Focus, Globus* etc. überrunden ...«

»So ist es!«

Von Caunitz blickte den Jüngeren und niedriger Gewachsenen starr an.

»Sind Sie sich absolut sicher, Reydt?«

»Absolut!«

Am nächsten Morgen sprach Eberhard von Caunitz bei seinem Verleger vor. Christian Bürzel war über den »Hitler-Unrat« entsetzt. Er sei »Demokrat aus Überzeugung« und werde sich »um keinen Preis davon abbringen lassen«, gelobte der Unternehmer. Das Ergebnis einer spontanen Umfrage im kleinen Kreis, vor allem aber die Verheißung einer Millionenauflage, ließen ihn schließlich schlechten Gewissens »den Husarenritt« wagen. Er gab von Caunitz grünes Licht für ein braunes Thema. Nach Jahrzehnten der Verdammung sorgten Juden und Deutsche gemeinsam dafür, daß für Adolf Hitler in Deutschland wieder die Straße frei gemacht wurde.

Die folgende Woche war bei Redaktionsleitung und Verlagsspitze ausgefüllt mit intensiven Werbevorbereitungen – alles unter strikter Geheimhaltung. Knut Reydt war von früh bis spät hyperaktiv. Es gelang ihm, allenthalben Chaos zu verbreiten. Nebenbei sorgte der gestreßte Chefredakteur dafür, daß sein Stellvertreter, Jürgen König, fristlos gekündigt wurde.

Lediglich zur Titelblatt-Konferenz lud man Moische Israel Bernstein ein. Verlagschef von Caunitz, Reydt, sein amtierender Stellvertreter Hörster und der Art Director berieten sich mit dem Autor über das wirksamste Cover. Nach langem Brüten einigte man sich darauf, Hitler in Rednerpose vor der Landkarte Europas abzubilden. Die Schlagzeile wurde in roten Frakturlettern gesetzt:

Adolf Hitler
Der Mann des 20. Jahrhunderts

Als der Scannerabzug vorlag, meldete der Rechtsberater des Verlags Bedenken an. Die Verwendung nationalsozialistischer Symbole sei verboten. An Hitlers Armbinde prange ein Hakenkreuz. Die Runde war zunächst ratlos. Daraufhin schlug Moische vor, das Hakenkreuz durch einen Davidstern zu ersetzen. Von Caunitz verbat sich diese »Geschmacklosigkeit«. Moische überkam die Lust, dem Deutschen seine Moralinmaske vom Gesicht zu reißen, um ihn an seiner antisemitischen Nase zu packen. Er beherrschte sich jedoch, um seinen zukünftigen Ruhm nicht zu gefährden. Stattdessen empfahl er, das Hakenkreuz gegen eine Europakarte auszutauschen. Das war dem Chefredakteur zu kleinkariert. »Think big!« forderte Knut Reydt und ließ Europa zum Erdenkreis aufblasen: »Wir feiern Hitler als Mann des Jahrhunderts, da dürfen wir ihn nicht auf das mickrige Europa beschränken. Wir müssen ihm die Welt zu Füßen legen.«

»Und was bleibt an Hitlers Armband kleben?« fragte Moische. »Wir verwischen das Dreckding einfach«, entschied der Chefredakteur. Die Runde atmete auf.

Knut Reydt beschäftigte sich ausschließlich mit dem Jahrhunderttitel. Die laufende redaktionelle Arbeit delegierte er an seinen Stellvertreter.

Moisches Essay wurde in ein Ensemble von Hitleraufnahmen gebettet. Die Portraits wurden umrahmt von Kriegsbildern – KZ-Fotos hatte Reydt ausdrücklich untersagt, um »den Lesern den Spaß nicht zu verderben«. Stattdessen zeigte man Aufnahmen von Israel, dem »von Hitler gegründeten Judenstaat.«

Entsprechend dem _logo!_-Brauch hatte der Cheflayouter ein

Portrait des Autors in dessen Text eingeblockt. Der Chefredakteur ließ es entfernen. Er wollte keine fremden Götter neben sich dulden.

Die Werbemaschine lief auf Hochtouren. Inserate und Spots wurden erstellt und in diversen Zeitungen und Zeitschriften, im Fernsehen und im Hörfunk geschaltet. Plakatwände wurden gemietet, auf denen man am Tag X mit »Adolf Hitler, dem Mann des Jahrhunderts« für *logo!* werben wollte.

Moische mußte derweil untätig abwarten. Die ungeduldige Gier nach Erfolg trieb ihn in eine nervöse Niedergeschlagenheit. Vergeblich lauerte er am Telefon auf eine Nachricht von der Redaktion. Mehrmals rief er bei Knut Reydt an, doch der Chefredakteur war für ihn nicht zu sprechen. Dies verschlimmerte Moisches Schwermut. Er überwand seinen Stolz und lud Manja zu sich ein. Zumindest bis Montag, bis zum Erscheinen von *logo!*, wollte er in ihren weichen Armen Trost und Ruhe finden. Doch die herzlose Russin weigerte sich.

»Es hat keinen Sinn, Moischek. Laß uns nicht Salz in unsere Wunden streuen«, seufzte sie ins Telefon.

Und so was nennt sich Ärztin und hat den Eid des Hippokrates geschworen! Allzeit helfen! Brigitte war noch unverschämter: Sie forderte als Kotau die Zusage, sie endlich zu heiraten.

Moische suchte vergeblich Trost im Alkohol. Am Freitagabend versuchte er, in der Druckerei ein Exemplar seines Jahrhunderthelden zu ergattern. Doch das Gebäude wurde von einem Sicherheitsdienst mit Hunden abgeschirmt. Die Deutschen sind vollkommen meschugge geworden. Früher haben sie mit ihren Scheißkötern die Juden bewacht, ehe sie sie ermordet haben. Jetzt passen sie mit den bissigen Viechern auf den toten Hitler auf – den ein Jude wiederbelebt hat! Moische spuckte aus. Ich bin ein noch größerer Scheißkerl als die Deutschen!

Am nächsten Morgen wurden Moisches Lebensgeister aus der Isolation der Nichtbeachtung befreit. In den Wochenendausgaben der Münchener Blätter und der anderen überregionalen Zeitungen prangte auf ganzseitigen Vierfarbanzeigen das *logo!*-Titelbild Adolf Hitlers. Dazu hieß es:

Adolf Hitler ist der Mann dieses Jahrhunderts!
Dies beweist der jüdische Essayist
Moische Israel Bernstein in logo!

Die Auflage von 600 000 war bereits am Montag verkauft. Schleunigst wurden weitere 400 000 Hefte nachgedruckt. Der Verleger begückwünschte Reydt knapp zu dem »außerordentlichen pekuniären Erfolg«. Mehr ließ sein evangelisch geschultes schlechtes Gewissen nicht zu. Von Caunitz dagegen schrieb den Erfolg allein seiner Werbe- und Geschäftspolitik zu.

Die öffentliche Anerkennung und Medienpräsenz, nach der Knut Reydt dürstete, strömte jedoch weitgehend an ihm vorbei. Denn die Presse setzte sich ausschließlich mit Moisches Hitler-Essay auseinander. Moische wurde »unvoreingenommenes Denken«, »historischer Überblick«, »Wahrhaftigkeit« und ähnlich Löbliches bescheinigt. Ein bekannter Leitartikler stellte »Moische Israel Bernstein in eine Reihe von Männern wie Carl Schmitt, Martin Heidegger, Ernst Jünger und zuletzt Ernst Nolte. Herr Bernstein besitzt sogar noch mehr Mut als diese Deutschen. Denn er hat als Jude unvoreingenommen historische Größe anerkannt – auch da, wo es ihm aufgrund der eigenen Betroffenheit gewiß Schmerzen bereitet haben mag … Die deutsche Publizistik sollte sich ein Beispiel am Mut des jüdischen Autors Moische Israel Bernstein nehmen, der sich nicht scheut, den frischen Wind geschichtlicher Objektivität zu atmen und zu verbreiten.«

Boulevardzeitungen, Talkmaster und andere Windmacher konzentrierten ihre Aufmerksamkeit auf Moische, der ihnen und dem Publikum als jüdisches Opfer der Schwindeljournalistin Frauke Obermayr noch in Erinnerung war. Nun feierten sie Israel Bernstein als »unerschrockenen Wahrheitssucher und kompetenten Zeitgeschichtler«.

Moische gab sich gelassen. Er besitze »philosophische Weisheit«, verkündete ein Zeitungsreporter, während ein Kollege vom Fernsehen ihm »staatsmännische Klugheit« attestierte. Der Autor betonte stets, ihm sei es »nicht darum zu tun, Hitler, der abscheuliche Verbrechen auf sich geladen habe, reinzuwaschen«. Seine Familie sei selbst »Opfer der Schoah gewesen«. Dies löste eine Welle der Betroffenheitssympathie aus, die Moisches Neider ertränkte.

Knut Reydt ballte die Fäuste. »Mieser kleiner ...« Nein! Er durfte sich keinen antisemitischen Gedanken erlauben! Bernstein war lediglich ein Opportunist. Es gibt auch deutsche Opportunisten, ermahnte er sich. Nicht jeder besaß das weite Herz und den unbestechlichen Geist eines Knut Reydt, der jedem Talent ohne eigensüchtige Hintergedanken zum Durchbruch verhalf. Einen Funken Anerkennung allerdings hätte der logo!-Chef schon erwartet. Mußte dieser Bernstein wirklich alle erstrangigen TV-Termine an sich reißen und ihn in die Dritten Programme abdrängen? Hätte er ihn nicht zumindest in Erich Böhmes *Talk im Turm* parlieren lassen können? Der Chefredakteur hegte keine Revanchegelüste. Knut Reydt beschloß allerdings, Bernstein in Zukunft an die kurze Leine zu nehmen. Fortan würde er jeden Artikel und jede Zeile, die der Bursche zusammenschmierte, streng kontrollieren. »Sonst schlägt mir der Freibeuter das Ruder aus der Hand!«

Im Gegensatz zu seinem gekränkten Chefredakteur erkannte Heiner Keller, das Moisches Karriere weder zu bremsen noch zu kontrollieren war. Daher beschloß er, sich mit dem Schulfreund auszusöhnen und sich von dessen Erfolg mit nach oben tragen zu lassen.

Ähnlich wie Heiner Keller taktierten viele Juden. Unter normalen Umständen hätten sie den Minnesänger Hitlers aus der israelitischen Kultusgemeinde verstoßen. Doch Moische war zu einer publizistischen Instanz in Deutschland geworden. Also schickten sich die Antisemitismus-Beschwichtigungsstrategen ins Unvermeidliche und hofierten den Unberechenbaren.

Sie luden Moische zu Vorträgen in jüdische Gemeinden und Vereine ein und hofften so, ihn kontrollieren zu können. Moische sagte stets zu. Er genoß die unverkennbare Angst der Jidn, er könne sich für vergangene Demütigungen rächen.

In stillen Momenten wunderte sich Moische über die Einfachheit seines Erfolgrezeptes: Ich mach's wie der Adolf. Ich spreche aus, was die Leute denken. Er begriff, daß dies nicht das Jahrhundert Hitlers war. Vielmehr war der braune Diktator lediglich das Medium dieses Jahrhunderts.

Am Mittwochmorgen meldete der Vertrieb, die Auflage habe die Eine-Million-Schallgrenze durchbrochen. Daraufhin organisierte der Verlag in einer Blitzkampagne Podiumsdiskussionen mit Wissenschaftlern, Publizisten und Politikern in den jüdischen Gemeinden Frankfurt, Hamburg, München und Berlin. Die Runden wurden live in den Dritten Fernsehprogrammen übertragen. Zusammenfassungen wurden in den Abendprogrammen gesendet. Amerikanische, britische, französische und israelische Fernsehkanäle schlossen sich an. Das Interesse und der Nervendruck lasteten so stark auf den Teilnehmern, daß in Hamburg dem Moderator der Titel von Moisches Essay entfiel, obgleich er vor ihm auf den Studioboden projiziert wurde. So kündigte der Gesprächsleiter versehentlich eine Diskussion über »Bernsteins Jahrhundert« an. Der Fauxpas ging durch die gesamte Presse.

Höhepunkt der Gesprächsrunden war München. Zunächst war eine Veranstaltung in der jüdischen Gemeinde vorgesehen. Doch das Publikumsinteresse war so gewaltig, daß der Tagungssaal mehrfach gewechselt werden mußte. Da in der Olympiahalle an diesem Abend die Weltmeisterschaft im Catchen stattfand, wurde der Zirkus-Krone-Bau angemietet. Er faßte lediglich 10 000 Zuhörer. Viele Interessierte mußten abgewiesen werden.

Die Veranstalter hatten keine Mühe gescheut, »das Münchner Event zum Höhepunkt der Deutschland-Gespräche mit und über Moische Israel Bernsteins wegweisenden Essay über den Mann unseres Jahrhunderts« geraten zu lassen, wie Eberhard von Caunitz in seiner kurzen Einleitungsrede betonte.

Inmitten der Arena, wo normalerweise Löwen, Tiger und andere Bestien vorgeführt werden, waren diesmal die Diskussionspartner hinter einem halbrunden Tisch gruppiert. In der Mitte saß Abi Roth, stellvertretender Chefredakteur und starker Mann einer großen Münchner Tageszeitung. Zu seiner Rechten hatte Moische Platz genommen. Neben ihm saß der Historiker Ewald Molden. Einst war er ein international angesehener Faschismusexperte. Doch nach seiner Emeritierung sank seine öffentliche Beachtung, und umgekehrt proportional dazu nahm sein Wohlwollen für das Objekt seiner einstigen kühlen Analyse zu. Molden entdeckte im Laufe seines Ruhestands immer mehr positive Seiten am Nationalsozialismus. Der Historiker leugnete nicht den deutschen Angriffskrieg. Doch dessen Ursache, so Molden, sei unzweideutig eine »Angstreaktion Hitlers auf den aggressiven Bolschewismus« gewesen. Auch die »Endlösung« wurde vom Emeritus nicht bestritten. Allerdings, so Molden, dürfe nicht vergessen werden, daß »die Juden zunächst Deutschland den Krieg erklärt haben«.

An seiner Seite saß Johannes Kirchhoff. Der Feuilletonist galt als intellektuelles Aushängeschild eines angesehenen Hamburger Wochenblattes. Am anderen Flügel des Podiums hatte Friedemann Emmanuel Jakobson Platz genommen. Der Soziologe lehrte an einer Beamtenakademie. Er bestand darauf, als »deutscher Patriot jüdischen Glaubens« anerkannt zu werden. In der liberalen Presse wurde Jakobson gelegentlich als »Stahlhelm-Itzig« verspottet. Zwischen Roth und Jakobson saß Josef Huber. Der Althistoriker war ein rühriger Vereinsmeier und emsiger Zeitungspublizist. Während der Historikerdebatte in den achtziger Jahren galt er als einer der Heerführer des liberalen Fähnleins im Kampf gegen den Geschichtsrevisionismus, der die Verbrechen der Nazis mit denen ihrer Feinde, vor allem der Kommunisten, verglichen und damit relativiert sehen wollte. Doch der Zeitgeist hatte sich nach rechts gedreht und so sah sich der Professor veranlaßt, gewisse Korrekturen an einem »moralisierenden Geschichtsbild« vorzunehmen.

Damit die Zuschauer in den hinteren Reihen des Zirkus dem Geschehen in der Manege folgen konnten, wurde es auf eine Großleinwand projiziert. Fernsehkameras filmten die Diskussion und übertrugen sie in Millionen deutscher Haushalte.

Roth eröffnete das Gespräch mit der Frage: »Befürchten Sie nicht, durch ihre Verherrlichung Adolf Hitlers, eine neue Blüte des Nazitums zu begünstigen?«

Moische legte seine Stirn in Falten, ließ eine Kunstpause verstreichen. Deutschland hängt an meinen Lippen, wußte er. Das ist der Endsieg über Hitler! »Deutschland hört heute und hier zu, was ich als Kind der Davongekommenen, ein Opfer der zweiten Generation, zu sagen habe. Dies ist der endgültige Triumph über Hitlers Nationalsozialismus. Die Deutschen haben die Vergangenheit bewältigt. Die Reaktion auf meinen Artikel ist dafür der beste Beweis. Ich habe also nicht ein Wiedererwachen des Nationalsozialismus begünstigt. Im Gegenteil! Ich habe geholfen, die politische Reife der Deutschen zu unterstreichen.«

Beifall brandete auf, den Ewald Molden als Chance nutzen wollte: »Herr Bernstein. Es ehrt Sie, daß Sie sich aufrichtig bemüht haben, Adolf Hitler geschichtliche Gerechtigkeit zuteil werden zu lassen. Wäre es da nicht redlich, noch einen Schritt weiterzugehen und festzustellen, daß Hitler und das deutsche Volk sich einer Welt von Feinden gegenübersahen, denen sie zuvorkommen mußten? Daß zu diesen Gegnern auch die Juden gehörten?«

Murren wurde laut. Moische lächelte. Er dachte nicht daran, sich vor diesen Nazikarren spannen zu lassen. »Ich habe mich mit Hitlers historischer Bedeutung auseinandergesetzt, Professor Molden. Ich habe keine moralische Wertung vorgenommen. Hätte ich das getan, würde ich Hitler unzweideutig verdammen.« Beifall erscholl. »Die Verbrechen Hitlers werden nicht kleiner, wenn man erwähnt, daß auch andere Verbrechen begingen.« Der Applaus schwoll an. Moische badete kurz darin, ehe er daranging, zu seinem finalen Stoß gegen den verkniffenen Geschichtsrevisionisten auszuholen. »Sie haben historische Redlichkeit angemahnt, Herr Molden. Ich muß Sie bitten, sie selbst walten zu lassen!« Moisches Stimme wurde scharf. »Sie sprechen ständig davon – auch hier – die Juden seien Hitlers Gegner gewesen. Nein! Sie waren seine Todfeinde. Hitler ließ sie ermorden ...«

»Die Juden haben Hitler zuvor den Krieg erklärt!« rief Molden. Er erntete aufgebrachte »Pfui!«- und »Halt's Maul!«-Zwischenrufe.

»Jetzt werden Sie unseriös, Herr Molden!« fiel ihm Moische ins Wort. »Sie gebärden sich als historischer Gaukler – bestenfalls!« Der Beifall explodierte. »Sie beziehen sich auf eine Erklärung von Chaim Weizmann aus dem Frühjahr 1939 ...«

»So ist es!« Molden wurde niedergeschrieen.

Als Moische weiterredete, verbreitete sich eine andächtige Stimmung im Publikum. »Weizmann war 1939 lediglich der Vorsitzende der damals unbedeutenden Zionistischen Organisation. Er hatte kein Geld, keine Macht, kein einziger Soldat hörte auf sein Kommando. Kein Jude hat einem Deutschen etwas zuleide getan!«

Szenenapplaus. »Aber die Nazis haben sechs Millionen unschuldige Juden ermordet.« Moische geriet ebenso wie sein Publikum in Rage. Er brüllte: »Weizmanns ohnmächtige Erklärung als Alibi für millionenfachen Judenmord zu benutzen, ist infam, Herr Molden! Das ist eines Historikers unwürdig! Schämen Sie sich!« Die Zuschauer tobten vor Begeisterung.

Abi Roth mußte mehrmals gegen den nicht enden wollenden Applaus anbrüllen, um Johannes Kirchhoff das Wort zu erteilen.

»Sie haben uns alle«, Kirchhoff blickte strafend seinen Nebenmann Ewald Molden an, »... fast alle, mit Ihrem emotionalen Plädoyer für historische Lauterkeit stark beeindruckt, Herr

Bernstein ...« Anhaltender Beifall unterstrich Kirchhoffs Worte. »Dennoch muß ich Kritik an Ihrem Essay üben. Sie haben Adolf Hitler als Demokraten gefeiert. Das darf so nicht stehenbleiben, Herr Bernstein!«

»Ich habe Hitler nie als Demokraten bezeichnet, schon gar nicht gepriesen.«

Erleichtertes Aufseufzen im Publikum. Kirchhoff ließ sich nicht beirren. »Sie schreiben, ich darf zitieren: »Hitler machte Deutschlands Gesellschaft demokratisch.«

Früher Oberlehrer, heute politisch korrekt. Die Deutschen kommen ohne erhobenen Zeigefinger nicht aus, ging es Moische durch den Kopf. »Ich habe von gesellschaftlicher Demokratie gesprochen. Nicht von politischer Demokratie.«

»Ist das nicht semantische Haarspalterei, Herr Bernstein?«

»Nein! Hitler war ein politischer Diktator. Ein menschliches Monstrum. Aber er hat dafür gesorgt, daß die deutsche Gesellschaft demokratischer wurde.«

»Was verstehen Sie unter gesellschaftlicher Demokratie?«

»Hitler hat dafür gesorgt, daß jedermann in Deutschland jede Position erreichen konnte.«

»Jeder konnte also Mörder werden.«

Die Unruhe des Publikums beflügelte Moische.

»Darum geht's hier nicht! Hitler hat die gesellschaftliche Demokratie in Deutschland durchgesetzt. Dies festzustellen bedeutet nicht, seine Verbrechen zu verschleiern«.

Friedemann Emmanuel Jakobson wollte den Beifall nutzen, um seine nationale Gesinnung unter Beweis zu stellen. »Sie haben sich in ihrer Polemik ...«, Buhrufe ließen den geschmeidigen Vielredner mitten im Satz eine rhetorische Haarnadelkurve fahren, »... zu Unrecht als Polemik abgetanen Schrift ausführlich mit dem Staat Israel beschäftigt und die Hilfe hervorgehoben, die Hitler zu dessen Gründung leistete. Aber sie haben den Patriotismus von uns deutschen Juden unterschlagen. Hunderttausend deutsche Juden eilten im Ersten Weltkrieg zu den Fahnen ihrer deutschen Heimat. Zwölftausend starben den Heldentod für Deutschland ...«

»Umsonst!« wandte Moische ein.

»Nein!«

»Als Dank für diesen von Ihnen so hervorgehobenen Patriotismus der deutschen Juden wählten die Deutschen Adolf Hitler …«

»Hindenburg hat Hitler zum Kanzler ernannt …«

»Ihm blieb nichts übrig! Millionen Deutsche hatten die Nazis gewählt.«

»Aber doch nicht, weil sie die Juden haßten«, Jakobson kämpfte verzweifelt mit dem Bajonett seiner deutschen Gesinnung.

»Aus Judenliebe haben die Deutschen jedenfalls nicht für Hitler gestimmt …«

»Die Arbeitslosigkeit«, bäumte sich Jakobson noch einmal auf.

»… und …«, donnerte Moische, »… nicht millionenfach erschlagen!«

Im Saal herrschte Stille. Betroffenheit hatte Publikum und Diskutanten ergriffen – bis auf Josef Huber. Der Historiker, der gleichermaßen in die eigene Intelligenz wie Eloquenz verliebt war, fühlte sich berufen, die entstandene psychologische Lücke zu füllen. »Unser Gespräch beschränkt sich bislang ausschließlich auf das Verhältnis Hitler – Juden. Das ist eine unnötige unwissenschaftliche Einengung. Die historischen Dimensionen der Figur Adolf Hitler gehen viel, viel weiter. Wir haben sie noch längst nicht ausgelotet. Hitler und die Juden …«, Huber schüttelte lächelnd den Kopf, »… diese Frage ist viel zu klein und zu antagonistisch. Hier die Deutschen, dort die Juden …«

»Und was war mit den deutschen Juden?« warf Moderator Roth ein. Der rhetorische Dolchstoß des Juden beraubte den deutschen Historiker seiner narzißtischen Debattierlust. Huber verstummte.

Das Diskussionskarussell drehte davon ungestört weiter seine Runden. Die bekannten Argumente wurden ausgetauscht. Moische fand König Salomos Weisheit bestätigt: »Es gibt kein Neues unter der Sonne.« Das bestärkte ihn, an seiner bewährten Doppelstrategie festzuhalten: Hitler moralisch zu verdammen, im Namen der Wahrheit jedoch dessen historische Größe und gesellschaftliche Revolution zu würdigen. Das Publikum dankte Moische mit langanhaltendem Beifall.

Die Deutschen hatten wieder einen Leithammel gefunden. Es war neu, daß er Jude war – doch dies hatte den Vorteil, daß die Deutschen sich selbst ihre Läuterungen beweisen konnten. Sie verehrten Moische Israel Bernstein unabhängig von seinem Glauben und seiner Herkunft – so dachten sie zumindest. Die wenigsten begriffen, daß sie Moische nur aus einem Grund liebten: weil er Jude war. Er verzapfte Banalitäten. Doch von einem Juden ausgesprochen, wurden sie zur Offenbarung.

9
Fristlose Kündigung

Nach dem finalen Zirkusspiel war das Interesse der Öffentlichkeit an Hitler rasch abgeflaut. Hitler beschäftigte nur mehr alte Nazis und Juden.

Moische widerfuhr das schlimmste, was einem Egozentriker geschehen kann: Er verlor die allgemeine Aufmerksamkeit. Er ordnete Zeitungsartikel und betrachtete wehmütig die Dokumente seines kurzzeitigen Ruhms. Danach verfiel er in Lethargie. Er blieb bis mittags im Bett. Eines Tages rief Heiner Keller an. Moische gab sich unversöhnlich: »Mit uns ist's aus und vorbei, Heinrich! Ich werde nie wieder nach deiner deutschen Verdummungspfeife tanzen.«

Heiner schluckte die Chuzpe. Er war entschlossen, seinen Versöhnungsweg bis zum Erfolgsende zu gehen. »Kein Mensch verlangt von dir ...«

»Doch! Du! Du hast mich jahrelang mundtot gemacht!«

»Was war, war. Ziehen wir einen Schlußstrich unter das Vergangene und ...«

»... damit ihr wieder mit reinem Gewissen Juden abschlachten könnt!«

Als Moische endlich ausgeschimpft hatte, lud ihn Heiner zum Abendessen in die *Osteria Italiana* ein. Moische lehnte zunächst ab. Doch Heiner wußte, daß der Jeansverkäufer letztlich nicht würde widerstehen können. Für einen Juden mußte ein Mahl in Hitlers Stammlokal wie ein Endsieg über die Nazis sein.

Die *Osteria Italiana* befand sich in der Schellingstraße 62. Heiner führte Moische ins Séparée, in dem Hitler einst mit seinen Kumpanen an einem dunkelgebeiztem Eichentisch diniert hatte. Moische saß verstockt unter einem farbenprächtigen Jagdbild. Heiner Keller fühlte, daß er ihm noch immer zürnte.

Also entschuldigte er sich präventiv und schlüpfte unvermittelt in die Rolle von Moisches Advokaten.

»Weißt du, wieviel *logo!* an deinem Essay verdient hat?«

Moische hatte keine Ahnung.

»Mindestens drei Millionen Mark!«

Moische blieb der Bissen Tortellini im Hals stecken.

»Die Auflage ist von knapp 500 000 Stück auf über eine Million geklettert, das ist mehr als eine Million Verdienst. Durch den gestiegenen Absatz erhöhen sich die Werbeeinnahmen um rund 50 Prozent. Also nochmals eine Million. Und schließlich verkaufen sie ein Sonderheft, in dem neben deinem Essay auch deine Diskussionsrunden abgedruckt werden. Auflage mindestens eine halbe Million. Reinerlös ebenfalls rund ein bis zwei Millionen Mark. Ganz abgesehen von der kostenlosen Werbung für *logo!*« Heiner beobachtete Moische, während er fortfuhr. »Reydt hat sich an dir eine goldene Nase verdient.«

Moische sah Heiner verständnislos an. »Als Chefredakteur ist Reydt am Ertrag beteiligt. Bei drei Millionen Mark Reinerlös sind das ...«, Keller zögerte, um Moisches Zorn zu steigern. »... rund 500 000 Mark.«

»500 000. Eine halbe Million Mark«. Keller ließ die Zahlen auf seiner Zunge zergehen, ehe er sie mit kaltem Weißwein hinunterspülte. »Das ist fünfmal soviel wie du im ganzen Jahr bei *logo!* verdienst.« Der Redakteur wußte, daß Moische nur 60 000 Mark einnahm. Indem er so tat, als vermute er, daß Moische ein viel höheres Salär bezog als tatsächlich der Fall war und es gleichzeitig als lächerlich gering abtat, wollte er Moische weiter anstacheln. Doch der war einfach nur benommen. Keller blieb beharrlich wie Moisches Mutter. »Was gedenkst du zu tun, Manni?«

»Was kann ich tun?« jammerte Moische. »Ich habe einen Vertrag über ein Jahr unterschrieben.« Er faltete die Hände. »60 000 Mark waren ...«

»60 000 Mark?« Heiner legte alle Empörung in seine Stimme.

»60 000 Mark!« Er schlug sich mit der Hand gegen die Stirn.

»Der Vertrag ist sittenwidrig! Du mußt ihn unbedingt sofort anfechten.«

Moische schüttelte den Kopf. »Ich habe noch nie mit Anwälten zu tun gehabt ...«

»Wozu einen Anwalt? Du gehst einfach zu Reydt und verlangst von ihm einen Vertrag über die gleiche Summe, die er mit dir verdient hat!«

»Du meinst? Eine halbe ...«, Moische wurde heiser, »... eine halbe Million Mark?«

»Präzise.«

»Könntest nicht du mit Reydt sprechen?«

»Nein!« Der Jeansverkäufer mutete Keller zu, was der selbst von ihm verlangte: sich verheizen zu lassen.

»Reydt schmeißt mich raus«, befürchtete Moische.

»Unsinn! Du bist sein bestes Pferd im *logo!*-Stall. Er ist auf dich angewiesen.«

Moische zweifelte nicht an seiner Genialität. Doch fehlte ihm der Mut, sich durchzusetzen. Er wich Heiners Blick aus.

»Du erzählst mir ständig, wie sehr du die Diasporajuden verachtest, die sich widerstandslos von den Nazis abschlachten ließen ...«

Moische nickte.

»Dann benimm dich gefälligst wie ein Israeli! Meinst du ein Kerl wie euer General Sharon würde sich vor Reydt verstecken? Der würde den Burschen so lange durch den Wolf drehen, bis Reydt alles tun und geben würde, was er von ihm verlangt!«

»Ein SS-ler könnt's noch besser ...«, provozierte Moische.

»Hör auf, dich ständig hinter der SS zu verkriechen!«

»Ja«, hauchte Moische.

»Na, also!« Heiner Keller legte Aufmunterung in seinen Blick. »Du gehst morgen früh zu Reydt und verlangst eine halbe Million Fixum ...«

Moische wurde schwindelig. Eine halbe Million ... dann bin ich in zwei Jahren Millionär! Kellers Unerbittlichkeit riß ihn aus seinen Träumen.

»Plus eine prozentuale Beteiligung von zehn Prozent am Reinerlös, wenn deine Beiträge die Auflage in die Höhe treiben.«

»Reydt wird nicht mitmachen ...«

»Dann mußt du fristlos kündigen – weil dein Vertrag sittenwidrig ist.«

»Toll!« Moische hatte Angst, sein nach Jahren der Mißachtung erworbenes Ansehen durch das Hazardspiel des Deutschen zu verlieren. Er geriet in Zorn. »Dann steh' ich auf der Straße, und du behältst deinen Job ...«

»Ehe du die Straße betrittst, wirst du schon von der Konkurrenz weggekauft. Zum zehnfachen Honorar, das dir dieser Gangster zahlt. Mindestens!«

»Bist du sicher?« Die Verheißung der magischen halben Million riß Moische aus seiner Lethargie.

»Denk doch mal logisch, Mann!« mahnte ihn Keller. »Dein Wechsel zur Konkurrenz wäre eine Mediensensation. Alle wären neugierig, die Gründe zu erfahren, die dich veranlaßt haben, den Bettel bei *logo!* hinzuwerfen. Das verkauft sich wie warme Semmeln. Mindestens eine halbe Million Mark! Macht für deinen neuen Verlag gut eine Million Mehreinnahmen. Wenn sie dir davon die Hälfte geben, haben sie eine halbe Million netto. Mit einer Nummer. Und dabei bleibt's nicht! Du wirst einen Coup nach dem anderen landen!«

Moische zweifelte nicht an Heiners Worten. Die Erfolgsperspektive verdrängte allmählich seine Ängste. Doch weshalb legte sich der mißgünstige Goj für ihn so ins Zeug? »Warum tust du das, Henry?«

»Du bist mein Freund.« Heiner strahlte sein Gegenüber angestrengt an.

»Was hast du davon?«

Heiner Keller sah, daß er nachlegen mußte, um das Mißtrauen des Juden zu überwinden. »Ich will an deinem Erfolg teilhaben!« Der Zwang, seine Unterordnung zu offenbaren, erfüllte Heiner Kellers Seele mit Haß. Moische Bernstein spürte davon nichts. Der Triumph über den Kumpan, die eigene

Angst und die Aussicht auf Ruhm und zukünftigen Reichtum eskalierten zum Rausch. Moische hob sein Glas. Die falschen Freunde stießen an und tranken auf den Erfolg ihrer verlogenen deutsch-jüdischen Symbiose.

Nachdem sie ihr Mahl im Hitler-Restaurant beendet hatten, setzten sie ihre Zecherei im *Nachtcafé* hinter dem Stachus bis zum Morgengrauen fort. Dann ließen sie sich in den *Donisl* am Marienplatz fahren, wo sie in Gesellschaft anderer fahler Nachtschwärmer Weißwürste verzehrten und ihren Durst mit kaltem Weißbier löschten. Anschließend kotzten sie sich auf der Toilette gründlich aus. In dem Erbrochenen schwappten neben Magensäften, Alkohol und Schweinefleisch vor allem Abscheu über eine nicht zu bewältigende Vergangenheit und Angst vor einer unwägbaren Zukunft.

Dem Rausch der Entschlossenheit, um sein Recht und sein Salär zu kämpfen, folgte der Kater der Verzagtheit. Nur halbherzig versuchte Moische einen Gesprächstermin beim *logo!*-Chef zu ergattern. Knut Reydt hatte Wichtigeres zu tun und ließ Moische nicht zu sich vor. Der zögerliche Aufbegehrer nahm's hin.

Knut Reydt kämpfte darum, einen möglichst großen Teil der Leser, die er durch seine Hitler-Jahrhundert-Ausgabe gewonnen hatte, dauerhaft an *logo!* zu binden. Reydts Strategie, vom Vermögen der Reichen und Mächtigen zu berichten, blieb ohne nennenswerten Erfolg. Als der *logo!*-Chef schließlich dem Anti-Euro-Geld Trend folgte, hatte sich das Publikumsinteresse bereits der organisierten Kriminalität zugewandt. Die *logo!*-Auflage war von der Hitlerspitze wieder zur Normalität geschrumpft. Der Chefredakteur gab umgehend eine neue Themenanalyse in Auftrag. Das Ergebnis alarmierte ihn. An der Spitze des Leserinteresses standen Adolf Hitler und die Juden. Reydt verlor keine Zeit und ließ umgehend seinen Nazi- und Juden-Experten zu sich zitieren.

Moische Bernstein hatte Angst vor dem Termin. Hatte Knut

Reydt von seinem Gespräch mit Heiner erfahren? War er einer Intrige des mißgünstigen Redakteurs aufgesessen?

Reyd empfing Moische jedoch mit gewollter Herzlichkeit. Er zeigte sich »erfreut« und lobte »unsere prächtige Zusammenarbeit«.

Ich schreibe und du kassierst! Das ist unsere prächtige Zusammenarbeit, sagte sich Moische verärgert.

Reydt nahm die Verärgerung seines Autors nicht wahr und fuhr fort, Moische zu seinem Hitler-Essay zu gratulieren.

»Ihr Glückwunsch kommt ein bißchen spät«, entfuhr es Moische, der sogleich über seine vorlaute Bemerkung erschrak.

Reydt entschuldigte sich mit »meiner unvorstellbaren Arbeitsüberlastung. Da vergißt man die wichtigsten Dinge.«

Das unverhoffte Einlenken des Chefredakteurs löste Moisches Angstblockade. Heiner hatte recht! Der Kerl braucht mich. Dann soll er mich auch anständig bezahlen: »Schön, daß Sie sich schließlich doch noch meiner erinnert haben.« Moische lachte auf. Reydt fiel höflicherweise ins Gelächter ein.

»Sie müssen sich ja auf die großen Geschäfte konzentrieren ...«

»So ist es, mein Lieber.«

»... Aber als Autor muß ich mich auf meine Prioritäten konzentrieren ...«

»Sicher.« Reydt verspürte Unbehagen.

»Und das ist meine Bezahlung.«

»Sie werden ja von uns prächtig entlohnt.«

»So prächtig wie Ihre Putzfrau ...«

»So dürfen Sie das nicht sehen ...« Die deutsche Judenfeindschaft war seit dem 8. Mai 1945 tot. Aber die Hebräer ließen nichts unversucht, ihr Wiederaufleben zu provozieren. Da half nur eine schneidige Gegenattacke. Reydt verlieh seiner Stimme einen harten Klang. »Sie kassieren 60 000 Mark. Sechzigtausend!«

»So ist es. Während der Verlag Millionen an meinen Artikeln verdient.«

Der Kerl ist übergeschnappt. Nein! Der Bursche wurde von

Headhuntern präpariert, durchfuhr es Reydt. Daß Keller, sein vermeintlich einfältiger Feuilletonist, Moische aufgestachelt hatte, kam dem Chefredakteur nicht in den Sinn.

»Ich weiß nicht, wer Ihnen diesen Floh ins Ohr gesetzt hat, Bernstein. *logo!* hat an Ihnen keinen Pfennig verdient.«

»Die Auflage ist auf eine Million geklettert.«

Wer hatte ihm die Auflage gesteckt? »Wir haben Millionen in die Werbung gesteckt. Eine Investition für die Zukunft. Auch für Ihre Zukunft, Bernstein! Wir erwarten Loyalität und Treue. Das ist eine Frage der Ehre!«

»Meine Ehre heißt nicht Treue, Herr Reydt! Das sind SS-Sprüche ...«

»Diese Bemerkung war unangebracht, Bernstein!« Reydt sprang auf. »Absolut unangebracht!«

Moische ließ sich vom Zorn des *logo!*-Mannes nicht mehr schrecken. Er war entschlossen, es dem Deutschen, allen Deutschen, heimzuzahlen.

»Sie empfinden mein Benehmen als unangebracht ...«

»Ja, Bernstein!«

»... und ich meine Bezahlung! Ich schlage daher vor, wir trennen uns, Herr Reydt. Ich kündige.« Befriedigt registrierte Moische Reydts Entsetzen. Der Chefredakteur ließ sich in seinen Sessel fallen. Er stierte Moische eine Weile ungläubig an. Dann ermahnte er sich, das Ruder wieder in die Hand zu nehmen. »Darf ich Sie daran erinnern, daß Sie einen Vertrag mit meiner Zeitschrift abgeschlossen haben, Herr Bernstein?« Reydt bemühte sich vergeblich um einen Plauderton.

»Der Vertrag ist sittenwidrig, also ungültig«, meinte Moische.

Reydt lachte auf. »Ich weiß nicht, wer Ihnen das erzählt hat. Ein Verlagsjurist gewiß nicht.«

»Sechzigtausend jährlich sind lächerlich ...«

Reydts Stimme wurde scharf. »Sie sind offenbar größenwahnsinnig, Bernstein! Die gängige Journalistenpauschale beträgt zwischen zwanzig- und dreißigtausend Mark.«

»Ich bin kein gängiger Journalist!«

»Nein, Sie sind ein …«, Reydt hielt inne. »Als Sie den Vertrag mit uns schlossen, hatten Sie noch keine Zeile veröffentlicht. Unsere Honorierung war also überaus großzügig.«

»Die Zeiten haben sich geändert.«

»Aber nicht die Verträge.«

»Und wenn ich fristlos kündige?«

Reydt atmete auf. Moische wollte also lediglich schachern. Er war entschlossen, dem Juden zu zeigen, daß sich die Zeiten tatsächlich geändert hatten. Die Deutschen verstanden sich mittlerweile darauf, ihre Rechte zu wahren. »Tun Sie, was Sie wollen, Bernstein. Erlauben Sie mir dennoch, Ihnen von einer fristlosen Kündigung abzuraten.«

»Warum?«

»Weil Sie damit Ihr eigenes journalistisches und finanzielles Grab schaufeln würden. Eine fristlose Kündigung ist nur bei kriminellen Handlungen, sittlichen oder finanziellen Verstößen rechtsgültig. Etwa wenn wir Ihnen monatelang kein Honorar zahlen – oder wenn wir Sie übel beleumunden würden. Dies ist, wie Sie zugeben müssen, nicht der Fall. Wenn Sie dennoch unsere Zusammenarbeit einseitig beenden sollten, klagen wir umgehend auf Schadensersatz. Wir haben Millionen in die Werbung für Ihre Beiträge gesteckt. Darüber hinaus …« – Reydt lehnte sich zurück – »… würden wir sofort eine einstweilige Verfügung erwirken, die Ihnen die Publikation in anderen Organen untersagt. Sie wären auf Jahre mundtot.« Der Chefredakteur beobachtete, wie Moisches Chuzpe-Fassade zusammenbrach. Dies war der Moment zum Einlenken. Reydt verließ seine Verschanzung hinter dem Schreibtisch. Er ging zu Moische, versetzte seinem Gast einen freundschaftlichen Klaps auf die Schulter und mimte ein versöhnliches Lächeln. »Ich meine, wir haben jetzt genug Zeit mit unnötigem Gerede verplempert. Ich verstehe ja auch, daß Sie mehr verdienen wollen. Darüber können wir zur gegebenen Zeit durchaus reden …«

»Wann?«

Der Kerl war unerbittlich. Reydt mußte ihm einen Geldkno-

chen vorwerfen. »Ich will mich noch heute bei unserer Verlagsleitung für Sie verwenden.«

»Wieviel?«

»Ich könnte mir durchaus eine Steigerung ...«, Reydt genoß
Moisches Spannung, »... sagen wir um bis zu fünfzig Prozent
vorstellen.«

»Hundert!«

»Das wird sich nicht machen lassen, Bernstein.«
Verzweifelt dachte Moische an Heiners Halbe-Million-Ver-
heißung. »Hunderttausend Mark. Ich will hunderttausend
Mark im Jahr!«

Reydt schüttelte den Kopf. »Das ist nicht drin. Unsere Erträ-
ge ...«

»Hunderttausend!«

»Ich will mich dafür einsetzen.«

Reydt sah, wie Moisches Anspannung nachließ. Er ließ Sekt
servieren und stieß mit Moische an. Dabei rief er »Schalom!
Das ist doch bei Ihnen so üblich.«

Moische ließ sich die Anbiederung des Deutschen gefallen.

Knut Reydt schwatzte noch eine Weile mit Moische. Dann
kam er zur Sache, dem von ihm ersonnenen Titelthema des
nächsten *logo!*-Hefts. Er wußte, wie er Moische für seine Idee
gewinnen würde. »Sie haben in Ihrem vorzüglichen Essay Hitler als den Gründer Israels geoutet ...«

Moische nickte.

»Ihr Land feiert im kommenden Monat seinen Unabhängig-
keitstag ...«

»Den fünfzigsten.«

»Hätten Sie nicht Lust, für *logo!* eine kritische Israel-Story
zu verfassen?«

»Selbstverständlich!« Moisches Nerven flatterten. Er wollte
den Deutschen Israel erklären wie es wirklich war. Fernab der
Klischees von Kibbuz, Klagemauer, Sonnenstränden und Blitz-
kriegen. Er würde nicht mit Kritik sparen. Er würde die Unbill,
die die Israelis ihm zugefügt hatten, beim Namen nennen.

Reydt spürte was in Moische vorging. »Israel, Hitlers Kreatur. Unsereins darf so etwas nicht aussprechen. Aber Sie können so was. Sie sind dafür geradezu prädestiniert.«

»Weil ich Jude bin?«

»Selbstverständlich!« Reydt sah, wie sich Moisches Züge verhärteten. »Vor allem aber, weil Sie ein kritischer Geist und großer Schreiber sind.«

Das Lob des Chefredakteurs konnte Moisches Unwillen nur kurzfristig besänftigen. Er begriff, daß Reydt ihn mißbrauchen wollte. Israel war ein Scheißstaat. So beschissen wie alle anderen, wie Amerika, Rußland, Italien, Deutschland. Aber das zu wissen, genügte den vergangenheitsgeplagten Deutschen nicht. Sie glaubten ihr schlechtes Gewissen nur dadurch erwürgen zu können, daß sie den Israelis ebenfalls Naziverbrechen in die Schuhe schoben. Wenn die Amerikaner in Vietnam Menschen mit Napalm verbrannten und die Russen die Afghanenkinder mit Schrapnellbomben zersiebten, wenn die Irakis ihre Kurden vergasten und die Serben die Muselmanen tausendfach abschlachteten, dann waren die Deutschen über diese Verbrechen »erschüttert«. Doch zufrieden waren sie erst, wenn die Israelis Palästinenser folterten oder gar einige umbrachten. Dann hatten sie endlich ihre »neuen Nazis«.

»Israel ist nicht Hitlers Kreatur, Herr Reydt.«

»Sie haben's doch selbst geschrieben, Herr Bernstein. Sie haben Adolf Hitler den Gründer des jüdischen Staates genannt. Also ist Israel seine Kreatur!«

»Deutschland ist auch nicht die Kreatur Otto von Bismarcks.«

»Da bin ich mir nicht so sicher.«

»Das ist Ihre Sache. Israel ist jedenfalls nicht Hitlers Kreatur.«

»Warum schreiben Sie's dann?«

»Ich habe geschrieben, daß durch Hitlers Verbrechen die Juden scharenweise nach Palästina strömten und dort ihren Staat gründeten ...«

»Wann werdet ihr Juden endlich aufhören, Hitler für alles verantwortlich zu machen?«

»Niemals!«

»Werdet ihr nie vergessen und vergeben?«

»Nein!«

Reydt war verblüfft und erschüttert zugleich. Moische Bernstein, der ihn soeben noch um eine kümmerliche Erhöhung seines Honorars angeschnorrt hatte, verwandelte sich zum unerbittlichen alttestamentarischen Rächer, sobald die Vergangenheit angesprochen wurde. Aug' um Aug'. Zahn um Zahn. Blut um Blut. Dachten alle Juden so? »Aber die Vertreter der Juden predigen doch immer Vergebung. Letzte Woche erst sagte Daniel Ganter auf einer Holocaustgedenkveranstaltung: »Wir Juden können nicht vergessen, aber wir wollen vergeben und versöhnen ...«

»Verlogenes Geschwätz! Kein Jude vergibt und verzeiht! Jeder Deutsche weiß das!« Die Wörter schossen aus Moisches Mund wie Kugeln aus einer israelischen Uzi-Maschinenpistole.

»Die Juden müssen uns verzeihen!«

»Nein!« Moische Bernstein sah, daß Knut Reydts Verzweiflung echt war. Er mußte es dem Deutschen erklären. »Könnten Sie verzeihen, wenn man Ihren Vater erschlagen würde?«

»Mein Großvater ist bei einem alliierten Bombenangriff in Stuttgart ums Leben gekommen. Deswegen hasse ich keine Amerikaner.«

»Das ist etwas anderes.«

Klar! Er war nur ein gemeiner Deutscher. Kein auserwählter Sohn Zions. »Mensch ist Mensch! Begreifen Sie das doch endlich, Bernstein!«

»Aber es macht einen Unterschied, ob ein Mensch im Krieg umkommt, oder ob man ein ganzes Volk, wehrlose Männer, Frauen und Kinder systematisch abschlachtet, vergast und verbrennt.«

Es war sinnlos, von Juden Vergebung zu erwarten. Sie waren unversöhnlich! Der Chefredakteur sah sich gezwungen, seine Beziehungen zu dem Juden auf das Sachliche zu beschränken. Er mußte Moische Bernstein wie jeden anderen Schreiber für seine Zwecke benutzen – obgleich ihm die deutsch-jüdische Versöhnung natürlich ein Herzensanliegen war. »Es war interessant, Ihren Standpunkt in dieser Frage kennenzulernen, Bernstein.« Der Chefredakteur sah Moische eindringlich an.

Jetzt ist er beleidigt, dachte Moische. Die Deutschen buhlen um unsere Liebe. Doch sobald wir ihnen die Wahrheit sagen, sind sie gekränkt. Wird er mich rausschmeißen? Ihn überkam Angst um sein verheißenes Hunderttausendmark-Salär.

Reydt bemerkte die Unsicherheit seines Schreibers. Er vertiefte sie, indem er seine Sekretärin anrief und sie anwies, »in zwei Minuten zum Diktat zu erscheinen«. Reydt beobachtete Moische. »Wir sind uns einig Bernstein. Sie schreiben einen kritischen Israel-Essay: Gründung durch Hitler, Vertreibung und Unterdrückung der Palästinenser, Kriege gegen die Araber, Rassismus, Verletzung der Menschenrechte ...«, Reydt hielt kurz inne, kramte in seinen Unterlagen, holte ein Blatt hervor »... und vergessen Sie nicht das problematische deutsch-israelische Verhältnis: Wiedergutmachung, Deutschen-Schelte israelischer Politiker, besonders die von diesem Herrn ...« der Chefredakteur blickte kurz auf den Zettel – »Menachem Begin. Das war ja einer! Zunächst Terrorist, später hat er den Libanonkrieg angezettelt und uns Deutsche allesamt als Nazis beschimpft. Und so weiter und so fort. Sie werden gewiß eine Reihe weiterer Highlights ausfindig machen und beschreiben ...«

Frau Lang betrat mit Stenoblock und Bleistift das Büro. Reydt wies ihr den Stuhl vor seinem Schreibtisch zu, so daß sie wie ein Fleischwall zwischen dem Chefredakteur und seinem Autor saß. »Israel hat aber noch mehr zu bieten ...«, meldete sich Moische, »... Aufbau eines Staates, Integration und Diskriminierung der Neueinwanderer ...«

»Gewiß, gewiß. Ich sehe, daß Sie das Thema und meine Vorgaben verstanden haben.« Reydt stand auf. »Ich muß leider weitermachen. Also auf Wiedersehen, Herr Bernstein. Wenn Sie fertig sind, übergeben Sie Ihr Manuskript Frau Lang, ja?!«

Moische erhob sich zögernd. Er trat zum Chefredakteur, der

hinter seinem Schreibtisch sitzen geblieben war. »Aber ich werde Israel nicht als Hitlers Kreatur bezeichnen.«

»Keine Sorge! Das biegen wir schon hin.« Reydt verabschiedete seinen Autor ungeduldig und begann mit dem Diktat, noch während Moische das Büro verließ. Der Chefredakteur war noch unkonzentrierter als gewöhnlich. Die Auseinandersetzung mit dem renitenten jüdischen Schreiber hatte an seinen Nerven gezehrt. Er beschloß, zukünftig nicht mehr direkt mit Moische zu kommunizieren.

Moische war wütend auf den Chefredakteur, der ihn zum Büttel seines Antisemitismus erniedrigt hatte. Der Zorn ging in Niedergeschlagenheit über, weil ihm die Kraft fehlte, Knut Reydts Erpressung standzuhalten. Er ging die Georgenstraße in westlicher Richtung. Was kann mir der Goj tun, wenn ich mich weigere, seinen Antisemitendreck zu fabrizieren? Nichts! Doch Moische wußte, daß er sich etwas vormachte. Reydt hatte ihn in der Hand. Wenn er nicht schrieb, was der *logo!*-Chef wollte, würde von ihm nichts mehr in der Presse erscheinen. Moische würde wieder im schwarzen Loch der Anonymität verschwinden, in dem er vierzig Jahre gedarbt hatte. Schlimmer! Statt die verheißenen 100 000 Mark zu verdienen, würde er die vereinbarten 60 000 verlieren – und damit seine Unabhängigkeit einbüßen. Was ist das für eine Unabhängigkeit, wenn ich schreiben muß, was der Antisemit von mir verlangt, begriff er.

Moische marschierte bei Rot über die Ampel an der Nordendstraße.

Andererseits mußte er nur einmal im Monat einen Lügenartikel fabrizieren. Dafür behielt er die Gunst der Öffentlichkeit und erhielt ein ordentliches Honorar. Fehlte ihm dieses Geld, dann war er seiner Mamme schutzlos ausgeliefert. Hanna würde sich furchtbar an ihm rächen. Statt einmal im Monat einen Kommentar zu schreiben, würde er täglich unter Mammes Fuchtel ins Jeansgefängnis müssen. Dann schon lieber lügen, befahl er sich.

Über die Isabellastraße gelangte Moische in den alten Nord-friedhof. Mehrmals umkurvte er auf dem feinen Kiesweg das Geviert. Normalerweise schlenderte Moische über die Wiesen zwischen den Gräbern des seit Mitte der zwanziger Jahre still-gelegten Gottesackers. Er las die Lebensdaten der Verstorbe-nen und ihre Berufe. Moische stellte sich die Menschen vor: biedere Handwerksmeister, Professoren, Beamte, Ärzte, Offi-ziere. Was hatte diese Menschen in die Arme Hitlers getrieben? Waren die Deutschen geborene Antisemiten, wie dieser neun-malschlaue Amerikaner Daniel Goldhagen behauptete, oder waren sie einfach der Faszination des antisemitischen Unge-heuers erlegen? Franzosen, Russen und vor allem Polen waren gewiß vehementere Judenfeinde als die Deutschen. Warum wählten sie nicht ebenfalls einen Hitler zu ihrem Führer? Der Obernazi faszinierte die Deutschen bis zur Extase. Er hat sie bis heute nicht aus den Klauen gelassen – uns Juden ebenfalls nicht. Was machte Hitlers Zauber aus? Keiner wußte eine ehr-liche Antwort. Alle Wissenschaftler, Journalisten, Psychologen und sonstigen Kurpfuscher, die behaupteten, das Rätsel Hitlers gelöst zu haben, waren Schwindler. Seine geniale Erkenntnis, daß dies Hitlers Jahrhundert war, stimmte. Die Gründe kannte Moische ebensowenig, wie Einstein die Ursachen der allgemei-nen Relativität.

Der Gang über den Friedhof hatte Moisches Nerven fürs erste beruhigt. Der Autor besorgte sich im Schreibwarengeschäft in der Elisabethstraße Block und Filzstift und kehrte ins nahegele-gene *Café Höflinger* ein. Es war früher Nachmittag. Nur ver-einzelte Gäste saßen im Lokal. Moische hockte sich an einen Ecktisch. Er klappte den Block auf, bestellte Tee und begann zu schreiben. »Israel feiert dieser Tage sein 50-jähriges Bestehen. Der Judenstaat ist eine Kreatur Adolf Hitlers. Faschismus re-giert Israel. Der Naziführer hätte seine helle Freude ...« Scheiße! Moische knallte den Stift aufs Papier. Nein! Moische war in Reydts Hand. Aber er war kein Judas! Die Nazis hatten Hannas Eltern und Geschwister, Moisches Onkel und Tante abgeschlachtet, und jetzt forderte dieser deutsche Wicht, daß Moische seine ermordeten Angehörigen und sechs Millionen Juden für ein paar Silberlinge verriet, damit die Auflage stieg. Die Nazis erschlugen die Juden – ihre Kinder korrumpierten sie und machten sie so zu ihren Kreaturen. Nicht mit mir! Lieber krieche ich meiner meschuggenen Mamme zum Davidstern als diesem Antisemiten zu Kreuze, gelobte er sich.

Moische schlürfte rasch einige Schlucke Tee und überlegte angestrengt. Ja! Das wars! Er mußte weder zum Davidstern noch zum Hakenkreuz kriechen. Er hatte einen gültigen Autorenvertrag mit *logo!*. Knut Reydt konnte Moische nicht zu einem antisemitischen Artikel zwingen. Sollte der Goj es dennoch versuchen, würde er sich wehren. Ich habe mir geschworen, meinen Lesern die Wahrheit zu berichten. Daran werde ich mich unerbittlich halten. Niemand wird mich daran hindern – schon gar nicht ein feiger Antisemit!

Moisches Angst war verflogen. Er zerriß das beschriebene Blatt und begann von neuem: »Israel ist ein halbes Jahrhundert alt. Der Judenstaat hat manche Jugendsünden begangen, aber er hat auch Leistungen vollbracht, die man ihm nicht zugetraut hätte. Fünf Millionen Juden wurden integriert, eine Reihe von Kriegen und unzählige Scharmützel wurden ausgefochten. Dennoch ist Israel die einzige Demokratie im Orient geblieben.« Moische hielt inne. Ich schreibe ja eine Lobeshymne! Einen PR-Artikel für das israelische Propagandaministerium. Er mußte die Feder herumwerfen. Seine Leser erwarteten von ihm die Wahrheit. Moische berichtete von den Schattenseiten des jüdischen Staates, die er am eigenen Leibe zu spüren bekommen hatte. »Israel ist ein rauher Pionierstaat. Seine Gesellschaft ist rücksichtslos. Ausländische Arbeitskräfte, vor allem Araber, aber auch idealistische Kibbuzhelfer werden skrupellos ausgebeutet. Die vielen Kriege haben die Menschen hart gemacht. Feinsinnige jüdische Intellektuelle und Idealisten wurden zu verwegenen Kämpfern, die auch im Alltag wenig Erbarmen kennen.« Reydt sollte seine Kritik bekommen und die Leser obendrein. Moische vergaß nicht, die Verletzung der

Menschenrechte in Israel zu erwähnen. Der Autor brachte auch Jerusalems rabiate Militärpolitik ins Bild, relativierte diese aber durch den Hinweis auf die »aggressiven arabischen Militärdiktaturen, die kein anderes Ziel kennen, als den jüdischen Staat zu vernichten«.

Nachdem er noch eine Weile objektiv Lob und Tadel verteilt hatte, zog er Bilanz: »Das Israel von heute ist nicht der Musterstaat, den sich seine Gründungsväter erträumt hatten. Doch welches Land kommt dem Ideal schon gleich, das es vor sich hat? Der jüdische Staat, dessen Gründung durch den Völkermord Hitlers und der Nazis erst ermöglicht wurde, hat sich nach einem halben Jahrhundert zu einem allgemein respektierten Mitglied der Völkerfamilie entwickelt. Wer hätte dies vor einem halben Jahrhundert für möglich gehalten?«

Moische legte den Stift befriedigt beiseite und klappte seinen Block zu. Auf wenigen Seiten hatte er ein umfassendes historisches Porträt und eine gesellschaftliche und politische Analyse des Judenstaates skizziert, kritisch, doch wohlwollend, kurz, ausgewogen und ehrlich.

Und das alles in einer plastischen Sprache. Wieder war ihm ein exzellenter Wurf gelungen. Knut Reydt hat recht, ich bin ein großer Schreiber, fand er.

Moische bezahlte und vervielfältigte seinen Artikel im nächstgelegenen Copyshop. Das Original steckte er in einen Umschlag, den er an Knut Reydt adressierte. Moische wollte das Kuvert in den nächsten Briefkasten einwerfen, doch ihm fehlten die Marken. Sollte er seinen Beitrag bei Frau Lang abgeben? Welchen Eindruck würde es machen, wenn er den Artikel bereits nach wenigen Stunden wie ein jüdischer Hausierer persönlich ablieferte? Moische beschloß, die Angelegenheit quasi offiziell anzugehen.

Auf dem Weg zur Post in der Agnesstraße kamen ihm jedoch Bedenken. Reydt wollte von ihm ein Israel-Verleumdungs-Pamphlet. Der *logo!*-Chef würde ihn zwingen, seinen Beitrag umzuschreiben. Oder schlimmer: Er würde ihn verfälschen. Reydt hatte gedroht seinen Artikel »hinzubiegen«. Moisches

Gesicht brannte. Er suchte verzweifelt nach einem Ausweg. Vielleicht wußte Heiner Rat.

Immerhin besaß der Erfahrung. Und er hatte, zumindest in letzter Zeit, nicht bei Reydt gegen ihn intrigiert. Heiner wollte Moische als Zugpferd benutzen, um aus dem *logo!*-Pferch auszubrechen. Zumindest sah es so aus. Moische rief Heiner Keller in der Redaktion an. Der Redakteur begriff sofort die Brisanz der Situation. Er sah seine eigene Chance. Heiner bat Moische, »nichts zu unternehmen. Nichts, hörst du! Und gib dein Zeug ja nicht aus der Hand. Komm sofort zu mir!«

»Ins Büro?«

Da sage einer, Juden seien schlau! »Nein! Um Gottes willen! Zu mir nach Hause!«

Heiner Kellers Wohnung lag in der nahegelegenen Franz-Josef-Straße. Wenig später traf Moische dort ein. Der Redakteur ließ sich genau berichten. Es war gekommen, wie er erwartet hatte. Knut Reydt war dabei, Moische für seine Zwecke zu mißbrauchen. Er würde nicht zögern, Moisches Artikel zu verfälschen. Das war ihre gemeinsame Chance. Sie mußten Reydts Skrupellosigkeit gegen ihn selbst wenden. »Wir müssen uns mit einem qualifizierten Juristen beraten.«

Moische zuckte zusammen. »Ich will nichts mit einem Anwalt zu tun haben.«

»Du mußt aber! Sonst ruiniert dich Reydt, ehe du dich versiehst.«

»Und wenn ich nichts schreibe?«

Heiner Keller sah sich gezwungen, den Freund mit zwei Glas Bier zu beruhigen. Ihm kam zupaß, daß sein Anwalt Jude war. »Nathan Katz ist ein hervorragender Jurist.«

»Es heißt, er sei unerbittlich und schrecke vor nichts zurück.«

»Eben! Genau so einen Advokaten brauchen wir.«

Heiner rief Katz an. Der Anwalt reagierte umgehend. »Die Angelegenheit duldet keinen Aufschub! Ich habe heute abend aber noch einen sehr wichtigen Termin und muß morgen um

10.00 Uhr vor Gericht sein. Sie müssen also morgen um halb acht in meine Kanzlei kommen. Herr Bernstein soll das Schriftstück und seinen Personalausweis mitbringen. Auf Wiederhören.«

Heiner Keller begleitete den Freund am frühen Abend nach Hause. Moische war niedergedrückt. Er legte sich sogleich zu Bett, konnte jedoch nicht einschlafen. Angst marterte seine Nerven. Erst gegen Morgengrauen fiel er in einen unruhigen Schlaf.

Schon vor der vereinbarten Zeit erschienen Moische und Heiner bei dem Anwalt. Die Kanzlei lag in der Brienner Straße. Aus dem Fenster sah man das freistehende Gebäude der *Siemens*-Zentrale. Die Anwaltspraxis verbreitete die Geld- und Machtaura der Umgebung: tiefe Teppiche, Möbel aus Chrom, Glas, kostbaren Hölzern und schwerem Leder. An den Wänden signierte Lithographien von Klee, Picasso, Dalí.

Pünktlich um halb acht öffnete eine Sekretärin die Tür zu Katz' Büro. Der Anwalt saß hinter einer rechteckigen Glasplatte, die auf zwei breiten Granitsäulen ruhte. Die Tischfläche war leer, bis auf eine zierliche Holzuhr, in deren Fuß Bleistifte sowie ein Füller steckten. An der Wand hing in einem Goldrahmen ein früher Chagall. Eine russische Dorfphantasie mit Pendeluhr.

Nathan Katz kam seinen Klienten entgegen. Er war groß, seine dunklen Augen ruhten unter schweren Lidern. Katz begrüßte Heiner und Moische mit einem knappen Händedruck und forderte sie auf, Platz zu nehmen. Dann bat er um »den Schriftsatz«. Moisches Ängstlichkeit steigerte sich zur Panik. Katz registrierte es. Konzentriert las er Moisches Artikel, ehe er ihn sanft auf seinem Tisch ablegte. Der Anwalt sah Moische aufmerksam an. »Wovor haben Sie Angst?« fragte er mit ruhiger Stimme. Moische war verwundert – zunächst ohne zu wissen, warum. Dann begriff er. Nathan Katz war der erste Jude in seinem Alter, der ihn siezte.

Der Bursche ist kaum vierzig und schon ein gemachter Mann, während ich mich immer noch mit Ärschen abplage: entweder ich presse sie in meine Jeans oder ich krieche selbst hinein! Moisches Minderwertigkeitsgefühle hinderten ihn daran, zu begreifen, daß jedermann gezwungen ist, mehr oder weniger oft zu kriechen, zumal jeder Anwalt. Der Unterschied bestand lediglich darin, daß die einen diese menschliche Spielregel verstanden und akzeptierten, währen die anderen dazu unfähig waren und ein Leben lang darunter litten.

Moische besann sich auf die Frage des Anwalts und berichtete von seinem Gespräch mit Reydt.

»Sie befürchten also, daß Herr Reydt Ihren Artikel verfälschen will.«

»Wahrscheinlich ist er Antisemit ...«, meinte Moische.

Heiner nickte. »Davon bin ich überzeugt.«

»Ich vermute eher, daß Herr Reydt ein Opportunist ist, der ein Geschäft wittert. Aber unsere Annahmen sind unwichtig. Entscheidend ist, daß Ihr Beitrag nicht verfälscht werden darf! Davor werden wir Sie schützen.« Katz sprach in bestimmtem Ton, ohne seine Stimme zu erheben.

»Wie wollen Sie das schaffen?« fragte Moische.

Nathan Katz war überrascht. Der Anwalt kannte Moische kaum. Dem nüchternen Juristen hatte die Selbstsicherheit imponiert, die dem kleinen Jeansverkäufer den Mut gab, alle Klischees über den Haufen zu rennen und bornierten Deutschen wie Juden die Stirn zu bieten. Nun saß Moische ihm wie ein Häufchen Elend gegenüber. Er erwartete von ihm die Erlösung aus seiner Not.

»Die Rechtslage erlaubt uns, Herrn Reydt von der Verfälschung Ihrer Schrift abzuhalten. Definitiv! Sie schreiben Herrn Reydt einen kurzen Brief, in dem Sie darauf bestehen, daß Ihr Artikel inhaltlich nicht verändert werden darf. Dann hinterlegen Sie beglaubigte Kopien Ihres Anschreibens sowie Ihres Beitrags beim Notar.« Katz holte eine Visitenkarte aus der Ablage. »Ich habe mir erlaubt, für neun Uhr einen Termin für Sie bei Notar Dr. Armack im Nebenhaus zu arrangieren. Daraufhin schicken Sie Ihre Schriftstücke zu Herrn Reydt in die *logo!*-Redaktion. Ein Botendienst ist bereits verständigt, der den Empfang quittieren lassen wird.« Katz sah Moische bestimmt an. »Danach verschwinden Sie eine Weile von der Bildfläche.«

»Warum?«

»Weil Herr Reydt versuchen könnte, Sie in seinem Sinne umzustimmen. Dann wäre unsere Arbeit umsonst gewesen.«

Katz hatte den wankelmütigen Charakter seines Klienten durchschaut. Er wandte sich an Heiner. »Ich nehme an, Herr Reydt weiß nicht, daß Sie mit Moische Bernstein kooperieren.«

»So ist es!« Keller nickte ernst.

Katz mußte schmunzeln. Doch sein Gesicht nahm sogleich wieder einen konzentrierten Ausdruck an. »Herr Keller, kann es sein, daß Reydt Sie mit der Bearbeitung des Artikels von Herrn Bernstein beauftragen wird?«

Heiner wurde blaß. Daran hatte er bisher nicht gedacht. »Durchaus ...«

»Dann müssen Sie ebenfalls sofort verschwinden.«

»Ich muß unbedingt in die Redaktion. Der Umbruch ...«

»Das ist ausgeschlossen!« Katz duldete keinen Widerspruch. »Wir müssen mit allen Eventualitäten rechnen. Herr Reydt ist bestimmt kein Dummkopf. Möglicherweise ahnt er von Ihrer Verbindung ...«

»Das halte ich für ausgeschlossen.« Heiner vollführte den ureigenen deutschen Spagat zwischen Pflichtgefühl und Verrat.

»Selbst wenn Herr Reydt nichts ahnt, und Sie zufällig mit der Redaktion des Artikels von Herrn Bernstein beauftragt werden, sitzen Sie in der Falle. Das dürfen wir nicht riskieren.«

»Ich kann nicht. Ich könnte versuchen ...«

»Entweder Sie halten sich an meine Anweisungen, oder ich lege das Mandat umgehend nieder.« Nathan Katz erhob sich.

Heiner Keller gab sogleich nach. Daraufhin diktierte der Anwalt Moische sein Schreiben an den Chefredakteur. Dann übergab er ihm die Visitenkarte des Notars und verabredete für Sonntag um zehn Uhr vormittags einen Termin in der

Kanzlei. »Dann ist mir die neue *logo!*-Ausgabe zugänglich, und wir werden unser weiteres Vorgehen festlegen.«

Offenbar verfügte Katz über gute Kontakte in die Redaktion. Er verabschiedete seine Besucher mit der Mahnung: »Kein Wort an die Presse!«

Im Hinausgehen, als Heiner bereits aus dem Büro getreten war, fragte Moische den Juristen, wie er die Entwicklung einschätze.

»Als Anwalt enthalte ich mich jeder Spekulation.« Moisches enttäuschte Miene barmte ihn. »Aber ich bin als Jid überzeugt, daß der Goj nicht anders kann, er muß uns anpischen.« Katz grinste. »Wehe ihm, wenn er es tut!« Er drückte Moische herzhaft die Hand.

Nach dem Besuch beim Notar verfielen die Kumpane in Ratlosigkeit. Die Anweisung, von der Bildfläche zu verschwinden, war leicht gesagt. Doch wohin? Moische hatte vor, sich in seiner Wohnung unsichtbar zu machen.« Aber Heiner traute seinem mitteilungsbedürftigen Gefährten nicht über den Weg. Er wußte selbst nicht, wo er sich verstecken sollte. Moisches Vorschlag, bei einer Tasse Tee im *Café Luitpold* die Lage zu beraten, lehnte Heiner entsetzt ab. Er durfte nicht gemeinsam mit Moische gesehen werden. So gingen sie verzagt an der Feldherrnhalle vorbei in den Hofgarten.

Sie hielten sich auf dem Außenweg, wo Bäume und Hecken sie vor Blicken der Spaziergänger und Touristen abschirmten. Journalisten hatten um diese Morgenstunde ohnehin nichts im Hofgarten verloren. Heiner und Moische gingen schweigend nebeneinander her. Jeder brütete, wo er in den nächsten Tagen untertauchen könnte. Die gemeinsame Ratlosigkeit und Angst ließ sie zusammenrücken. Sie beschlossen, gemeinsam zu verreisen. Die deutsch-jüdischen Alliierten würden nach Israel fliegen. Heiner war von der Idee zunächst begeistert. Dann befielen ihn jedoch kleinmütige Zweifel. Wie sollte er eine Israel-Reise in der Redaktion begründen? Wenn er log und einen falschen Ort angab, bestand die Gefahr, daß man seine Angaben überprüfte. Er war bereits einmal abgemahnt worden. Nathan Katz hatte ihn damals aus dem Schlamassel herausgepaukt. So entschied sich Heiner Keller für die »Wahrheit«. Er verständigte seine Eltern und die Redaktion von einer ernsthaften Erkrankung der Mutter und reiste gemeinsam mit Moische, jedoch in getrennten Eisenbahnabteilen – man konnte nicht vorsichtig genug sein – nach Egestorf in die Lüneburger Heide.

Kurt und Elke Keller freuten sich über den unverhofften Besuch ihres Sohnes und seines »Freundes«, dessen Namen und Artikel sie aus »Heiners Illustrierter« bereits kannten. Kurt Keller, ein pensionierter Sparkassenangestellter, war erfreut, sich »mit Herrn Israel Bernstein über Adolf Hitler zu unterhalten, dessen Ehre Sie wiederhergestellt haben, obwohl Sie Jude sind«. Doch sein Sohn untersagte dem verständnislosen Vater, sich auf ein politisches Gespräch mit Herrn Bernstein einzulassen.

Heiner und Moische nutzten ihren unverhofften Urlaub zu kurzen Wanderungen um den Wilseder Berg, über Heidekrautfelder und zu längeren Aufenthalten in Dorfkneipen der Umgebung. Im Suff schworen sich Heiner Keller und Moische ewige Freundschaft und gute Zusammenarbeit.

Derweil bereitete Knut Reydt in München seinen nächsten Hitler-Coup vor. Doch Bernsteins Manuskript taugte dafür nicht. Seinem Geschreibe fehlte diesmal die Chuzpe. Dabei hatte ihn der Chefredakteur ausdrücklich aufgefordert, die nazistische Seite Israels zu enthüllen. Bernstein aber hatte eine Zion-Eloge verfaßt. Der Schmierer wollte sich offenbar auf Kosten des *logo!*-Chefs als moralische Instanz aufspielen.

Knut Reydt ordnete umgehend an, eine scharfe antizionistische Polemik unter Bernsteins Namen zu verfassen. Heiner Keller war nirgends aufzufinden, daher mußte ein Schmierer den Artikel verfassen. Der Jude sollte den Judenstaat Israel demaskieren. Hinter dem menschlichen Antlitz grinst die faschistische Fratze. Hitlers jüdische Mißgeburt.

Das Titelbild zeigte schießende israelische Soldaten. Im Hintergrund verschwammen Davidstern-Fahnen mit Hitlers Antlitz. Die Schlagzeile war in gelben Lettern gehalten:

Hitlers Mißgeburt.

***logo!**-Autor Israel Bernstein*
rechnet mit dem Judenstaat ab

Verlagsleiter von Caunitz äußerte Bedenken gegen eine »Israelis sind Nazis«-Kampagne. Knut Reydt überzeugte ihn jedoch mit dem unschlagbaren Argument der vorangegangenen Auflagenfolge und einem kessen englischen Slogan, den Deutsche mehr schätzen als ihre eigenen Sprüche: »Never change a winning team and a successful matter.« Da von Caunitz dies als versteckte Kündigungsdrohung des Chefredakteurs verstand, lenkte er ein. Allerdings ordnete der Verlagschef diesmal eine diskretere Werbekampagne als bei der Hitlers-Jahrhundert-Ausgabe an. Seine Begründung war simpel, aber wahr: »Der gemeine Deutsche interessiert sich für Hitler mehr als für Israel.« Auf diese Weise sparte der Verlag Geld. Der Chefredakteur und der Verlagsleiter einigten sich auf eine Startauflage von 700 000 Exemplaren. Reydt ließ die Werbung anlaufen.

Am Samstagnachmittag meldeten die Presseagenturen: »Der bekannte *logo!*-Autor und Israel-Experte Moische Israel Bernstein rechnet in der Montags-Ausgabe des Münchner Politmagazins schonungslos mit dem jüdischen Staat ab. Er wirft Israel vor, sich zu einem inhumanen, faschistischen Staat, zu einer Mißgeburt Adolf Hitlers entwickelt zu haben.«

Die Abendnachrichten der wichtigsten Fernsehanstalten gaben die Meldung in voller Länge wieder. Die Redaktionen witterten eine neue skandaltaugliche Luftblase. Sie planten Sondersendungen und Talkshows.

Nathan Katz machte ihnen einen Strich durch die Rechnung. Der Anwalt meldete sich bei Moische Bernstein, den er bei Heiner Kellers Eltern wußte. Katz stabilisierte per Telefon zunächst das flatternde Nervenkostüm seines Klienten und vergatterte ihn bis auf weiteres zu absoluter Interviewabstinenz.

Wie verabredet erschien Moische Bernstein am Sonntag um zehn in Nathan Katz' Kanzlei. Heiner Keller begleitete ihn. Der Redakteur war entschlossen, sich an Moisches aufsteigenden Stern zu heften. Tatsächlich entwickelte er sich zu dessen Kometenschweif.

Katz hatte sich die *logo!*-Ausgabe des kommenden Tages besorgt. Als Moische das Titelblatt sah, brach das zarte Korsett seiner Selbstgewißheit. Er begann zu zittern. »Ich bin ruiniert«.

Katz schüttelte den Kopf. »Ruiniert ist Reydt!« Er sprach bestimmt. »Sie werden eine knappe Gegendarstellung unterschreiben, in der Sie sich gegen die inhaltliche und sprachliche Verfälschung Ihres Artikels verwahren.« Katz ergriff eine Klarsichtfolie und beobachtete dabei Moische intensiv.

»In einem gesonderten Schreiben an die Redaktion und den Verlag kündigen Sie mit der gleichen Begründung mit sofortiger Wirkung Ihr Arbeitsverhältnis und behalten sich zivil- und strafrechtliche Schritte vor.« Der Anwalt zog die Papiere aus der Plastikhülle und legte sie seinem Mandanten vor. »Ich habe mir erlaubt, die Schreiben vorzuformulieren.«

Zögernd nahm Moische die Blätter in die Hand. Er war zu aufgeregt, um das Gelesene zu begreifen. Hilfesuchend blickte er den Anwalt an. Als Katz ihm aufmunternd zunickte, unterschrieb Moische.

»Ich werde die Schreiben noch heute mit einem Begleitbrief an die *logo!*-Chefredaktion sowie an die Verlagsleitung senden lassen.«

Der Anwalt nahm die Papiere an sich. »Darüber hinaus werde ich den Text Ihrer Gegendarstellung an die Nachrichtenagenturen weiterleiten.« Katz bemerkte, daß Moisches Angst sich zur Panik steigerte. »Das geschieht, um den Druck auf die Verlagsleitung zu erhöhen.« Ein spöttisches Lächeln erhellte die ernsten Züge des Juristen. »Ich glaube nicht, daß Reydt das Ende der Woche als Chefredakteur erlebt ...« – sein Lächeln wurde breiter, geriet zu einem fast vertraulichen Grinsen – »... pardon. Ich meine, er wird sich nicht bis Ende der Woche im Amt halten können.«

Das Geschehen der folgenden Tage warf Moische Bernstein endgültig aus der Bahn seiner ersten Jahrzehnte. Was nun kam, hatte er sich seit seiner Gymnasialzeit erträumt. Das psychotische deutsch-jüdische Verhältnis in der Folge von Auschwitz, Moisches Leiden an dieser destruktiven Beziehung und sein daraus entspringendes Talent zur Provokation stießen ihn jedoch mit einem Mal in das Zentrum der öffentlichen Debatte. Anfangs meinte Moische, diese meschuggenen Kräfte bändigen zu können. Zumindest hoffte er, von ihnen zu profitieren. Erst allmählich sollte er begreifen, daß er lediglich ein Ball in einem Spiel war, dessen Regeln niemand kannte, und dem weder mit Prinzipienfestigkeit noch mit Opportunismus beizukommen war.

Nathan Katz behielt recht. Die Verfälschung von Moisches Artikel kostete Knut Reydt seinen Posten. Der Journalist scheiterte, weil er unfähig war, die Psycho-Logik des Geschehens zu begreifen. Knut Reydt wußte, daß die Deutschen nach jüdischen Verbrechen süchtig waren, weil sie glaubten, damit ihr mörderisches Volksgewissen für eine Weile betäuben zu können. Am wirksamsten war die Droge, wenn ein Jude sie verabreichte. Das Koschermachen des deutschen Gewissens hatte sich daher zum lukrativen Geschäft jüdischer Scharlatane und Opportunisten gemausert. Knut Reydt hatte sofort erkannt, daß Moische ein solcher Quacksalber war: hemmungslos ehrgeizig und ohne Skrupel. Reydt formte Bernstein zu seinem Homunculus. Er benutzte ihn als Provokateur angesichts deutsch-jüdischer Tabus. Doch Reydts eigene jüdische Kreatur fiel nun dem Meister in den Rücken. Hätte der Jude sich mit Reydts Federn geschmückt und sich als Autor des Artikels ausgegeben, wäre er von allen als unbestechlicher Kritiker gefeiert worden. Allein aufgrund der juristischen Nörgeleien eines jüdischen Advokaten verunglimpfte das Kartell der politisch Korrekten Reydt als Fälscher. Warum? Weshalb durfte ein Deutscher nicht dasselbe sagen und schreiben wie ein Jude? Herrschte nach Auschwitz eine Zensur des schlechten deutschen Gewissens? Die wütenden Polemiken gegen ihn in Presse und Fernsehen ließen Reydt das vermuten. Obwohl die Verlagsleitung nach Bernsteins Gegendarstellung die Werbung umgehend stoppte, kletterte die verkaufte Auflage auf mehr als 800 000 Exemplare. Knut Reydt kannte seine Deutschen. Doch das nützte ihm nichts mehr. Nach dem Drohbrief des jüdischen Anwalts kündigte der Verlag dem Chefredakteur fristlos. Mit Hinweis auf Bernsteins Regreßforderungen wurden seine Gehaltszahlungen umgehend eingestellt.

In den folgenden Tagen durchlitt Moische Bernstein die Qualen eines Exhibitionisten, den man in eine Taucherglocke gesperrt hat. Er mußte schweigen, obgleich Dutzende Reporter mit ihren Mikrophonen und Kameras seinen journalistischen Mitteilungsreflex reizten wie Pawlow seinen hungrigen Hund mit einem saftigen Stück Fleisch. Doch Moische blieb standhaft.

Der publizistische Sekundentod von Fatima-Frauke Örsel-Obermayr mahnte ihn zur Vorsicht. Stärker noch saß Moische die Angst jedes Diasporajuden vor Illoyalität im Nacken. Die Mär vom Hebräer Judas, der seinen Herrn und Gott für dreißig Silberlinge verraten hatte, diente den Christen dazu, die Juden als Denunzianten zu diffamieren. So sorgten sie dafür, daß sich die Juden vor dem eigenen Verrat mehr fürchteten, als vor jenem, der ihnen drohte. Moische Bernstein hatte Nathan Katz versprochen, vorläufig keine Interviews zu geben. Er war entschlossen, sein Wort zu halten.

Heiner Kellers Angst vor Verrat saß nicht so tief. Ihm war die Tugend der Wahrhaftigkeit schon früh eingebleut worden. Doch gleichzeitig hatte er entdeckt, daß die allenthalben gepredigte Kleinbürgermoral durch und durch verlogen war. Die eigenen Interessen waren wichtiger als eherne Grundsätze.

Der designierte Chefredakteur von *Germany Today*, Georg Wimmer, war mit den Vorarbeiten zu seiner »modernen Tageszeitung für ganz Deutschland« so gut wie fertig. Seit einer Woche produzierte die Redaktion Dummies. Wimmer und seine Mitarbeiter kauerten in den Startlöchern. Was dem Blatt fehlte, waren big shots, große Federn, die allein durch ihren Namen Leser anzogen – und Exklusivstorys. Wimmer und die Verlagsleitung der anglo-amerikanischen Pressegruppe *Media Star* hatten viel Geld geboten. Doch die populären Schreiber waren durchweg durch langfristige Verträge an ihre Blätter gebunden. Nolens volens hatte man ein junges effizientes Team zusammengestellt. Wimmer suchte jedoch unentwegt weiter nach Star-Schreibern für seine Zeitung. Als er vom Skandal um Moische Israel Bernsteins gefälschten Israel-Artikel erfuhr, bgriff er sofort, daß der prominente Judenschreiber *logo!* verlassen würde. Der Journalist war entschlossen, die unverhoffte Chance zu nutzen.

Georg Wimmer gab seinem Personalchef Gernot Horn den Auftrag, sich »ins nächste Flugzeug nach München zu setzen« und Bernstein, »koste es, was es wolle«, einzukaufen. Horn tat wie geheißen. Er ließ sich weder von Moisches ängstlichem Mißtrauen noch von dessen kecken Forderungen abschrecken. Nach kurzem Gefeilsche sagte Horn dem Journalisten ein Jahresgehalt von 500 000 Mark zu. Moisches Traum war in Erfüllung gegangen, er war halber Einkommensmillionär. Seine Chuzpe brach durch. Der Umworbene verlangte zusätzlich, daß auch sein »Kollege« Heinrich Keller eingestellt würde. Nach Rücksprache mit Chefredakteur und Verlagsleiter willigte Horn ein. Er gab Keller einen unbefristeten Vertrag als Ressortleiter.

In Berlin bestand Georg Wimmer in einer Unterredung mit dem Verlagsleiter darauf, in der kommenden Woche mit *Germany Today* auf den Markt zu gehen. Kenneth Burns stimmte ihm grundsätzlich zu, äußerte jedoch wie jeder Verlagsleiter Bedenken. Vor allem der frühe Termin, der wenig Zeit zu einer systematischen Leserwerbung ließ, erschien ihm riskant. Doch Georg Wimmer wußte, wie er die Erstausgabe zu einem Verkaufsschlager machen würde. Die Idee überzeugte den Verlagsmanager. Er gab augenblicklich sein O.K. zum Start von *Germany Today.*

Moische Bernstein genoß den warmen Föhnwind des Frühsommers. Der Himmel leuchtete im zarten Gold der Abenddämmerung. Moische war auf dem Weg zu seinem Anwalt. Er passierte den Promenadeplatz. Die weißgetünchte klassizistische Front des Hotels *Bayerischer Hof* ging über in die Fassade eines Modegeschäfts. Das Gebäude diente während der Wittelsbacher-Monarchie im letzten Jahrhundert als Bayerischer Landtag. Hier proklamierte am Abend des 9. November 1918 der jüdische Journalist Kurt Eisner den Freistaat Bayern. Ein Vierteljahr später ermordete der rechtsextreme Bierbrauersohn Arco Valley Eisner beim Betreten des Landtags. Da die heutigen Besitzer sich weigerten, eine Gedenktafel am Gebäude anbringen zu lassen, ließ man die kupferne Erinnerungstafel ebenerdig im Park an den Straßenbahngleisen ein, wo sie fast niemand wahrnahm. So verbargen die Bayern schamvoll vor sich und Fremden die historische Tatsache, daß ein Jude sie zu Republikanern gemacht hatte.

Moische überquerte die Gleise und suchte nach einem Stein, den er auf die Gedenktafel für Kurt Eisner niederlegte. Er schwor sich, ebenso wie der ermordete Kollege allzeit der Wahrheit treu zu bleiben – einerlei was die Antisemiten von ihm verlangten. Moische sprach die ersten Worte des Kaddisch, ehe eine vorbeifahrende Trambahn seine Inbrunst störte.

Nathan Katz legte Moische den Entwurf einer Übereinkunft mit dem Bürzel-Verlag vor. Darin bedauerte das Haus die »Veränderung« seines Beitrags und bot ihm ein Schmerzensgeld in Höhe von 150 000 Mark an.

»Die Herrn haben geschachert wie *Stürmer*-Karikaturen«, berichtete Katz. »Aber sie wußten, daß eine monatelange Auseinandersetzung das Ansehen und damit die Auflage von *logo!* ruinieren würde. Also gaben sie zähneknirschend nach. Für Bürzel sind 150 000 Mark Peanuts. Doch für Sie ist es gutes Geld. Nicht?«

Moische nickte. »Sicher.«

»Das meine ich auch. 50 000 Mark pro Artikel – ich hoffe,

Sie verkaufen sich in Zukunft ebensogut, wie ich Sie vermarktet habe.«

Der selbstgerechte Anwalt weckte in Moische das unwiderstehliche Bedürfnis, ihn zu übertrumpfen. Er berichtete ihm von seinem Deal mit *Germany Today*.

»Eine halbe Million ist gutes Geld«, antwortete Katz. Er kniff die Augen zu. Moische spürte, wie der Advokat das Gehörte auf Schwachpunkte abklopfte. Endlich entspannten sich seine Züge.

»Du bist ein Schmock!« meinte Katz trocken. Moische war verwirrt. Der kühle Jurist hatte ihn geduzt und ihn gleichzeitig geschmäht. Mit einer wegwerfenden Handbewegung wischte Katz Moisches Gekränktheit beiseite. »Pardon, Bernstein. Aber ich kenne keinen Goj, der um einen Juden besorgt ist – zumindest nicht um einen lebenden.«

»Ich habe Heiner Keller mein Wort gegeben!« beharrte Moische.

»Wort, Schmort, Abort! Wir Juden müssen nicht besser sein als die anderen.«

»Wir müssen an die Wahrheit glauben!«

Nathan Katz begriff, daß Moische Bernstein dabei war, die eigenen Phrasen zu verinnerlichen. Schade! Davon abgesehen machte der Schreiber einen intelligenten Eindruck. Doch Katz wußte, daß es zwecklos war, mit Gläubigen über Dogmen zu streiten. »Tun Sie, was Sie wollen! Aber seien Sie auf der Hut vor Heiner Keller. Ich fürchte, daß er im Gegensatz zu Ihnen keine Skrupel kennt.«

Moische fuhr nach Hause. Nach einer Weile rief er Heiner Keller an und berichtete ihm von der Vereinbarung, die er mit der Zeitung getroffen hatte. Heiner versprach dem »Freund« seine Hilfe »nie zu vergessen«. Er meinte es in diesem Moment ebenso ernst wie Moische wenige Monate zuvor im *Schelling Salon*.

Keller verfaßte umgehend ein Schreiben an die *logo!*-Chefredaktion mit Abschriften an die Personalabteilung und die Verlagsleitung. Darin erklärte sich der Redakteur »solidarisch mit meinem jüdischen Kollegen, Moische Bernstein ... Die antisemitischen Ausfälle sowie die grobe Verletzung der journalistischen Sorgfaltspflicht lassen mir keine Wahl! Mit sofortiger Wirkung beendige ich mein Arbeitsverhältnis mit *logo!*.«

Das deutsch-jüdische Duo war frei für den asynchronen Marsch auf Berlin.

10
Berlin

Moische Bernstein war der Geburtshelfer von *Germany Today*. Das Blatt brachte in seiner ersten Ausgabe ein Exklusiv-Interview mit Moische Bernstein.

Das Interesse der Öffentlichkeit war durch ein kombiniertes Trommelfeuer aus Werbung und Vorabmeldungen in den Medien geweckt worden. Der Preis der Erstausgabe von 50 Pfennig sowie eine Leserlotterie mit hohen Geldpreisen tat ein übriges.

In dem Interview betonte Moische Bernstein das Recht auf Meinungsfreiheit und die »Notwendigkeit zur Kritik – auch gegenüber Israel. Aber diese Kritik muß wahrheitsgemäß erfolgen. Wenn Herr Reydt glaubt, den jüdischen Staat kritisieren zu müssen, dann soll er dies offen und ehrlich unter seinem Namen tun und nicht mich dafür mißbrauchen.«

Entsetzt äußerte sich der Befragte »über die Verteufelung Israels als Hitler-Kreatur: Ich klage Knut Reydt an, weil er damit die Opfer des Holocaust verhöhnt hat«, empörte sich der jüdische Journalist. Moische versicherte seinen Lesern, er werde fortan als Autor von *Germany Today* »kompromißlos wie eh und je für die Wahrheit eintreten.«

Bernstein hatte die Schlagzeile selbst vorgegeben: »Ich klage an!« – eine Reminiszenz an den jüdischen Hauptmann Dreyfus, der von der französischen Justiz vor einem Jahrhundert wegen Spionage für Deutschland verurteilt worden war. Dreyfus war unschuldig. Ein jüdischer Märtyrer. Auch Moische gebärdete sich als jüdisches Opfer. Er gab den Deutschen Gelegenheit, gefahrlos in die Rolle ihres heroischen Judenretters Oskar Schindler zu schlüpfen, in dem sie seine Zeitung erwarben. Die Menschen handelten wie beabsichtigt.

Mehr als 700 000 Exemplare von *Germany Today* wurden verkauft. Der Chefredakteur ließ den Kolumnisten gleich nachlegen. Da Moische nichts Besseres einfiel, schrieb er eine Glosse: »Das 17. Bundesland«. Israel sei den Deutschen so ans Herz gewachsen, daß sie das Geschehen im Judenstaat mehr berührte als die Ereignisse in der übrigen Welt, teilweise sogar im eigenen Land. »Ein erschossener israelischer Soldat oder ein gefolterter Palästinenser interessieren uns mehr als ein Dutzend Rauschgifttote in Bottrop, Chemnitz oder Darmstadt.«

Die Leser interessierte weder das eine noch das andere. Die Auflage sackte auf knapp unter eine halbe Million Exemplare. Dies war die rote Marke, die der Zeitung von *Media Star* vorgegeben worden war.

Ein Kulturredakteur informierte Wimmer, daß Ephraim Kishon in den 60er Jahren eine Satire über Israel als 51. Staat der USA geschrieben hatte. Zwanzig Jahre später übertrug Henryk M. Broder die Geschichte auf Deutschland. »Und jetzt kommt Bernstein und tut so, als habe er die Idee gehabt.«

Georg Wimmer wußte, daß ein Autor vom anderen abschrieb, was das Zeug hielt. Wenn Moische mit seiner Glosse Leser angezogen hätte, wäre er begeistert gewesen. Weil die Auflage aber durchsackte, brauchte der Chefredakteur einen Sündenbock. Daher knöpfte sich Wimmer seinen bestdotierten Schreiber vor.

Moische wies kleinlaut den Vorwurf des »Plagiats« zurück. »Deutschland ist nicht Amerika.«

»Und Sie sind kein Kishon!« beschied ihm Wimmer.

In den folgenden Wochen zappelte die Auflage des Blattes zwischen 400 000 und 450 000 Exemplaren. Der Chefredakteur wurde vom Konzern zunehmend unter Druck gesetzt. Er gab ihn verstärkt an die Redaktion weiter. Da Moische Wimmers Erwartungen nicht gerecht wurde, drangsalierte ihn der Blattmacher besonders intensiv. Der Schreiber strengte sich an, aber das war dem Chefredakteur nicht genug. Moisches Kommentar-Angebote: »Die Unmöglichkeit, die Vergangenheit zu bewältigen«, »Israel kommt nicht zur Ruhe«, »Juden wollen

Verständnis, keine Rache« wurden von Wimmer rundweg abgeschmettert. Moische schrieb unverdrossen weiter. Seine Offerte: »Braucht Deutschland Juden?« ließ den Geduldsfaden des Chefredakteurs reißen: »Mir ist scheißegal, was Deutschland braucht«, tobte Wimmer. »Ich brauche Leser, Leser und nochmals Leser! Und sonst gar nichts. Ihre Judenkiste lockt kein Schwein hinterm Ofen vor.«

»Bei *logo!* waren die Leser scharf auf meine Geschichten«, wagte Moische einzuwenden. Der Widerspruch brachte den Chefredakteur noch mehr in Rage. »Der Deutsche verdaut eure Judenkiste höchstens einmal im Monat«, brüllte er. »Begreif das doch endlich! Wir sind kein Wochenmagazin, sondern eine Tageszeitung. Wir müssen alle 24 Stunden mit einem neuen Knüller um die Leser buhlen. Wie eine Puffmutter dem Freier jede Nacht eine andere Nutte vor den Schwanz setzen muß. Sonst sind wir im Arsch!«

»Genau davon versuche ich Bernstein ständig zu überzeugen,« betonte Heiner Keller, der unbemerkt ins Zimmer getreten war. Moische sah auf. Er suchte Heiners Blick, doch der sah den Chefredakteur an. Die Warnung von Nathan Katz kam Moische in den Sinn.

»Wenn ihr auch noch anfangt zu zanken, fliegt ihr beide raus,« knurrte Wimmer und ging in sein Büro.

Keller schloß die Tür. »Sorry, Manni. Aber ich mußte den Burschen beruhigen, sonst hätte er dich fertig gemacht.«

Moische fixierte Heiners undurchdringlichen Blick. Er krallte die Finger an seinem Gürtel fest, um nicht aufzuspringen und dem Verräter mit aller Kraft ins Gesicht zu schlagen. Nein! Dann würde er auf das Niveau des Gojs sinken. Moische atmete mehrmals tief durch, dabei ließ er sein Gegenüber nicht aus den Augen. Mit einem Ruck hob er den Kopf und reckte das Kinn vor: »Raus!« hörte er sich heiser rufen.

»Manni, begreif doch …!«

»Ich habe begriffen. Ich habe endlich kapiert. Ein für alle Mal!« Sein Ton wurde schärfer. »Und deshalb werfe ich dich raus.«

Heiner stierte Moische an. Diese kalte Entschlossenheit des Juden kannte er nicht. Für ihn war Moische stets der meschuggene Jeansverkäufer aus der Schellingstraße.

Die Schwäche Kellers steigerte Moisches Verachtung. Er stand auf. »Verschwinde aus meinem Zimmer, sonst lasse ich dich rauswerfen!«

Moische blieb lange in seinem Büro sitzen. Er zwang sich, über neue Kommentarthemen nachzudenken. Doch ihm fiel nichts Neues ein. Da begriff Moische Bernstein endlich, daß sein Chefredakteur recht hatte. Er selbst konnte die »Judenkisten« nicht länger ertragen. Wie hielten das die Deutschen aus? Länger als ein halbes Jahrhundert mußten sie sich ständig anhören, daß sie oder ihre Angehörigen, in jedem Fall aber ihr Volk, eine Mörderbande waren. Sie mußten nicht. Sie gierten danach! Aber nicht ständig. Einmal im Monat, hatte Wimmer behauptet. Einmal im Monat! Wie eine reinigende Menstruation, die alles mit Blut abwusch. Deutschem Blut? Jüdischem Blut? Einerlei! Einmal im Monat genügte. Dem Körper und offenbar auch der Seele – also auch der Zeitung. Doch Georg Wimmer hatte ihn nicht für eine halbe Million eingekauft, damit er einmal im Monat seine jüdischen Persilscheine oder Bannflüche austeilte. Moische mußte dem Blatt und seinen Lesern mehr bieten, um im Geschäft zu bleiben. Aber was? Er mußte nachdenken. Dazu brauchte er frische Luft.

Moische verließ das Redaktionsgebäude in der Leibnizstraße und marschierte den Kurfürstendamm ostwärts. Er hatte sich auf Anhieb in das laute Berliner Menschengewusel verschiedener Völker, Hautfarben, Kleidung und Sprachen verliebt, das sich so wohltuend von dem gelackten Einheitsbrei der Möchtegernweltbürger in der bayerischen Metropole abhob, die nie den Provinzmief einer verschlafenen, gleichwohl aber intriganten süddeutschen Residenzstadt hatte abstreifen können. An der Fasanenstraße zögerte der Autor. Sollte er nach links zu einem kurzen Imbiß im Restaurant der jüdischen Gemeinde einkehren oder nach rechts abbiegen, um im Garten des *Wintercafés* einen Tee zu trinken? Die warme Frühsommerluft, die sich unter der milchglasfarbenen Käseglocke des Smoghimmels staute, sprach für das Café. Nicht nur die Luft! Bei einem früheren Besuch hatten die attraktiven Frauen, die das Lokal besuchten, Moische begeistert. Sie hatten Pepp. Wahre Weltstadtflunsen, die es an Eleganz und Chuzpe mit ihren Kolleginnen in der Park Avenue Manhattans, in Londons Chelsea, im achten Arrondissement von Paris oder in Nord-Tel Aviv aufnehmen konnten. Keine aufgedonnerten Dorftrampel wie in Schwabing, Haidhausen oder Nymphenburg. Es wurde Zeit, daß er sich unter den Schönen der Stadt umsah.

Moische hauste schon die dritte Woche im Hotel. Sein Zimmer war so steril, daß es ihm sogar die Lust zur Selbstbefriedigung raubte. Er brauchte dringend eine Frau. Moische wandte sich nach rechts. Nein! Du wirst jetzt nachdenken, statt dich im Café mit irgendwelchen Weibern herumzutreiben! Moische hörte Hannas Gekeife. Die Mamme hatte mit ihrer Mahnung recht. Wenn er nicht unverzüglich eine Lösung für sein berufliches Dilemma fand, konnte er in Kürze wieder in Schwabing auf Flunsenjagd gehen und in Hannas Verlies Jeans verkloppen.

So wagte es Moische nicht, von der Direttissima seines Heimwegs abzuweichen. Über die Joachimstaler gelangte er in die Budapester Straße. Doch statt in sein Hotel zu gehen, überquerte er die Fahrbahn und betrat durch das buntlackierte Elefantentor den Zoologischen Garten. Menschen störten den Autor beim Denken. Andererseits deprimierte es ihn, längere Zeit allein zu sein. Moische stapfte die Pfade zwischen den künstlichen Teichen und den Gehegen entlang, ohne von den Tieren Notiz zu nehmen. Das Gezappel der Affen stieß ihn ab. Es erinnerte ihn an menschliche Wichtigtuerei. Das Gekreische der Vögel sägte an seinen Nerven. Rehe, Gazellen und Antilopen fand er dumm. Wildkatzen erschreckten ihn. Allein die großen Pflanzenfresser, die Nilpferde, Nashörner und Elefanten flößten ihm mitunter Ruhe ein. Tierliebe war sentimentaler deutscher Quatsch. Hitler streichelte seine Schäferhündin Blondie, als er den Befehl zum Völkermord gab. Der Kommandant von Auschwitz, Höß, sorgte sich um seine Pferde, während er den Willen des Führers exekutierte. Moische wandte sich abrupt vom Elefantengehege ab. Statt über Hitler und seine Hunde muß ich über meinen Job nachdenken, rief er sich zur Ordnung. Warum ließ der Nazihäuptling Deutsche, Juden und andere nicht aus seinen Klauen? Was faszinierte die Menschen an Stalin, Attila, Dschingis Khan, Harmann, Charles Manson? Ihr Killerinstinkt! Drum fanden alle Löwen und Wölfe toll und gaben sich ihre Namen. Aber keiner kam auf die Idee, sich Schaf, Kuh oder Schildkröte zu nennen. Die Guys wollten Blut sehen, drum rannten sie zu Boxfights und Stierkämpfen, sahen sich Krimis an und lasen Zeitungen! Moische blieb abrupt stehen. Das war's! Die Leute wollen Horrorstories über Mord und Totschlag lesen, und ich Idiot wollte ihnen Besinnungsaufsätze über das deutsch-jüdische Verhältnis verkaufen.

Endlich wußte Moische, was von ihm verlangt wurde. Ich muß über Mord und Totschlag schreiben! Moische ergänzte diese Erkenntnis mit dem eigenen Credo: und bei der Wahrheit bleiben!

Wahre Mordgeschichten würden sein Markenzeichen werden. Damit bin ich unschlagbar, ahnte Moische. Noch wußte er nicht, wie er konkret an die Fälle kommen sollte. Zwischen dem Elefanten- und Nashorngehege lagen die Raubtiere. Aus bernsteinfarbenen Augen starrte ihn eine Bestie an. Moische fiel unwillkürlich Rilkes Gedicht vom Panther ein:

Sein Blick ist vom Vorübergehn der Stäbe
so müd' geworden, daß er nichts mehr hält …
Nur manchmal schiebt der Vorhang der Pupille
sich lautlos auf.

Warum soll's dem Vieh besser gehen als mir, fragte sich Moische. Gott hat mir einen Verstand gegeben. Ich muß ihn nutzen! Es ist nicht mein Job, als erster an den Killerstories dranzusein. Dafür gibt es Reporter. Ich bin Kommentator. Aber Mordkommentare waren ein alter Hut. Jedem spektakulären

Mord folgte wie ein Echo die lautstarke Forderung der Presse nach höheren Strafen. So versuchte man den Rachegelüsten der christlichen Leser gerecht zu werden. Doch das Publikum wollte Lynchjustiz. Jeder Journalist wußte das – aber keiner traute sich, die Dinge beim Namen zu nennen. Nach dem Krieg hatte die Bundesrepublik als erstes europäisches Land die Todesstrafe abgeschafft – um ihre Massenmörder zu schonen. Ein halbes Jahrhundert später wieder nach ihr zu rufen, schien selbst stramm rechten Kommentatoren unschicklich. Also moserten sie am liberalen Strafvollzug herum und forderten immer rigorosere Maßnahmen – bis auf jene, die die Menschen verlangten: den Tod.

Ist die Todesstrafe unmoralisch? Nein! Die Todesstrafe war in allen Kulturen und Religionen vorgesehen. »Ich fordere die Todesstrafe!« brüllte Moische unvermittelt und erschrak sogleich. Doch das Raubtier riß lediglich das Maul zum Gähnen auf. Moische starrte fasziniert in den mächtigen Rachen. Der Autor zwang sich zur Menschlichkeit, also zur Arbeit. Er durfte keine Zeit verlieren.

Moische eilte durch das Löwentor. Am Hardenbergplatz gegenüber dem Bahnhof Zoo nahm er sich ein Taxi und ließ sich in die Redaktion chauffieren.

»Gegen das schlimmste Verbrechen, Mord, gibt es seit alters her nur ein bewährtes Gegenmittel, die Todesstrafe!« hämmerte Moische in seinen Computer. »Überall, wo die Todesstrafe abgeschafft wurde, fielen alle Hemmungen.« Der Autor wußte, daß dies nicht den Tatsachen entsprach. In den skandinavischen Ländern wurde trotz liberaler Justiz weniger gekillt als im Gelobten Land des elektrischen Stuhls. Aber was half's? Seine Leser wollten die Todesstrafe – und Moische war bereit, sich zu ihrem unerschrockenen Sprecher zu machen. »In Südafrika hat nach der Aufhebung der Todesstrafe eine wahre Mordorgie eingesetzt. So weit darf es in Deutschland nicht kommen! Nehmen wir uns ein Beispiel an den USA! Nachdem dort in den meisten Bundesstaaten die Todesstrafe wiedereingeführt wurde, ging die Zahl der Kapitalverbrechen drastisch zurück. Das einst verrufene New York ist heute sicherer als Berlin.

Mörder verstehen nur die Sprache der Gewalt. Wir müssen sie mit ihnen sprechen! Wer an Mord denkt, muß wissen, daß er mit dem eigenen Leben spielt. Nur so können wir abschrecken.

Ich fordere die Todesstrafe, um unser höchstes Gut zu schützen, das Leben!«

Moische riß das Manuskript aus dem Drucker und eilte in die Chefredaktion. Es war bereits nach neun Uhr abends. Die Bürotüren standen offen. Die Sekretärinnen und Redakteure machten bereits Feierabend. Nur Georg Wimmer hockte, mit gelockerter Krawatte, noch hinter seinem Schreibtisch, ein Glas Whisky neben sich. Moische entschuldigte sich bei dem Blattmacher.

»Entschuldigungen nützen mir nichts, Bernstein. Ich brauch' gute Artikel«, antwortete der Chefredakteur unwirsch.

»Bitte!« Prompt hielt Moische dem Chefredakteur sein Papier unter die Nase. Wimmer las die Überschrift, stutzte, nahm das Papier und las konzentriert. Moisches Herz hämmerte. Würde der Goj seine Chuzpe begreifen, oder hatte die Droge politischer Korrektheit auch sein Hirn bereits erweicht? Nach einer Weile warf Wimmer das Blatt auf den Tisch, schlug mit der flachen Hand drauf. »So! Genau so muß man schreiben!« rief er. »Komm mal her, Bernstein!« Wimmer winkte den Autor zu sich heran, zog unvermittelt Moisches Kopf zu sich herunter und drückte dem verdutzten Schreiber einen schmatzenden Kuß auf die Stirn.

Während Moische sich von Verblüffung und Freude erholte, trank Wimmer seinen Whisky in einem Zug aus. Dann griff er nach einem zweiten Glas und schenkte seinem Gast und sich selbst großzügig ein.

»Prost, Bernstein ...«

Sie stießen an.

»Du bist einer der ganz wenigen Schmierer, die kapieren, was man von ihnen verlangt. Die begriffen haben, daß sie nicht dafür bezahlt werden, für sich oder für die Nachwelt oder für den Theodor-Wolff-Preis zu schreiben, sondern allein für den Leser.« Wimmer hob erneut sein Glas, Moische sah sich genötigt, es seinem Chef gleich zu tun. »Prost, Bernstein! Du bist mein Mann!«

Wenige Zeit später waren Wimmer und sein Adlatus im Taxi nach Kreuzberg unterwegs. Die Journalisten kehrten im *Restaurant am Chamissoplatz* ein. Die deftige umbrische Küche hatte es Georg Wimmer angetan. Er bestellte sich Lammkoteletts in Ziegenmilch und trank dazu einen alten Chianti. Sein Gast begnügte sich mit Spaghetti in Basilikumsauce. Wimmer genoß sein Essen und Trinken. Moische dagegen gabelte lustlos in seinen Nudeln herum und nippte gelegentlich pflichtschuldig an seinem Wein. Er sah sich in dem kleinen kerzenbeleuchteten Lokal um. Die wenigen Gäste, meist gepflegt gekleidet, waren ebenso wie Wimmer mit Speis und Trank beschäftigt.

Moische grübelte über neue Themen nach. Sein Plädoyer für die Todesstrafe war ein genialer Anfang. Aber wie sollte er weitermachen? Hatte *Germany Today* eine Zukunft? Er beobachtete Wimmer. Der hatte sein Essen beendet und mit einem kräftigen Zug sein Weinglas geleert. Jetzt steckte er sich eine Havanna an, lehnte sich mit versonnenem Lächeln zurück und stieß den würzigen Rauch aus, der seinen mächtigen Schädel mit feinen blaugrauen Wölkchen umgab.

Wimmer kämpfte um die Existenz der Zeitung und damit um seinen Job. Doch im Gegensatz zu Moische konnte er abschalten. Auch die anderen Lokalbesucher machten einen gelösten Eindruck. Sorgten sich die Gojim nicht um die Zukunft? Das tat jeder Mensch. Aber die Sorgen der Juden wogen offenbar schwerer. Die Hebräer waren unfähig, ihren Kummer in Alkohol zu ersäufen oder unter gutem Essen zu begraben. Unser einziges Sorgenventil ist der Sex, wußte Moische. Selbst dieser Ausweg war ihm zur Zeit verwehrt.

Wimmer legte seine Zigarre im weißen Porzellanaschenbecher ab, um seinen Espresso aus einem zierlichen Täßchen zu schlürfen.

»Werden Sie meinen Artikel morgen mitnehmen?« fragte der Autor unvermittelt.

Wimmer sah Moische erstaunt an. Ihm imponierte, daß der Schreiber von seiner Arbeit besessen war. Der Blattmacher sog nachdenklich an seiner Zigarre und schüttelte den Kopf. »Dein Schrieb ist purer Sprengstoff, Bernstein. Wir müssen warten, bis seine Wirkung am größten ist.«

»Wann?«

Der Chefredakteur legte seine Hand beruhigend auf Moisches Arm. »Sobald jemand brutal abgemetzgert wird, ein Raubmord an einer Rentnerin wär' gut. Noch besser ein Sexualmord an einem kleinen Kind. Dann sind sich Kneipe und Bistro ausnahmsweise einig.« Wimmer fuhr sich mit seiner Rechten an die Gurgel und lachte schallend: »Rübe runter!«

Nach dem Essen zogen beide abwärts in die Bergmannstraße. Im *Café Atlantic* schlürften sie Longdrinks. Die laute Musik hinderte Moische daran, sich mit seinem Chef zu unterhalten. Wimmer spürte das Anlehnungsbedürfnis seines Schreibers. So zogen die Redakteure wieder bergauf über die Schenkendorfstraße zur Arndtstraße, wo sie im *Heidelberger Krug* einkehrten. In der verrauchten Kneipe fanden sie Platz an einem blanken Holztisch. Ohne zu fragen bestellte Wimmer sogleich zwei Weißbier. Er ließ den mitteilungswilligen Autor über sein Leben erzählen und hörte aufmerksam zu. Sobald Moisches Redefluß zu versiegen drohte, nötigte Wimmer ihn zum Trinken. Moisches Zunge löste sich von Bier zu Bier. Nachdem er sein Leben ausführlich beklagt hatte, berichtete er dem Chef seine Angst, »daß mir nichts mehr einfällt, um die Leser nach meiner Schreibe süchtig zu machen.«

»Blödsinn!« rief Wimmer.

Als Moische auf seiner Angst beharrte, wurde der geborene Oberbayer rabiat. »Schmarrn!« röhrte er. »Dir fallt allerweil was G'scheites ein. Du bist doch a schlauer Jud.« Er stieß mit

Moische an und gebot ihm, ihn fortan zu duzen. Der Autor war beglückt. Tränen der Rührung traten in seine Augenwinkel, die er hinter seinem Bierglas vergeblich vor dem feinfühligrobusten Wimmer zu verbergen suchte. Moische begann eifrig zu zechen. Sein Begleiter sah's mit Freude.

Eine Stunde nach Mitternacht verließen der Chefredakteur und sein Kumpel das Lokal. Moische schwankte leicht, Georg stützte ihn. Der Schreiber wollte ins Hotel zurück. Sein Patron wischte die Absicht mit einer rüden Geste beiseite. »Jetzt geht's erst richtig los!« trompetete Wimmer. Arm in Arm tapsten die Zecher durch die Grünanlage des Chamissoparks aufwärts. Auf halber Strecke erleichterten sich die Herren. Moische zögerte zunächst. Doch er konnte unmöglich den blank gezogenen Pimmel seines Chefs alleine in die Nacht pissen lassen. Flugs holte auch er seinen Schmock hervor. Die Herren pinkelten über kreuz, die Schere ihrer Wasserstrahlen besiegelte ihre Männerfreundschaft. Doch Pissbögen spannen sich nicht für die Ewigkeit.

Moische und Georg tapsten in die Gneisenaustraße, wo sie ein Taxi bestiegen, das sie in die Elßholzstraße in Schöneberg brachte. Wimmer lebte in einer renovierten Altbauwohnung. Aus dem Fenster des weiträumigen Wohnzimmers blickte man auf die wuchtige Rückfront des früheren alliierten Kontrollratsgebäudes. Georg und Moische hockten auf dem Parkettboden neben einem rustikalen Glastisch, der als Bar diente. Darauf stand ein kunterbuntes Sortiment von Flaschen und Gläsern. Der routinierte Zecher Wimmer hielt sich an Moskovskaja-Wodka. Moische, den der Alkohol vom Angstkorsett befreit hatte, soff sich durch die internationale Getränkewelt. Er schwadronierte davon, sich zu Deutschlands Vordenker hochzuschreiben. »Ich werde den Leuten sagen, was wahr is' ... und wo's langgeht!«

»Auf den elektrischen Stuhl«, röhrte Wimmer.

Sie prosteten einander zu. »Du bist mein Mann, Moische! Ich mach' dich groß. Größer als du dir vorstellen kannst.« Die Freunde fielen sich um den Hals. Danach soffen sie weiter.

Moisches Bewußtsein trübte sich. Georg Wimmers Konturen verschwammen allmählich und vereinigten sich mit dem Rest des Zimmers zu einem runden Farbenwirrwarr. Als er die Augen zusammenkniff, wurde er zu einer rasenden Karusellfahrt fortgerissen. Beißende Übelkeit befiel Moische, er würgte. Georg Wimmer half ihm zur Toilette. Moische stürzte an die Keramikschüssel. Er wurde von Brechkrämpfen geschüttelt. Als nur noch Speichel aus seinem Mund kam, wankte er zum Waschbecken und spülte seinen Mund. Danach hielt er seinen Kopf unter den kalten Wasserstrahl. Erschöpft wankte er aus dem Klosett. Georg Wimmer fing den Zitternden auf, entkleidete ihn, brachte ihn zu Bett. Dort flößte er Moische einen Wodka mit Zitronensaft ein. Der mußte erneut würgen. Der Hausherr nahm's gelassen: »Der Jud' hält nix aus.«

Um sieben Uhr morgens weckte Georg Wimmer seinen Gast. Moisches Kopf dröhnte. Er versuchte, sich aufzusetzen, doch ihm wurde sogleich schwindelig. Moische sank zurück. »Jetzt langt's aber!« tönte Wimmer, packte ihn unter den Achseln und bugsierte ihn zielstrebig ins Bad. Dort stellte er den Verkaterten unter die Brause und duschte ihn kalt ab. Das eisige Wasser stach Moische mit tausend Nadeln. Er schrie auf, fröstelte. Wimmer lachte: »Na also! Jetzt wirst wieder lebendig. Mach dich frisch. In zehn Minuten gibt's Kaffee und Spiegeleier, dann müssen wir los.«

Wenige Tage später geschah, worauf Moische und sein Chefredakteur sehnsüchtig warteten. In der westfälischen Kreisstadt Arnsberg wurde ein arbeitsloser Elektriker unter dem Verdacht festgenommen, ein achtjähriges Mädchen sexuell mißbraucht und anschließend getötet zu haben.

Georg Wimmer ließ ausführlich über den »Bestialischen Mord an Tanja« berichten. Gleichzeitig kündigte *Germany Today* für den nächsten Tag eine »sensationelle Neuigkeit über den Mord in Arnsberg und andere Kapitalverbrechen« an. In eilig geschalteten TV-Spots, die für die »modernste deutsche Zeitung« warben, wurde die Meldung verbreitet.

Derweil berieten der Chefredakteur und sein Autor in Wimmers Büro über taktische Details. Moische war enttäuscht, daß der Blattmacher die Auflage auf 600 000 Exemplare begrenzen wollte. »Meine *logo!*-Stories sind von über einer Million Lesern gekauft worden!«

Wimmer bemühte sich, dem Schreiber die unterschiedliche »Käufer-Logik« zu erläutern. »Leser von Tageszeitungen sind Gewohnheitstiere. Ihre Blatt-Bindung ist viel höher als bei Wochenmagazinen. Dort wird viel eher nach Sensationen geschielt und entsprechend gekauft als bei uns.« Wimmer entzündete eine Zigarre. »Es ist ein verdammt mühsames Geschäft, anderen Tageszeitungen Leser abspenstig zu machen. Hunderttausend verkaufte Exemplare mehr wären ein Bombengeschäft.«

Moische sah seinen Chef ungläubig an. »Wir haben doch schon so viel für Werbung ausgegeben.«

»Freilich. Und nur so gelingt es uns, an neue Leser zu kommen. Aber um sie möglicherweise zu halten«, er sah Moische an, »dafür brauchen wir dich und deine Schreibe.«

»Ich werde tun, was ich kann.«

Wimmer wußte, daß es Moische ernst war. So beriet er sich mit ihm über die Frage, unter welchem Namen der Autor diesmal schreiben sollte.

Der Chefredakteur war bemüht, Moisches »guten Namen« zu schonen. Er befürchtete, daß sich die deutschen Leser auf ihrem eigenen Verbrechensfeld nicht von einem Juden belehren lassen wollten. Als Pseudonym schlug Wimmer »Fred Stein, Manfred Brun oder einen ähnlichen Schmarrn« vor.

Doch Moische sperrte sich vehement dagegen. »Meine Forderung nach der Todesstrafe ist erst der Anfang. Danach lege ich richtig los. Dann werde ich die Tabus reihenweise brechen. Dafür brauche ich meinen Namen. Die Leser müssen mich kennen!« Moische unterbrach seinen nervösen Redestrom. »Du forderst doch selbst Leserbindung.«

»Was hast du als nächstes auf der Pfanne, Moische?«

»Euthanasie!«

Wimmers Zigarre rutschte ihm aus dem Mund. Er zerstampfte sie im Aschenbecher.

»Himmelherrgottsakrament«, stieß er hervor. »Du bist ein verrückter Hund, Moische.« Er lachte bewundernd und schlug Moische die Hand krachend auf den Rücken. »Und du Depp hast Angst gehabt, daß dir die Ideen ausgehen. Niemals! So einem Spinner wie dir fällt immer was total Verrücktes ein.«

Die Redakteure lagen sich in den Armen. Zunächst im Büro und nach Redaktionsschluß an der Theke der *Haifisch-Bar* in Kreuzberg.

Die Kumpane becherten diesmal in Grenzen. Georg hielt Moische an, bei Bier zu bleiben. »Das ist ein ehrliches bayerisches Getränk. Beim Bier weißt' immer genau wies'd dran bist mit deinem Rausch.« Das kontrollierte Saufen hatte seine Ursache in der angespannten Erwartung der Journalisten. Georg Wimmer wußte, daß die Geduld der »großkopferten Herren in New York« schnell versiegte. Die hatten sich von ihrer Investition auf dem deutschen Zeitungsmarkt nach einer kurzen Anlaufphase rasche Gewinne versprochen. Die »Amis« erwarteten von ihm, daß er die Auflage über eine halbe Million trieb. Gelang ihm dieses Kunststück nicht bald, würde man einen anderen »Zeitungsartisten« in die Medienarena jagen. Wimmer rannte mit allen Mitteln gegen die Halbe-Million-Käufermauer an und holte sich ein ums andere Mal einen blutigen Schädel. Moische war sein letzter Rammbock.

Wimmer hoffte, daß es ihm mit Hilfe seines Adlatus gelingen würde, ins gelobte Auflagenland jenseits der 500 000 zu gelangen. Moische war überzeugt, daß mindestens eine Million Deutsche darauf brannten, sein Plädoyer für die Todesstrafe zu lesen.

Kurz nach zehn fuhren Georg Wimmer und Moische Bernstein zum Kurfürstendamm. Nach längerem Suchen fanden sie einen mobilen Verkäufer von *Germany Today*. Wimmer drückte dem Asylsuchenden aus Sri Lanka einen Hundertmarkschein in die Hand und erwarb dessen Zeitungsstoß. Damit begaben sich der Chefredakteur und sein Autor auf eine Verkaufstour durch die Kneipen und Restaurants des Viertels.

Wimmer posaunte seinen Slogan unter die Gäste: »*Germany Today* fordert Todesstrafe für Mörder«. Als der Chefredakteur merkte, daß der Name seiner Zeitung den meisten nichts sagte, reagierte er prompt: »Todesstrafe für Sexmörder!« trompetete er fortan. Moische war das Geschrei seines Mentors peinlich. Doch er hielt sich unverdrossen hinter Wimmer.

Mit der neuen Parole brachte er seine Zeitung rasch unter die Leute. Wimmer begriff, daß sein Blatt sich vor allem über die Artikel seines Schreibers verkaufte. Dies band ihn noch stärker an Moische.

Später lud der Chefredakteur seinen famosen Mitstreiter zu einem Mitternachtsessen ins *Oren* in der Oranienburger Straße ein. Georg Wimmer wollte von Moische den Ursprung seiner Ideen erfahren. Der Blattmacher war ein deutscher Systematiker, er benötigte ein klares Denkschema, um zielstrebig arbeiten zu können. Moische Bernstein dagegen war ein jüdischer Chaot. Systematische Schemata erwürgten seine Schaffenskraft. Die Lokalbesucherinnen interessierten Moische mehr als die systematischen Fragen seines Chefredakteurs. Doch da die meisten in männlicher Begleitung waren, schien es zwecklos, sie anzusprechen.

Tagsüber hielt sein publizistischer Ehrgeiz Moische auf Trab. Er dachte unablässig über geeignete Kommentarthemen nach, las alle Gazetten, die ihm in die Finger kamen, überflog die Agenturmeldungen, verfolgte Nachrichten- und Magazinsendungen im Fernsehen. Er versäumte auch keine Redaktionssitzung, obgleich da meist leeres Stroh gedroschen wurde.

Nachts konnte Moische jedoch nicht vor sich selber davonlaufen. Schlaflos lag er im Hotelzimmer und mußte an seine Frauen denken. Hanna hatte ihn vierzig Jahre unter ihrer Fuchtel gehalten. Doch ihre Liebe war bedingungslos. Wenn

Moische von Lebensangst und Verzweiflung gepackt wurde, nahm sie den Sohn in ihre Arme und schenkte ihm so eine Portion ihrer unzerstörbaren Vitalität.

Noch stärker sehnte er sich nach Brigitte. Sie liebte Moische und wollte ihn. Der Sex mit ihr war gut – zumindest entspannend. Auch Manja hatte ihn geliebt, und zwar ohne den Preis der Unterwerfung zu fordern. Allein in ihren Armen hatte Moische sich frei gefühlt. Moische gierte nach der warmen Zärtlichkeit Manjas. In solchen Momenten packte er seinen angeschwollenen Schmock und begann ihn zu massieren, verzagte jedoch bald. Ich geile mich an der Vergangenheit auf, das ist pervers! Sein Schwanz fiel dann in sich zusammen.

Gelegentlich masturbierte Moische dennoch. Eine Befriedigung erlangte er dabei nicht. Er wälzte sich unruhig im Bett und ersehnte den Morgen, um in die Redaktion zu entfliehen.

Georg Wimmer blieb Moisches Verlangen nicht verborgen. Er mußte ihm helfen, denn ein fickriger Mann ist ein unkonzentrierter Schreiber. »Die Frauen im *Oren* gefallen dir, was?« Moische nickte ungewollt.

»Warum nimmst du dir keine?« wollte Wimmer wissen.

Moische verstand die Frage nicht. Seine Mamme hatte dafür gesorgt, daß es ihm nicht in den Sinn kam, eigene Ansprüche an sie und ihre Geschlechtsgenossinnen zu stellen. »Ich weiß nicht …«, antwortete er.

Wimmer nahm Moische ins Macho-Gebet: »Die Weiber taugen nicht mehr als wir. Und das ist saumäßig wenig.« Er genehmigte sich einen kräftigen Schluck weißen Yarden-Weins.

»Wenn eine Frau dich will, kriegt sie dich …«

Moische wußte, daß sein Begleiter recht hatte. Wie jeder unsichere Mensch hatte er sich intensiv mit Psychologie auseinandergesetzt, allerdings ergebnislos.

»Eine, die sich selbst einen Mann angelt, war früher als Hure verschrien. Heute wird sie als emanzipierte Frau bewundert«, dozierte Wimmer. »Aber wenn du dir eine Frau nimmst, wirst du als Macho beschimpft.«

Wimmer bemerkte zwei Frauen, die unweit von ihnen Platz

genommen hatten. Er lächelte sie an, ehe er sich wieder Moische zuwandte. »Da sind wir Männer toleranter, gell?« Er lachte lauthals, Moische fiel zögernd ein. Die Nachbarinnen sahen zu den fidelen Herren hinüber. Georg Wimmer hielt es für angebracht, seinen theoretischen Erläuterungen praktischen Anschauungsunterricht folgen zu lassen. Er lud die Frauen an seinen Tisch ein. Linda, eine junge Fotografin, war erfreut, einen leibhaftigen Chefredakteur kennenzulernen. Wimmer hatte kaum Zeit, sich um seinen Begleiter zu kümmern. Augenzwinkernd verabschiedete er sich von Moische. Der war ebenso hilflos wie seine Begleiterin Margot, eine Sparkassenangestellte aus Berlin Mitte, zu der Moisches Medienruhm noch nicht vorgedrungen war. Beide hatten sich wenig zu sagen. Moische wäre nicht abgeneigt gewesen, mit Margot zu schlafen. Die schlanke Braunäugige gefiel ihm durchaus – ihn reizte gegenwärtig jede Frau. Doch die beiden redeten nur über Belanglosigkeiten, ehe sie verstummten. Schließlich verabschiedete sich Margot. Moische traute sich nicht, sie zu begleiten.

Im Hotelzimmer machte sich Moische Vorwürfe, nicht versucht zu haben, mit der Frau davonzuziehen, wie Wimmer es ihm vorgemacht hatte. Dann zerbrach er sich den Kopf über den Euthanasie-Kommentar. Er durfte nicht in die Nähe der Nazimorde gerückt werden, mußte jedoch damit spielen. Die schmale Gratwanderung des jüdischen Autors würde den Reiz des Kommentars ausmachen.

Moische knipste das Licht an und kramte seinen Duden aus dem Koffer. »Euthanasie: griechisch, schöner Tod.« Das war's! Er mußte dafür eintreten, die Sterbenden von ihren Leiden zu erlösen. Erlösen? Lösen? Endlösung! Moische wischte seine kleinmütigen Bedenken als Haarspalterei beiseite. Er wollte allen helfen, den Todgeweihten, indem er ihr Leiden verkürzte und den Lebenden, Milliarden einzusparen. Hätte man seinen Vater Aaron drei Monate vor seinem Ableben von seinem Leiden erlöst, dann wäre sein Erbe nicht von Arztrechnungen aufgezehrt worden. Millionen Leser würden das verstehen, als Sozialabgabenzahler und Nachkommen. Die moderne Chemie hatte Drogen entwickelt, die den Patienten die Angst vor dem Sterben nahmen. Nur, wer sollte über den Tod entscheiden? Die Sterbenden? Als Leser kamen sie nicht mehr in Frage. Man mußte sich an die Angehörigen halten und an die Ärzte. Beides potentielle Lesergruppen. Wenn die Mediziner feststellten, daß für die Patienten keine Hoffnung mehr bestand, und die Verwandten zustimmten, sollte eine Euthanasie erlaubt sein. Durch diese Sicherungen bewies Moische sein Verantwortungsgefühl.

Keine Familie blieb vom Tod verschont. Alle schlugen sich mit zeitraubenden Krankenbesuchen, Arztrechnungen und Erbschaftsstreitigkeiten herum. Aber niemand sprach gerne darüber. Moische suchte nach einem Aufhänger, der das breite Publikum interessierte. Prominenz! Das Sterben der Mächtigen. In Frankreich hatte die Nation jahrelang voyeuristisch die Krebskrankheit des Präsidenten verfolgt. Rußland wurde von einem Hinfälligen regiert. In Amerika dämmerte ein früherer Präsident alzheimerkrank seinem Ende entgegen.

Moische setzte sich an den Schreibtisch. »Wir alle müssen sterben. Gegen den Tod ist kein Kraut gewachsen. Aber gegen ein würdeloses Ende, gegen jahrelanges Siechtum, gegen das zermürbende Leiden von Patienten und deren Seelenqualen sowie den finanziellen Ruin der Angehörigen gibt es sehr wohl Mittel. Seit Menschengedenken bemüht man sich um einen schönen Tod, den die Griechen Euthanasie nannten. Die Nationalsozialisten haben dieses Prinzip pervertiert. Dadurch büßt die Idee nichts von ihrer Richtigkeit ein. Ebensowenig wie die Autobahnen von ihrer Effektivität.« Moische sah unwillkürlich in sein Spiegelbild. Durch das Spiel vom matten Schreibtischlampenlicht und tiefen Schatten im dunklen Hotelzimmer wirkte sein Gesicht dämonisch.

Verrate ich meine ermordeten Angehörigen, wenn ich der Euthanasie das Wort rede, fragte er sich zaghaft. Wenn ich das Euthanasie-Tabu breche, redet demnächst einer der Schoah das Wort. Viele taten es bereits, ohne daß er dazu Stellung genommen hätte. Die alten und neuen Nazis brauchten keinen Alibijuden. Einen Koschermacher benötigten lediglich die gewissensgeplagten Philosemiten. Außerdem, was scherte die Juden die Euthanasie? Welcher Zigeuner, Kommunist oder jugoslawischer Partisan kümmerte sich um die jüdischen Toten? Warum mußten ausgerechnet die Juden sich ständig als das Gewissen der Welt aufspielen? Wurden sie nicht gerade deshalb überall gehaßt?

Moische beendete sein fruchtloses Frage- und Gewissensspiel und setzte seinen Artikel fort. »Weg mit den Denkblockaden! Unser Maßstab ist die Menschlichkeit. Ein schöner Tod muß an Stelle des jahrelangen Martyriums von Sterbenden und ihren Angehörigen treten!« schloß er. Als Moische mit seinem Artikel fertig war, dämmerte es bereits. Er duschte, redigierte seinen Kommentar, gab ihm den Titel »Ein schöner Tod«, frühstückte rasch und eilte in die Redaktion.

Georg Wimmer war über Moisches Artikel schockiert. Ein eiskalt kalkulierter, infamer Kommentar. Der Autor sprach den Egoismus der Menschen an. Der Chefredakteur wußte nicht, ob dieser unverblümte Appell die Leser begeistern oder abschrecken würde. Wimmer vertröstete Moische. Er wolle erst die Verkaufszahlen des Todesstrafen-Artikels abwarten.

Abends erkundigte sich Moische beim Vertrieb ungeduldig über die abgesetzte Auflage. Es gab noch keine konkreten Zahlen. Also streifte Moische durch die Stadt und erkundigte sich an Zeitungsständen nach dem Absatz des Blattes. Die Verkäufer wimmelten den Neugierigen meist ab. Lediglich ein gelangweilter Kioskmann am Kurfürstendamm ging auf Moisches Fragen ein: »*Germany Today*? Det komische Amiblatt in Deutsch. Lass'n Se mich mal nachsehn ...« Der ältere Mann kramte in seinen Zeitungsstößen. »Tut ma leid. Det Blatt is ausverkooft.«

Moische setzte sogleich nach. »Haben Sie *Germany Today* heute gelesen?«

»Nö. Noch nie.« Der Budenbesitzer zwirbelte seinen Schnauzbart.

»Da ist ein Artikel von mir zur Todesstrafe drin. Sind Sie dafür?«

Der Zeitungsverkäufer lächelte verschmitzt. »Se menen, Rübe runter?«

Moische nickte.

Das Lächeln des Verkäufers ging in ein breites Grinsen über, die Schnurrbartenden hoben sich. »Klaro!«

Moische jubelte. Er dankte dem Mann und machte sich beschwingt auf den Weg ins Hotel. Mit Einbruch der Nacht verschwand seine gute Laune jedoch wieder. Was bedeutete schon die Aussage eines verkalkten Kioskbesitzers?

Wimmer hatte seinen genialen Euthanasie-Artikel auf die lange Bank geschoben. Wollte der Chefredakteur ihn kaltstellen? Am liebsten wäre Moische auf der Stelle zu seiner Mamme geeilt, um sich von ihr Trost spenden zu lassen. Ohne Hanna oder Brigitte würde er es nicht mehr lange aushalten.

Georg Wimmer hatte Cordula Röder zum Abendessen ins *Café Einstein* eingeladen. Die Volontärin war eine attraktive Frau, groß und schlank. Lange Haare umrahmten ihr fein geformtes ovales Gesicht. Cordula hatte offene blaue Augen, ihr Mund war breit, die Stirn hoch, die Nase gerade. Statt ihr gutes Aussehen hervorzuheben, versteckte sie es hinter schlichter Kleidung. Das Selbstwertgefühl der Endzwanzigerin war nur mangelhaft entwickelt. Ihre Intelligenz war von Unsicherheit und Bußfertigkeit überdeckt. Cordula Röder war Philosemitin. Sie litt mit Hitlers Opfern. Georg Wimmer wollte sie unter einem lebenden Juden leiden lassen. Cordula Röder war vom Angebot ihres Chefredakteurs, fortan als Redaktionsassistentin Moische unterstützen zu dürfen, angetan. Wimmer ermahnte sie, dessen Grillen hinzunehmen. »Der Bernstein ist im Grunde ein anständiger Bursche ...« – welcher Mann ist das nicht? – »und als herausragender Schreiber für unsere Zeitung unentbehrlich.« Ob dem wirklich so war, würde Wimmer am nächsten Tag feststellen.

Cordula Röders vehemente Freude über ihre neue Aufgabe hatte neben philosemitischen Engagement auch einen profaneren Grund. Da sie sich den Redakteuren weder als Frau noch als Schreiberin aufgedrängt hatte, war sie als Leserbriefbeantworterin auf ein totes Gleis geschoben worden. Nun hoffte sie, ein wenig vom Ruhm des gepriesenen Autors abzukriegen.

Cordula war von Moisches mutigen Kampf für die Würde seines Volkes und seines Staates Israel restlos angetan. Sein Plädoyer für die Todesstrafe hatte sie allerdings abgelehnt. Der Mensch durfte sich nicht zum Herrn über Leben und Tod aufschwingen. Darüber wollte Cordula mit Herrn Bernstein diskutieren. Dem sado-masochistischen Glück des christlich-jüdischen Paares stand nichts im Weg. Während des Gesprächs ruhte Wimmers Blick auf Cordulas graziöser Figur und ihren wohlgeformten schlanken Händen. Wenn ein zartes Lächeln über ihre Lippen huschte, dann wirkten sie auf ihn verheißungsvoll. Georg Wimmer verspürte Lust, die Volontärin probeweise zu verführen. Er gab dem Gefühl aber nicht nach, um Moische nicht zu kränken. Wenn Freundschaft mehr zählt als sexuelle Lust, dann wird man alt, erkannte Wimmer voll Melancholie.

Im Anschluß an die Redaktionssitzung um dreizehn Uhr lag dem Chefredakteur eine Schätzung über die Höhe der verkauften Auflage des Vortags vor. Wimmer ließ Moische in sein Büro zitieren. Vergeblich hatte Moische sich zuvor beim Vertrieb und bei Grossisten nach dem Absatz der gestrigen Ausgabe erkundigt. Mit dem Hinweis auf Datenschutz war er abgewimmelt worden. Mit schweißnassen Händen eilte Moische zum Chefredakteur. Georg Wimmer empfing ihn mit einem Champagnerkelch in der Hand. »Gratuliere, Moische.«

»Wieviel?«

»583 000 und 'n paar zerquetschte.«

Wimmer registrierte Moisches Enttäuschung. Er erinnerte sich, daß sein Schreiber den Ehrgeiz hatte, mehr als eine Million zu verkaufen. Bis dahin war es noch ein weiter Weg. Es war nur mit Fanatikern wie Moische zu schaffen. Der Autor wollte sogleich wissen, »ob mein Euthanasie-Kommentar heute ins Blatt geht«.

Der Chefredakteur bat ihn um Geduld. »Wir müssen erst die Werbemaschine anwerfen, damit deine Schreibe genügend Beachtung findet.« Der Autor sah es nur widerwillig ein. Er ließ sich vom Chefredakteur ein Glas in die Hand drücken und stieß mit ihm auf den relativen Erfolg an. »Mehr als 20 Prozent Auflagensteigerung von einem Tag zum andern sind sensationell.« Der Blattmacher erkundigte sich nach Moisches weiteren Kommentarplänen. Der Autor hatte nichts Konkretes anzubieten.

Georg Wimmer wußte, was er für Moische tun mußte. Er ließ Cordula Röder zu sich bitten. Der Schreiber bekam einen roten Kopf, als der Chefredakteur ihm seine zukünftige Mitarbeiterin vorstellte. Bislang hatte Moische stets auf der untersten Sprosse der Hackordnung gestanden. Erstmals sollte er über einen Menschen gestellt werden. Noch dazu über eine schöne junge Frau. Der geschwätzige Moische verstummte. Auch Cordula war sichtlich verlegen, eine leichte Röte überzog ihren blassen Teint. Das ließ sie in Wimmers Augen noch anziehender erscheinen als am Vorabend. Ich bin ein Trottel. Eine solche Blume muß man pflücken, solange sie blüht, sonst steht man mit leeren Händen da, ärgerte er sich.

»Euthanasie ist Mord!«

»Im Gegenteil, Erlösung.«

»Wie können Sie, als Jude, so zynisch reden. Nach allem, was Ihrem leidgeprüften Volk angetan wurde. Von der Inquisition bis zur Schoah.«

Moische hatte von seiner sanft sprechenden Assistentin Liebe, Geborgenheit, zumindest Unterstützung erwartet. Statt dessen rührte sie an sein Gewissenstrauma. Vergeblich versuchte er, die schöne Cordula zu besänftigen. Als das nichts half, beschimpfte er sie als »moralische Scharfrichterin«. Dies brachte die Moralistin zur Weißglut. Sie warf Moische vor,

»die Nazi-Opfer, auch die Juden zu verhöhnen« und die »humanen Werte und Traditionen Ihres Volkes zu verraten«.

Die Anmaßung der Schickse trieb Moische die Tränen in die Augen. Am liebsten hätte er sie aus seinem Zimmer geworfen. Da ihm dazu der Mut fehlte, lief er davon. Er rannte seinem Mentor in die Arme. Georg Wimmer war auf dem Weg zu Moische, um ihm mitzuteilen, daß mehrere Sender seinen Exekutions-Schreiber zu Fernsehdiskussionen eingeladen hatten. Außerdem wollte er sich vom Erfolg seiner Kuppelei überzeugen. Statt dessen sah er Moisches verquältes Gesicht. Wimmer handelte unverzüglich.

»Du marschierst jetzt zur Pressestelle und vereinbarst die TV-Termine. Danach ruhst du dich im Hotel aus, damit du abends fit für die Glotze bist! Alles andere erledige ich.«

Georg Wimmer hielt Wort. Während Moische sich im Fernsehen als unerschrockener »Anwalt der Sicherheit unserer Bevölkerung« ausgab, der bereit war, »auch unpopuläre Maßnahmen« zu vertreten, die von der großen Mehrheit befürwortet wurden, agierte Wimmer als Anwalt in eigener Sache. Er drohte, die unbotmäßige Cordula unverzüglich an die Luft zu setzen, »wenn Sie Bernstein verärgern, statt zu unterstützen«. Seinen harten Worten ließ er die versöhnliche Tat folgen. Der Zeitungsleiter schlief mit der Redaktionsassistentin. Cordula erfreute Wimmer mehr durch ihren reizvollen Körper als durch ihre gehemmte Sexualität. Gegen Mitternacht beendete der Chefredakteur seine Audienz. Cordula Röder wußte, was fortan von ihr erwartet wurde.

Die heftigen Dispute im Fernsehen vergrößerten Moische Bernsteins Popularität. Georg Wimmer ließ sie durch eine systematische Werbekampagne vertiefen. Parallel dazu brachte *Germany Today* eine anrührende Serie über das Siechtum populärer Politiker und Filmstars. Anschließend kündigten großflächige Anzeigen und TV-Werbespots einen »revolutionären Artikel« von Moische Bernstein, »dem mutigsten deutschen Journalisten«, zur Frage des »humanen Sterbens«

an. Am folgenden Tag erschien Moisches Euthanasie-Kommentar. Die verkaufte Auflage von *Germany Today* kletterte auf mehr als 600 000 Exemplare. Tagelang wurde die Euthanasie-Sau durchs deutsche Mediendorf getrieben. Die Berichterstatter in Presse, Rundfunk und Fernsehen beharkten alle Aspekte des Themas. In zahlreichen Fernsehsendungen kam es zu hitzigen Debatten. Linke und liberale Kritiker gaben sich entsetzt, daß ein Jude das Tötungstabu der demokratischen deutschen Nachkriegsgesellschaft durchbrochen habe.

Sogenannte Querdenker und andere Geltungssüchtige profilierten sich, indem sie Moisches Mut hervorhoben. Eine Neonazi-Postille aus München nahm die Euthanasie-Debatte zum Anlaß einer fundamentalen Gesellschaftskritik: »In Deutschland darf die Wahrheit nur beim Namen genannt werden, wenn die Juden es uns erlauben.« Die Krankenkassen wollten nicht offiziell Stellung nehmen. Sie gaben jedoch zu verstehen, daß sie Moisches Ansichten »grundsätzlich« teilten. »Dadurch würden jährlich mehr als zehn Milliarden Mark eingespart werden. Die Krankenkassensätze könnten um bis zu einem Prozentpunkt gesenkt werden«, erläuterte ein Verbandssprecher.

Moische erhöhte seine Beliebtheit, indem er die Logik auf den Kopf stellte. Er bezeichnete in bewährter Weise die Position der Mehrheit kurzerhand als unpopulär und gab vor, dennoch unerschrocken dafür zu kämpfen: »Ich spreche die Wahrheit aus, auch wenn es unbequem ist und mir Kritik einbringt. Aber was wahr ist, muß wahr bleiben und beim Namen genannt werden dürfen. Und wahr ist, daß die Erlösung von unerträglichen Qualen ein humaner Akt ist.«

Moische gab vor, die Kritik der Kirchen ernst zu nehmen. Er bat jedoch die Moraltheologen, zu bedenken, »daß die Religionsgebote in Zeiten entstanden, in denen der Tod ein natürlicher Gefährte der Menschen war. Während heute eine teure Apparatemedizin die Leiden der Sterbenden unerträglich verlängert. Ist es da nicht ein Gebot der Nächstenliebe, dieses Martyrium zu beenden, anstatt auf Dogmen zu beharren?«

Diese Aal-Taktik hatte Moische einem rechtsradikalen österreichischen Politiker abgeschaut. Der hatte es damit zu ähnlicher Popularität gebracht.

Georg Wimmer war entzückt. *Germany Today* begleitete die Diskussion mit ausführlichen Hintergrundberichten und exklusiven Stellungnahmen seines Hausautors. Die von Moische entfachte Euthanasie-Debatte stabilisierte die Auflage bei mehr als 550 000 und sicherte so vorerst die Existenz der Zeitung und die Stellung ihres Chefredakteurs.

Cordula Röder kümmerte sich Tag und Nacht um Moische. Sie war seine Geliebte geworden, weil der Chefredakteur sie dazu genötigt hatte. Doch bald fand sie Gefallen an ihrer Aufgabe.

Mit Moische zu schlafen, verschaffte Cordula erstmals Befriedigung. Denn Moische war Jude. Sein Volk, seine Angehörigen waren von Deutschen gemartert und getötet worden. Indem sie mit Moische schlief, baute sie die deutsche Schuld an den Juden ab.

Anfangs war Cordula sehr gehemmt. Ihre Lust spielte sich vorwiegend im Kopf ab. Moische war nicht minder verkrampft. Mit der Zeit gewöhnten sich die beiden aneinander. Moische lehrte Cordula, was sie nur von einem Juden anzunehmen bereit war: Egoismus ist die Grundlage sexueller Lust.

Cordula blühte auf. Ihre Gesichtszüge entspannten sich, ihre einst hektischen Bewegungen wurden gelöster. Sie begann sich dezent zu schminken und mehr Wert auf ihre Kleidung zu legen. Georg Wimmer registrierte den Erfolg seiner Partnerschaftstherapie zunächst augenzwinkernd. Auch Moische wurde zusehends lockerer. Seine krampfhafte Gier nach publizistischem Erfolg nahm rapide ab. Statt von früh bis nachts in der Redaktion über spektakulären Kommentarthemen zu brüten, verbrachte er so viel Zeit wie möglich mit Cordula.

Die Arbeit war für die Verliebten lediglich ein ihre Zweisamkeit störendes Intermezzo. So früh wie möglich kehrten sie von der Redaktion in Cordulas kleine Zwei-Zimmer-Altbauwohnung in die Krausnickstraße zurück. Sie konnten es nicht erwarten, sich zu umarmen, zu küssen, ineinander zu versinken. Später kochte Cordula. Meist saß Moische dabei und schwatzte mit ihr. Vom Fenster aus sah er den Davidstern auf der Spitze des achteckigen Hauptturms der Neuen Synagoge in der Oranienburger Straße.

Die Strahlen der Abendsonne spiegelten sich rötlich-gelb in der Rundung der vergoldeten Kuppel und schimmerten von dort auf die umliegenden Häuser und Straßen. Die Synagoge erschien Moische als jüdische Seele Deutschlands. 1866, nach dem Triumph Preußens über das Habsburgerreich, war die Synagoge eingeweiht worden. Die reiche jüdische Gemeinde Berlins hatte sich ein prächtiges Zentrum geschaffen. Es bot dreitausend Gottesdienstbesuchern Platz. Fünf Jahre später wurde in der Synagoge ein Dankgottesdienst für die Gründung des deutschen Reiches veranstaltet.

Während des Ersten Weltkriegs wurden hier tausende gefallene jüdische Soldaten betrauert. Der Dank des Deutschen Vaterlandes erfolgte zwanzig Jahre später. In der Reichskristallnacht wurde die Synagoge beschädigt. Ein couragierter deutscher Polizist verhinderte, daß sie ausbrannte. Das Werk der Zerstörung vollendeten wenige Jahre später alliierte Bomben. Da war die jüdische Gemeinde Berlins, der einst knapp 180000 Menschen angehört hatten, bereits von den Nazis liquidiert worden.

Die Juden der Reichshauptstadt wurden deportiert und ermordet. Unter ihnen war die erste deutsche Rabbinerin, Regina Jonas, die von 1935 bis 1942 an der Oranienburger Synagoge gewirkt hatte.

Erst Ende der 80er Jahre hatte Ostberlin den Wiederaufbau der Synagoge erlaubt. Doch ehe der Wiederaufbau recht in Schwung kam, kollabierte die DDR. Das vereinte Deutschland ließ das Werk im eingeschränkten Maßstab vollenden.

Nach dem Essen gingen Moische und Cordula oft im Monbijou-Park spazieren. An Regentagen hockten sie gelegentlich im verlotterten *Café Hackbart* in der Auguststraße. Bei Kerzenlicht tranken sie Tee, hielten Händchen und schwatzten. Doch meist blieben sie zuhause und liebten sich.

Cordula und Moische lagen engumschlungen in der Dunkelheit. Sie unterhielten sich über die Welt und Gott. Moische wußte, daß Cordula unglücklich war über seine tabuverletzenden Artikel. Er mißachtete die religiösen Gefühle der Geliebten. Cordula war eine gläubige Christin. Moische konnte sie nicht begreifen. »Nach Auschwitz?«

»Vielleicht will Gott uns prüfen …«

»Prüfen!« brauste er auf. »Wenn es eine Prüfung ist, eine Million Kinder zu vergasen, zu erschießen, an die Wand zu klatschen und verhungern zu lassen, dann ist der Prüfer nicht Gott, sondern der Teufel!«

Moische setzte sich mit einem Ruck auf. »Das Morden geht weiter, in Vietnam, in Afghanistan, in Irak, in Tschetschenien … und« – Moische atmete durch – »auch in Israel. Wie kannst du da noch an Gott glauben?!«

Cordula antwortete nicht.

Mitten in der Nacht erwachte Moische. Aufgeregt weckte er Cordula. »Mir ist der Beweis eingefallen, warum es den lieben Gott nicht gibt.« Er ergriff ihre Hand. »Gott hat keinen Humor. Sonst nimmt ihn niemand ernst.« In der Dunkelheit fühlte Moische Cordulas fragenden Blick. »Doch ein Gott ohne Humor kann kein lieber Gott sein.«

Beide lachten, kuschelten sich aneinander und schliefen wieder ein.

Am nächsten Morgen verfaßte Moische eine Glosse, deren Titel sein Beweis sein sollte: »Kein Erbarmen, kein Humor, kein Gott!« Moische war überzeugt, daß dieser Artikel alle Auflagenrekorde brechen würde. Georg Wimmer bewies ihm das Gegenteil: »Der Schotter kommt mir nicht ins Blatt! Bei Gott hört der Spaß auf!«

»Womit bewiesen ist, daß ich recht habe. Gott versteht keinen Spaß, also gibt's ihn nicht.«

»Ob's ihn gibt oder nicht, ist mir wurscht!« verkündete der Chefredakteur. »Sechzig Prozent der Deutschen glauben an Gott. Die dürfen wir nicht verprellen.«

»Bleiben uns vierzig Prozent. Das sind zweiunddreißig Millionen potentielle Leser. Nur drei Prozent davon, und wir liegen über einer Million«, trumpfte Moische auf.

»Kein Mensch kauft eine Zeitung, weil er ungläubig ist.«

»Also kauft auch keiner unser Blatt, weil er gläubig ist.«

Moisches kabbalistische Wortspiele brachten Wimmer in Rage. »Wir dürfen nicht zwei Drittel unserer Leser vor den Kopf stoßen! Gläubige sind Fanatiker. Die verzeihen uns keine Gotteslästerung. Während Atheisten Zyniker sind. Die wissen eh', daß es keinen Herrgott gibt. Dazu brauchen sie keine Zeitung.«

»Wir könnten doch eine Pro-und-Contra-Diskussion anzetteln. Ich schreibe gegen Gott,« – Moische blickte den Chefredakteur herausfordernd an – »und du dafür.«

»Leck mich am Arsch!«

»Dann eben ein Kardinal oder so ...«

»Jetzt langt's!« Wimmer tobte. Der Autor befürchtete, die religiösen Gefühle seines Chefs verletzt zu haben. Tatsächlich hatte er eine weit verwerflichere Sünde begangen. Moische untergrub mit Kopf und Schwanz die männliche Dominanz des alternden Chefredakteurs.

»Schreib mal wieder was Gescheites, statt dir den Verstand aus dem Kopf zu vögeln«, mahnte Wimmer seinen Konkurrenten.

Moisches Selbstwertgefühl war durch seine journalistischen Erfolge und Cordulas Liebe gewachsen. Er blieb von der Genialität seines Artikels überzeugt und dachte nicht daran, seine Lust zu zügeln. Statt Moische vom Bett zum Schreibtisch zu treiben, bewirkte Wimmers Geschimpfe das Gegenteil. Der Autor machte früher Feierabend als gewöhnlich und fuhr mit seiner Freundin nach Weißensee. An der Station Landsberger Allee, der früheren Lenin Allee, verließen sie die S-Bahn und marschierten durch den Volkspark Prenzlauer Berg zum Jüdischen Friedhof. Moische wollte das Grab seines Großonkels Jonathan suchen, der vor dem Ersten Weltkrieg aus Galizien nach Deutschland eingewandert war. In Berlin hatte er gehofft, sein Glück zu machen. Jonathan Bernstein hatte als Schneider gearbeitet und für ein eigenes Textilgeschäft gespart. Als er nach Jahren genug Geld für den Laden zusammen hatte, war es durch die Inflation wertlos geworden. Ein Jahr später starb Jonathan Bernstein an der spanischen Grippe.

Moische und Cordula betraten das Friedhofsareal durch den Haupteingang an der Herbert-Baum-Straße. Die Verwaltungsangestellte im Friedhofsarchiv blätterte nur kurz in einem altmodischen Holzkasten, ehe sie auf die gesuchte Karteikarte stieß. »Handelt es sich um Jonathan Bernstein, geboren am 4. Dezember 1891 in Plawo/Polen, gestorben am 24. September 1924 in Berlin?« fragte die grauhaarige Frau.

»Ja.«

»Sein Grab hat die Nummer 5632 auf dem Geviert Q.« Unaufgefordert reichte sie Moische einen kleinen Lageplan, auf dem sie das Grab markiert hatte.

Grelles Sonnenlicht blendete Moische und Cordula, als sie das kühle Verwaltungsgebäude verließen. Hand in Hand schritten sie südwärts. Hohe Laubbäume zwischen den Gräbern kühlten die Nachmittagshitze. Blumen und Strauchblüten verbreiteten ein schweres süßliches Aroma. Vögel zwitscherten.

»Ein angenehmer Platz, um sich's für längere Zeit gemütlich zu machen«, fand Moische. »Onkel Jonathan und die anderen 120000 Juden hier haben sich's wohlsein lassen, während die Nazis ihre Nachkommen abmurksten.« Cordula zog ihre Hand zurück.

Das bewaldete Gräberfeld öffnete sich unvermittelt vor einem weiten Halbrund. Es wurde von zwei ansteigenden Steinmauern begrenzt, auf denen Namen und Ränge der gefallenen jüdischen Soldaten des Ersten Weltkriegs eingemeißelt waren.

Die Stätte erinnerte Moische an das Vietnam Memorial in Washington. »Der Dank des Vaterlandes ist euch gewiß«, murmelte er, während er Kieselsteine am Fuß der Mauer ablegte.

Cordula tat es ihm nach. Dann tauchten sie wieder in die schattige Kühle des Weggewirrs ein. Schließlich gelangten sie zum Geviert Q. Im Dickicht suchten sie die Grabreihen ab. In der 7. fanden sie einen Stein, auf dessen vermooster Rückseite die Nummer 5632 eingemeißelt war. Moische entfernte das Gestrüpp und putzte den Grünschimmel von dem grauen Marmorstein. Er konnte die hebräischen Lettern Beth, Reisch, Nun und zwei Juds entziffern. »Bernstein. Das ist er! Hier wartet Jonathan Bernstein auf den Messias oder auf Archäologen.« Er setzte seine Kippa auf und begann, das Kaddisch zu rezitieren.

Cordula sah ihn erstaunt an. »Wieso betest du zu Gott, an dessen Existenz du nicht glaubst?«

»Weil es der Tradition entspricht. Ich bete hier, weil es Jonathan und mein Vater und Millionen Juden vor mir erwarten – einerlei, ob sie an Gott glaubten oder nicht.«

Cordula drückte dem Geliebten einen Kuß auf die Wange, dann trat sie zur Seite und ließ ihn das Gebet zu Ende sprechen.

Entlang der Westmauer wanderten die beiden zurück. Protzige Mausoleen aus der Gründerzeit säumten den Weg. Hier hatten sich während der Hitlerjahre Dutzende von Juden versteckt gehalten, um der Deportation in die Todeslager zu entgehen. Der prominenteste Überlebende war der spätere Showmaster Hänschen Rosenthal.

Ehe sie den Friedhof verließen, wusch sich Moische am Becken des Außentores die Hände. Er goß Wasser in ein Kupfergefäß und ließ es über seine Handflächen laufen. Damit reinigte er sich von der Begegnung mit den Toten.

Er fühlte sich frei für das Leben und für Cordula. Moische spürte, daß Cordula ihn zu verstehen und um seiner selbst willen zu lieben begann – nicht nur, weil er Jude war. Während der Heimfahrt hielten sie einander die Hand, sahen im Gesicht des anderen die heitere Beschwingtheit der Liebenden.

Moische und Cordula wollten ihr Glück sichern. Sie begriffen nicht, daß das Glück ein glitschiger Fisch ist, der sich auf Dauer von niemandem einfangen läßt – schon gar nicht von einem tolpatschigen deutsch-jüdischen Paar.

Auf dem Heimweg über den Hackeschen Markt entdeckten die beiden vor einem renovierten Haus in der Großen Hamburger Straße ein Schild, das »elegante Vier-Zimmer-Wohnungen« zum Kauf und zur Miete feilbot. Beide hatten den gleichen Gedanken. Moische sprach ihn aus: »Willst du mit mir zusammenziehen?«

Cordula fiel ihm um den Hals. Sie schmiedeten Zukunftspläne. Moische redete von Heirat. Die Geliebte war selig. Doch Cordula wollte sich nicht mit dem gemeinen Glück begnügen – sie suchte das wahre Glück.

Ehe sie Moische an sich band, mußte sie reinen Tisch machen. »Ich muß dir etwas gestehen – und zwar etwas aus der Vergangenheit.«

Nazis!! SS! Judenmord, tobte es in Moische. Alle Kraft wich aus seinen Gliedern. Er stützte sich an der Wand des glückverheißenden Hauses ab. Was habe ich erwartet? Jede deutsche Familie hat bei der Judenhatz mitgemacht. Cordula sagt's wenigstens. Moische versuchte sich an der Ehrlichkeit der Geliebten wieder aufzurichten. Er legte seinen Arm um ihre Schultern. Während es in seinem Gehirn hämmerte: bis ins vierte Glied, hörte er sich mit rauher Stimme sagen: »Dafür kannst du nichts.«

Cordula mißverstand Moische wie die meisten Deutschen ihre jüdischen Landsleute. Sie verwechselte ein abstraktes Lippenbekenntnis mit der Wirklichkeit verletzter Gefühle.

Cordula erzählte Moische von ihrer Episode mit Georg Wimmer. Das Geständnis hatte nicht den erwünschten Erfolg. Moische Bernstein lief weinend vor dem Glück der Wahrheit davon.

Einen mordenden SS-Opa hätte er großherzig vergeben – einen vögelnden Chefredakteur konnte er der Geliebten nicht verzeihen. Moische schwor sich, fortan keiner Schickse, keinem Goj und keinem Menschen mehr zu vertrauen. Die Einhaltung des Gelübdes fiel ihm leicht, denn er traute, wie die meisten seiner Mitmenschen, nicht einmal sich selbst.

11
Kolumnist

Moische hatte Judith in der jüdischen Gemeinde in der Fasanenstraße kennengelernt. Die *Jüdische Volkshochschule* hatte
den bekannten Publizisten zu einem Vortrag eingeladen. Im
kleinen Vortragssaal im ersten Stock hatten sich etwa sechzig
Zuhörer eingefunden, die meisten von ihnen Frauen. Moische
sprach über: »Juden in Deutschland oder deutsche Juden? Jüdische Identität nach Auschwitz.«

Es war heiß, alle paar Minuten donnerte eine S-Bahn über
die nahegelegenen Hochgleise, so daß der Referent gezwungen
war, seine Ausführungen zu unterbrechen.

Er hatte seine Meinung bereits in der Presse kundgetan.
Moische hatte sich zu dem Vortrag nur bereiterklärt, um seinem Hotelverlies zu entkommen. Das Thema langweilte ihn.
Die ewige Identitätsdebatte langweilte ihn. Und der Selbstbe-
trug! Die hiesigen Juden redeten sich ein, sie seien nur auf der
Durchreise. Sie säßen auf gepackten Koffern. »Nach mehr als
einem halben Jahrhundert sind unsere Koffer durchgesessen«,
rief Moische. »Uns geht's hier gut. Wir denken nicht daran,
nach Israel auszuwandern. Wir leben und sterben in Deutschland, deutsch ist unsere Sprache. Also sind wir deutsche Juden.
Alles andere ist Schwindel!«

»Wie wagen Sie es, nach Auschwitz so zu reden?« wies eine
empörte ältere Frau Moische zurecht.

»Und wie wagen Sie es, nach Auschwitz in Deutschland zu
leben?«

Moisches Antwort erzürnte das Publikum. »Frechheit!«
»Rotzlöffel!« »Verräter!« »Judas!« riefen einzelne Zuhörer.
Der Diskussionsleiter Paul Somber, ein schüchterner Angestell-
ter der Gemeinde, bemühte sich, die Wogen zu glätten. Doch
Moische stand der Sinn nach Streit: »Ist das Aussprechen der

Wahrheit Verrat? Niemand zwingt uns in Deutschland zu leben.«

»Lügner!« »Idiot!« schrien Besucher.

Das beflügelte den Vortragenden. Er setzte ein Lächeln auf und fuhr mit ruhiger Stimme fort: »Sie wissen ebensogut wie ich, daß wir die jüdischen Parias sind. Die Juden in aller Welt, nicht nur in Israel, verachten uns als gewissenloses Pack, weil wir im Mörderland leben. Für sie sind wir Speichellecker der Nazis. Allesamt! Sie ebenso wie ich.«

Es kam zum Tumult. Moische wurde als »Nazi!« beschimpft. Viele disputierten erregt mit ihren Nachbarn. Der verängstigte Somber sah sich gezwungen, die Versammlung abzubrechen. Das Publikum strebte dem Ausgang zu. Allein eine schöne Frau in einem kanariengelben T-Shirt, die in der ersten Reihe saß, ließ sich von der allgemeinen Aufregung nicht anstecken. Sie blieb sitzen und lächelte Moische aufmunternd an. Der Autor wollte es ihr gleichtun, da stürmte eine ältere Frau auf ihn zu, spuckte ihm ins Gesicht und rief: »Das ist für meine ermordeten Eltern und Geschwister, du Auswurf!« Moische war perplex.

Sie macht mich zum Nazi, weil sie unter ihnen lebt! Ehe Moische reagieren konnte, hatte sich der Diskussionsleiter schützend vor den bedrohten Autor gestellt. Somber winkte einen Mann mit Tonband herbei. »Mr. Redwood vom *BBC*-Auslandsdienst möchte Sie interviewen.« Er führte Moische und den Engländer in einen Nebenraum. Ungeduldig beantwortete der Autor Redwoods naive Fragen. Der Brite hatte von deutschen Juden weniger Ahnung als Moische vom Cricket. Aber er fand alles »enormously exciting«. Moische beendete das Interview so schnell er konnte. Er lief zurück in den Saal. Doch die kanariengelbe Schönheit war schon weg. Moische hatte die Frau zunächst nicht wahrgenommen – sonst hätte er sich nicht mit allen zerstritten. Als er sie sah, war es zu spät. Statt Moische seine Provokationen zu verübeln, hatte ihn die Frau bewundernd angesehen. Sie sah atemberaubend aus. Schlank, dunkle lockige Haare, ein breiter, sinnlicher Mund, eine feingeschwungene jüdische Nase, kein deutscher Himmelfahrtserker. Ich denke schon wie ein Antisemit, erkannte Moische. Während er durch die leere Vorhalle schritt, wurde ihm das Elend seiner Situation bewußt. Die attraktivste Jüdin Berlins hatte ihn angelächelt, hatte ihn aufgefordert, sie anzusprechen. Statt sich mit ihr zu unterhalten, sie wenigstens zu bitten, auf ihn zu warten, hatte Moische sich mit einem englischen Ignoranten verdrückt. Der Ignorant bin ich, beschimpfte sich Moische. So eine Frau lerne ich nie wieder kennen. Ihr blieb nichts übrig, als unverrichteter Dinge wegzugehen, glaubte er und bewies damit, daß er keine Ahnung von der weiblichen Psyche hatte.

Wütend stieß Moische die gläserne Eingangstür auf und trabte die Treppe zum Vorplatz hinab. Es war bereits dunkel. Doch die Sommerhitze klebte am Asphalt- und Häusermeer.

Als er die letzten Stufen passierte, hörte er eine helle Stimme hinter sich: »Wohin so eilig, Moischale?« Der Angesprochene riß seinen Kopf herum und kam ins Stolpern. Er glaubte zu träumen. Hinter ihm saß die Kanariengelbe auf den Stufen. Sie bedachte Moische mit demselben verheißungsvollen Lächeln wie zuvor im Saal. Das Herz trommelte gegen seine Rippen. Moische versuchte die Balance wiederzuerlangen. Vergeblich wollte er tief durchatmen. Dieses Mal mußte er mit ihr reden. Aber was?

Moisches Aufgeregtheit erheiterte Judith Zucker. »Nun?« Sie stand auf, trat vor Moische hin. Er roch den Duft ihres frischen Parfums, sah ihre Augen. Die dunkle Iris schwamm in gelben Augäpfeln. Bärenaugen! Al Jolson, Josephine Baker, Tina Turner. Moische riß sich von ihrem Blick los. Was hatte sie ihn gefragt? »Ich ...«, krächzte er.

»Ja?« Ihr Lächeln wurde breiter, zog sich von den Mundwinkeln zu den Augen.

»Ich wollte Sie suchen ... Sie waren weg.«

»Hier bin ich.«

»Ja ...«

»Ich habe auf Sie gewartet.«

Moische konnte sein Glück nicht fassen.

Judith Zucker erfreute sich noch eine Weile an Moisches unbeholfener Bewunderung, dann lenkte sie den Abend in ihre Bahn. Judith forderte Moische auf, sie einzuladen. Er stimmte begeistert zu, hatte aber keine Ahnung, wohin. Also führte Judith Moische ins *Quartier Latin* am Savignyplatz. Das Paar setzte sich an einen der Tische auf dem Bürgersteig vor dem Lokal. Judith aß einen Salat. Moische wußte vor Aufregung nicht, was er verspeiste. Rasch leerte er sein Glas Rotwein. Das beruhigte ihn ein wenig. Er entschuldigte sich für die Chuzpe seines Vortrags.

»Ich liebe Chuzpe«, lachte Judith. »Du hast die Wahrheit gesagt. Ich kann in unserer Generation das Opfergerede nicht mehr hören!« Moische war beglückt, daß die Schöne ihn duzte. Ihr genügte seine sprachlose Bewunderung nicht mehr. »Hast du deine Chuzpe in der Gemeinde gelassen?« Auf ihren breiten Lippen spielte ein Lächeln.

»Nein ...«, Moische wußte nicht weiter.

Judith sah ihn eine Weile an, ohne ein Wort zu sagen, dann knipste sie ihr Lächeln aus. Sie beugte sich vor. Moische sah in ihre Bärenaugen. Unter dem frischen Schleier ihres Parfüms witterte er ihr süßliches weibliches Körperaroma. »Was willst du mit mir tun, Moischale?«

Moisches Nerven tobten. Sein Herz raste, seine Hände wurden feucht und sein Schmock hart und schwer. Moische wollte Judith an sich reißen, sie küssen, nach ihren Brüsten greifen, deren Warzen sich unter dem seidenen T-Shirt abzeichneten, seinen Kopf in ihrem Busen vergraben, mit ihr in die angrenzenden Parkanlagen laufen und dort in ihren Leib eindringen. Sein Schwanz zuckte erregt. Doch Moisches ursprüngliche Lust wurde von seinem ängstlichen Verstand niedergezwungen. »Ich ... will ..., ich möchte dich kennenlernen.«

»Wie in der Bibel?« Ihre Stimme war unaufgeregt. Sie will mit mir schlafen! Das Blut schoß Moische zu Kopf, pochte an seinen Schläfen. Die schönste Frau Berlins! Eine Jüdin! Das war's ja. Moische hatte Angst. Angst, der Goldenen Kuh seiner Ghettoerziehung nicht zu genügen. Er wollte davonlaufen.

Judith fühlte seine Angst. Sie faßte ihn unters Kinn, hob seinen Kopf, so daß er ihr in die Augen sehen mußte. Sie gab ihrer Stimme einen sanften Klang. »Du mußt keine Angst vor mir haben, Moischale. Du gefällst mir.« Judith ergriff seine Hand. Ihr Ton wurde fester. »Ich will dich!« Moische konnte wieder durchatmen. Er blickte in ihre dunklen Augen. »Ich dich auch.« Er drückte Judiths Hand.

Die heiße Luft des Gebläses kämpfte gegen den scharfen Fahrtwind an, der Moische den Atem raubte. Judith jagte ihren himmelblauen Jaguar über die Avus. Moische war noch nie in einem offenen Sportwagen gefahren. Er drückte sich in den geheizten Ledersitz. Seine Sinne ertranken in Reizen. Das blauweiße Licht der Scheinwerferkegel raste über den blassen Asphalt entlang der schwarzen Baumvorhänge am Straßenrand. Die weiß leuchtende Tachometernadel zitterte um die 200 Stundenkilometermarke. Aus den Lautsprechern der Quadroanlage tönte Edvard Griegs *Peer Gynt*. Neben ihm saß die betörendste Frau, der Moische je begegnet war. Sie will mich! Ausgerechnet mich! Der Gedanke berauschte ihn. Er tanzte auf dem Seil der Euphorie über dem Abgrund der Angst. Verstohlen beobachtete Moische Judith, die konzentriert auf die Fahrbahn sah. Sie spürte seinen Blick, lächelte ihn kurz an. Sein Herz stolperte in den Galopp.

Judith parkte das Auto vor der Garage ihres Hauses im Dahlemer Bachstelzenweg. Die Haus- und Gartenlaternen flammten auf. Sie führte Moische über einen blumenumsäumten Pflasterweg in ihre zweigeschossige Villa.

Der großflächige Salon war mit Perserteppichen ausgelegt, die das Geräusch der Schritte schluckten. Durch ein breites Panoramafenster sah man in den im Dunkel verschwimmenden

Garten. An der gegenüberliegenden Wand hingen Gemälde von Wassily Kandinsky, Jankel Adler, Emil Nolde. Ein Selbstporträt Max Liebermanns kannte Moische bereits aus einer Ausstellung im *Haus der Kunst* in München. Er schaltete die zierliche Messingleuchte über dem Gemälde ein. »Solche selbstgewissen Augen hat es nach dem Ersten Weltkrieg nicht mehr gegeben. Der Schrecken hat sie geblendet. Die Blicke bei Dix waren kalt, bei Munch angstverzerrt. Liebermann hat sich nach dem Krieg in Licht- und Schattenspiele und Kinderbilder zurückgezogen – zwischendurch den Holzkopf Hindenburgs abgepinselt …« Moische wandte sich um, sah Judiths belustigten Blick. »Entschuldige mein Geschwätz …«

Sie schüttelte den Kopf, ihre Locken hüpften. »Du hast einen guten Kopf. Aber jetzt will ich mehr von dir.« Judith ergriff seine Hand, zog Moische zu sich. Sanft küßte er ihren Mund. Judiths Lippen waren kühl, trocken und härter, als er erwartet hatte. Moische war von seinem Glück berauscht. Es genügte ihm, von Judith Zucker geküßt zu werden. Ihr nicht. Da ihr schüchterner Verehrer in seiner bescheidenen Wonne verharrte, führte sie ihn ins Gästezimmer im Zwischengeschoß. Judith zog sich aus. Moische war von ihrem mädchenhaften Körper entzückt. Er streichelte sie behutsam, ihr Gesicht, ihre Arme, er küßte ihren Hals. Dann wollte Moische, wie er es erträumt hatte, seinen Kopf in Judiths Busen wühlen, doch die Brüste waren zu klein. So nippelte er ihre Brustwarzen und fuhr mit feinen Küssen ihren Leib abwärts. Judiths Haut verströmte eine milde, milchige Süße. Moische kniete und vergrub seinen Kopf in den Wald ihrer Schamhaare. Er senkte seinen Kopf, um Judiths schlanke Schenkel mit seinen Küssen zu bedecken, da zog sie sein Gesicht zwischen ihre Beine. Judith ließ sich rücklings aufs Bett fallen und drückte Moisches Mund an ihre Scham. Er schmeckte die salzige Feuchtigkeit ihres Geschlechts, wollte seinen Mund abwenden, doch Judith ließ ihn nicht ausweichen. Sie preßte seinen Mund an sich. Moische fügte sich. Er drückte seine Lippen ans weiche Fleisch ihrer Öffnung. Judith seufzte auf, drückte seinen Kopf ruckartig an ihr Geschlecht. Moische kniete vor ihr und leckte ihre Scham. Sein Speichel vermengte sich mit ihrer Nässe. Judith zog seinen Kopf bestimmt in die Höhe und preßte ihn erneut an sich. Ihr Lustwürmchen fand wie von selbst seinen Weg zwischen seine Lippen. Moisches Zunge umwirbelte es. Judith stöhnte mit zunehmend dunkler Stimme, preßte ihre Schenkel zusammen, vergrub ihre Hände in seinen Haaren. Ihr Leib hob und senkte sich. Moisches Schmock wurde hart und fordernd. Er wollte ihm Genüge tun, doch Judiths Hände zwangen seinen Kopf an ihren Leib. Moisches Mund füllte sich mit Judiths Feuchtigkeit. Er sog, leckte und schmatzte. Judiths Stöhnen wurde gurgelnd, gipfelte in spitzen Schreien. Moische riß seinen Kopf zurück, öffnete mit zitternden Händen seinen Gürtel, streifte Hose und Slip mit einem Ruck ab und warf sich über die Frau. Als er in sie eindrang, stöhnte sie nochmals auf, das brach den Bann seiner gestauten Lust. Mit harten Zuckungen ergoß sich sein Schmock. Moische seufzte. Doch bald beschimpfte er sich als Versager und Sexkrüppel!

Während er vor Judiths Scham kniete, hatte er sich ausgemalt, wie er sie nehmen und von einem Höhepunkt zum nächsten treiben würde. Doch sein Schmock hatte sich nicht um seine Machophantasien geschert und den kürzesten Weg zur Lust gefunden. Würde Judith sich noch mit ihm abgeben? Judiths Gesicht war gelöst. »Tut mir leid. Ich weiß nicht, was heute mit mir war. Ich bin sonst nicht ...«

Judith schlug die Augen auf. »Was du sonst warst, interessiert mich einen Dreck.« Der Takt ihrer Sprache war gedehnt. »Nimm mich in den Arm, statt Reden zu halten.« Moische tat wie geheißen. Judith fiel in einen flachen Schlummer, während Moische sich und seinen Schmock ausgiebig beschimpfte. Darüber schlief sein Oberarm ein, auf dem Judiths Kopf ruhte. Als er ihn unter ihr wegtauchen wollte, erwachte sie. Judith erschrak, doch dann erkannte sie Moische. Sie stand auf, streifte ihr T-Shirt über.

»Ich muß ins Schlafzimmer«, erklärte sie.

Sie ist verheiratet! Ich war für sie nicht mehr als ein Quickie!

Judith fuhr Moische zärtlich über die Haare. »Ich muß zu meinem Kind.«

»Ins Schlafzimmer?«

»Wenn ich länger fort bin, kriecht Gabi in mein Bett und wartet, bis ich komme. Ich darf ihn nicht enttäuschen.« Sie ging auf Zehenspitzen aus dem Zimmer und schloß die Tür diebisch leise.

Moische blieb verwirrt zurück. Sie lebte mit ihrem Kind zusammen. Schlief mit ihm im gleichen Bett, wie mit einem Ehemann – Blödsinn! Sie kümmert sich um ihr Kind, wenn es Angst hat. Judith ist eine gute jüdische Mamme!

Am Morgen wurde Moische von einem polnischen Hausmädchen geweckt. Jadwiga bat »den Cherrn Bernstein zu Fristick in Garten«. Sie reichte ihm Handtücher und einen Bademantel. Während des Duschens sägte die Ungewißheit über Judith, ihr Kind, und die Wut über seinen unzuverlässigen Schmock an Moisches Nerven. Das heiße Wasser beruhigte ihn langsam. Er hätte sich gern noch eine Weile entspannt, doch die Angst, Judith warten zu lassen, trieb ihn voran.

Moische kam zu früh. Der runde Tisch auf der Terrasse über dem Garten war bereits gedeckt. Frische Brötchen, aufgeschnittenes Brot, eine reichhaltige Käseplatte, Tiegel voll Marmelade, Corn-flakes, ein Müsli-Sortiment, bunte Säfte gruppierten sich um ein Blumenbouquet. Daneben köchelte auf einem Stövchen der Frühstückstee. Tee! Warum beginnt kein Jid wie ein normaler Goj seinen Tag mit einem Kaffee? Weil Kaffee ungesund ist. Kein Goj schert sich drum. Nur wir Jidn, von morgens bis nachts fressen wir koschere Extrawürstl und giften uns, daß uns die anderen nicht als ihresgleichen annehmen.

Warum ließ Judith ihn warten? Wollte sie ihn nicht mehr sehen? Schob sie ihn stilvoll mit einem Frühstück ab? Sie hat mich gewogen und für zu leicht befunden! Ich habe verloren, glaubte Moische. Derweil schenkte Jadwiga ihm Tee in eine elfenbeinfarbene Rokokotasse ein. Moische verbrühte sich an einem kräftigen Schluck. Er setzte das Gefäß klirrend auf die Untertasse. Aus! Ihm war genug Schmerz in diesem Haus widerfahren! Moische ahnte nicht, daß er erst in den Leidensparcours Judith Zuckers eingebogen war. Er sprang auf. Erst jetzt nahm er bewußt die weite Rasenfläche des Gartens wahr, sah die Nadelbäume, hinter denen das türkisfarbene Wasser des Schwimmbeckens schimmerte. Er hörte Vogelgezwitscher, sah behäbige Gartenmöbel mit bunten Stoffbezügen. Der Abschied fiel Moische schwer. Aber er war hier nicht gelitten, mußte den Tempel des Wohlstands wieder verlassen. Moische wandte sich um. Er hörte Stimmen. Judith und ihr Kind traten auf die Terrasse. Sie trug einen kurzen weißen Leinenrock, der ihre schlanken Beine sehen ließ, und ein lila Seiden-T-Shirt. Judiths Gesicht war ungeschminkt, ihre Augen lächelten Moische fröhlich an. Sie bot ihm die Wange. Er küßte sie behutsam, während Gabi ihn ansah. Der Junge mochte zwölf Jahre alt sein. Seine schmalen Schultern steckten in einem bunten, aufgebauschten Polohemd. Das Gesicht hatte weiche, kindliche Züge. Seine wachen hellgrünen Augen blitzten Moische herausfordernd an.

»Wer ist dieses Arschloch?« krähte der Junge.

»Sprich nicht so, Gabriel!«

»Dauernd schleppst du irgendwelche neue Kacker an ...«

Das Lächeln verschwand aus Judiths Gesicht: »Halt den Mund!«

»Der Kerl wird dich hängen lassen wie alle anderen Typen ...«

Judiths Bärenaugen wurden unvermittelt hart. »Erika soll den Balg sofort zum Reiten bringen!« befahl sie Jadwiga.

Gabriel heulte vor Wut auf. Judith beachtete ihn nicht. Sie wandte sich Moische zu, knipste ihr freundliches Lächeln wieder an. »Beachte den Bengel nicht«, mahnte sie ihn. Judith wies Moische mit einer knappen Geste an, Platz zu nehmen. Moische hatte das Bedürfnis, sich um das heulende Kind zu kümmern, aber er wollte Judith nicht enttäuschen.

Das Kindermädchen versuchte Gabriel behutsam zum Weggehen zu bewegen. Doch der Junge schlug nach ihr. Judith sah beiden ungerührt zu.

»Schaffen Sie ihn fort, Erika!«

»Aber Gabriel hat doch noch nicht gefrühstückt, Frau Zucker ...«, warf das Kindermädchen ein.

»Dann geben Sie ihm was. Aber in der Küche, nicht hier!« Damit war der Streit für Judith scheinbar erledigt. »Wie hast du geschlafen, Moischale?«

Beklommen sah Moische zu, wie Erika den Jungen nach einigem Zureden ins Haus führte. Was hatte Judith gefragt?

»Ja ...«

»Kümmere dich nicht um Gabi. Bis heute abend ist der Junge wieder lammfromm.« Dann darf er zu dir ins Bett. Judith setzte sich zu Moische und begann zu frühstücken. Nach dem Essen zündete sie sich eine Zigarette an. Sie bemerkte Moisches Verwirrung. »Gabi hat's nicht einfach. Vor zwei Jahren hat ihn sein Vater von einem Moment zum anderen verlassen. Der Herr ist mit seiner Sekretärin durchgegangen. Eine dumme Schickse!« Judiths Stimme wurde rauh. Sie rang sich ein Lächeln ab, ehe sie fortfuhr. »Einen größeren Gefallen hätte er mir nicht tun können. Meine Anwälte haben dafür gesorgt, daß der Kerl keinen Pfennig aus meiner Immobilien-Firma ziehen konnte. Auch mein Kind darf er kaum sehen. Ich kann Gabi nicht zumuten, sich mit einem Flittchen abzugeben!« Judith drückte ihre Zigarette im Aschenbecher aus. Ihr Blick fixierte Moische. »Verstehst du, was die jüdischen Männer an den Schicksen finden?«

»Wir ... sie wollen ihren Müttern davonlaufen.«

»Ich bin nicht deine Mamme, Moische. Ich möchte, daß du bei mir froh bist, Moischale.« Er fühlte Kraft und Leichtigkeit in sich zurückkehren. Moische ergriff ihre Arme, zog sie sachte an sich.

Judith zog ihn wieder ans Ufer der Realität. Ihr Figaro hatte sich angesagt, danach mußte sie geschäftliche Termine wahrnehmen. Sie ließ Moische ein Taxi rufen.

Ich bin dieser Frau nicht gewachsen, wußte Moische. So wie

sie mit ihrem Kind umgeht, wird sie auch bald mit mir umspringen. Andererseits hatte sich der Rotzlöffel unmöglich aufgeführt. Judith mußte ihn zur Ordnung rufen. Aber derart erbarmungslos? Das hätte Hannas jüdisches Mammeherz nie zugelassen. Auch Judith war eine jüdische Mutter. Judith? Wie konnten jüdische Eltern ihre Tochter nach einer brutalen Mörderin nennen, die sich den Kopf des Holofernes auf einem Tablett servieren ließ? Ohne Grund war ihr Mann sicher nicht mit seiner Sekretärin durchgebrannt. Und die anderen Kerle, von denen der Balg erzählt hatte? Hatten sie Judith ebenso gefürchtet wie er? Doch Moisches Angst, Judith zu enttäuschen, war weitaus größer als die Furcht, die ihn zur Flucht vor ihr drängte. Ich bin ihr ausgeliefert, begriff er. Sie hat mich hypnotisiert wie die Schlange ihr Karnickelopfer.

Moische versuchte, sich auf seine Arbeit in der Redaktion zu konzentrieren. Er skizzierte einen Essay über politische Streitkultur. Deutschland fehle die Tradition der demokratischen Auseinandersetzung. Aber wen interessierte das? Moische versuchte es mit der Liebe. Nietzsche entlarvte die Liebe als Selbstsucht. Die Psychologen bestätigten das. Doch auch davon wollte kein Mensch etwas wissen.

Angst! Jeder hat Angst. Doch nur Idioten und Psychiater geben sich mit ihr ab. Normale Zeitungsleser nicht. Moische zerriß sein Manuskript. Um 15 Uhr war Ressortleiterkonferenz in der Chefredaktion. Moische hatte keine Lust, in Wimmers geile Verrätervisage zu blicken. Er wollte Judith wiedersehen. Moische rief bei ihr an, doch Jadwiga wußte nicht, wo sie steckte, oder hatte Anweisung, es nicht zu wissen.

Moische ging in sein Hotel. Er wählte erneut ihre Nummer. Der Anrufbeantworter ertönte. Er schleuderte den Hörer auf die Gabel. Judith wollte nichts mehr von ihm wissen! Moische zog sich Jogginghosen und -schuhe an und lief in den Tiergarten. Seine Kondition war miserabel. Schon am Landwehrkanal ging ihm die Luft aus. Er maß seinen Puls. 150! Hanna hatte

ihn immer schon vor dem meschuggenen Gojim-Sport gewarnt. Die Rabbiner wurden steinalt, ohne je einen Schritt zu
laufen. Dagegen hatte schon der erste Marathonläufer einen
Herzschlag erlitten. Obgleich die Rennerei ständig neue Opfer
forderte, wurde weitergelaufen. Moische beschloß, einen Anti-
Jogging-Kommentar zu verfassen.

Gemessenen Schrittes streifte er entlang des Kanalufers. Eine quadratische Kupferplatte auf einem Steinsockel fiel ihm
auf. Sie erinnerte Moische an die versteckte Gedenktafel für
den erschossenen jüdischen Ministerpräsidenten Kurt Eisner in
München. Er trat näher heran. Die Inschrift gedachte der Politiker Karl Liebknecht und Rosa Luxemburg. Sie waren im Januar 1919 von Freikorpsleuten erschlagen worden, dann warf
man ihre Leichen in den Kanal. Was hatte die polnische Jüdin
Rosa Luxemburg mit den Deutschen am Hut? Was der Berliner Journalist Kurt Eisner oder der Industrielle Walter Rathenau, der im Ersten Weltkrieg Deutschlands Kriegswirtschaft
organisiert hatte? »Schlagt tot den Walter Rathenau, die gott-
verdammte Judensau!« hatte das rechte Gesindel gegeifert.
Rathenau hatte Deutschland dennoch als Außenminister gedient, ehe ihn die Femekiller der Organisation Consul ermordeten.

Warum meinen wir Juden, die Deutschen selig machen zu
müssen? Moische legte Steine auf die Platte – auch für den
deutschen Kommunisten Karl Liebknecht. Er ging weiter. Warum hocke ich hier in Mörderland? Eisner, Luxemburg, Rathenau hatten vor Auschwitz gelebt. Aber nach Hitler als Jude in
Deutschland zu vegetieren, ist selbstdestruktiv. Moische starrte
auf das Wasser. Wohin soll ich gehen? Wer nimmt mich in
Amerika oder Israel wahr? In Deutschland werde ich wenigstens gehört. Deutschland ist meine Heimat – zumindest die
deutsche Sprache! Er wandte sich vom Wasser ab und trabte
zurück.

Als Moische im Hotel ankam, wartete Judith bereits auf seinem Zimmer. »Wie bist du reingekommen?« stammelte er.

»Ich habe mit dem Portier um hundert Mark gewettet, daß ich deine Schwester bin.« Judith lachte.

»Du weißt, was du willst …«

»Ja! Dich!« Judith bedachte Moische mit kühlen Küssen. Sie ließ sich von ihm ausziehen. Moische zitterten die Hände. Sie blinzelte ihn so sinnlich an wie Gustav Klimts Sünde. »Ich will dir gut tun, Moischale – und mir.« Sie zog ihn zu sich ins Bett. Er wollte ungestüm in sie eindringen, doch Judith hielt ihn zurück. »Laß dir Zeit, Moische. Wir sind im Bett, nicht in der Expressabfertigung.« Die spöttische Mahnung hatte eine ungeahnte Folge: Seine Fahne fiel sogleich in sich zusammen. Judith machte sich geduldig daran, sie wieder flattern zu lassen. Als es soweit war, hatte sie die Lust verloren, doch Judith ließ Moische gewähren, weil sie sein brüchiges Männlichkeitsego vorläufig nicht schleifen wollte.

Während sie auf halber Strecke verharrte, stolperte er ins Ziel. Danach stimulierte Judith sich selbst. Sie kam mit einem aufseufzenden Stöhnen. Moische beobachtete sie. Voyeuristische Lust und maskuliner Neid rangen in ihm. Judith schlug die Augen auf. »Was glotzt du so belämmert, Moische? Denkst du, daß ich auf dich angewiesen bin, um einen Orgasmus zu bekommen?«

»Nein …«

Sie fühlte Moisches Verzweiflung. »Aber es ist viel schöner, wenn du mir dabei hilfst, Moischale.« Sie drückte ihm einen frostigen Kuß auf den Mund.

»Pack deine sieben Sachen und komm!« Sie ging ins Bad. Wollte sie, daß er zu ihr zog?

Während er noch hin und her dachte, warf Judith Moisches Habseligkeiten in seinen Koffer.

Jadwiga half Moische beim Einordnen. Er hatte nur wenige Kleidungsstücke und einige Bücher dabei, darunter einen Duden und ein Synonymwörterbuch. Moische kramte Vikram Seths *Eine gute Partie* hervor. Seth beherrschte eine Kunst, die in Deutschland in Vergessenheit geraten war: er wußte zu erzählen. Liebevoll ordnete er Seths Werk ins Regal. Daneben stellte er eine zerlesene mehrbändige Taschenbuchausgabe von Nietzsches Schriften.

Judith brachte Gabriel zu Bett. Es war noch hell. Moische blickte auf seine Uhr. Halb zehn! Hanna war die treusorgendste Mamme der Welt. Deshalb ließ sie Moische im Sommer bis elf herumtoben. »Ein Junge ist wie ein junger Hund. Er braucht Auslauf. Er muß seine Kraft ausleben.« Sehnsucht nach seiner Mutter befiel Moische. Er nahm sich vor, sie in den nächsten Tagen anzurufen.

Warum ließ Judith ihren Jungen nicht im Garten spielen? Moische erspähte einen Plastikball und kickte damit. Der Kleine hatte bestimmt größere Lust, mit ihm Fußball zu spielen, als zu Bett zu gehen. Schlief er wieder bei seiner Mutter? Moische wollte endlich eine Nacht mit Judith verbringen. Mit mir hat sie schon im Hotel geschlafen. Jetzt ist Gabi an der Reihe! Moische schoß den Ball in die Luft und zwang sich, konzentriert nachzudenken.

Ich bin ein echter Deutscher. Sobald ich privat nicht weiter weiß, flüchte ich in die Arbeit. War das typisch deutsch? Malochen wir Juden nicht noch zwanghafter als die Deutschen? Das Wort kam aus dem Hebräischen. Malacha bedeutet Arbeit. Haben wir Juden die Deutschen mit unserer Arbeitswut angesteckt oder sie uns? Wir haben im Bevölkerungsverhältnis dreißigmal mehr Nobelpreisträger als die Deutschen. Das sprach eindeutig für einen Arbeitsvorsprung der Hebräer. Haben die Nazis uns deshalb mit dem KZ-Spruch »Arbeit macht frei« verhöhnt? Ich muß einen Essay über Juden und Deutsche schreiben, nahm er sich vor.

Judith Zucker machte Moisches selbstdestruktiven Plan zunichte. »Das kommt nicht in Frage!« bestimmte die Hausherrin, als der Autor ihr nachts von seinem Unterfangen erzählte. »Die Deutschen haben die Schnauze voll davon, sich von uns beschimpfen zu lassen.«

Worüber sollte er sonst schreiben?

»Über das, was alle beschäftigt!«

Judith entzündete sich eine Zigarette, während sie mit Moische am Schwimmbeckenrand auf die von Jadwiga gegrillten Fleischspieße wartete.

»Ich habe die Todesstrafe gefordert ...«

»Jeder vernünftige Mensch ist dafür. Aber fast niemand hat damit zu tun.«

»...und Euthanasie ...«

Judith winkte energisch ab. »Das ist unappetitlich!«

»Mehr als eine halbe Million Leser haben sich dafür interessiert«, rechtfertigte sich Moische.

»Das ist zu wenig!«

»Weißt du was Besseres?«

»Ja!« Moische sah Judith ungläubig an. »Steuern! Du mußt was gegen Steuern schreiben! Von früh bis spät Steuern. Bei jedem Geschäft muß ich Steuern zahlen. Umsatzsteuer! Grunderwerbsteuer! Vermögenssteuer! Kapitalertragsteuer ... Steuern! Steuern! Steuern!«

Jeder ärgerte sich über Steuern, sogar die reiche Judith. Einerseits. Andererseits giftete sie über Abgaben, die die meisten kalt ließen. Kapitalistenabgaben. Diese Neidsteuern waren populär.

Moische marschierte ums Schwimmbecken.

Ich muß gegen eine Steuer anstänkern, die alle zahlen müssen und deshalb hassen! Welche? Mehrwertsteuer! Moische hielt inne. Nein! Ich muß glaubwürdig bleiben! Ich muß die ganze Wahrheit schreiben! Ich darf die Leser nicht anlügen und ihnen vorgaukeln, daß sie keine Steuern mehr zahlen müssen – das glaubt mir kein Mensch! Welche Steuer ist verhaßt und überflüssig zugleich? Moische hatte keine Ahnung. Er streifte auf und ab wie ein gefangenes Tier. Judith hatte gut reden. Sie genoß ihren Reichtum und moserte über die Steuern. Er sah wütend zu ihr hinüber. Sie steckte sich soeben eine neue Zigarette an. »Das ist's!« schrie Moische. Er rannte zu ihr, riß die Zigarettenpackung an sich und las aufgeregt im verdämmernden Licht: »Rauchen gefährdet die Gesundheit«. Moische drehte die Packung um. »Wer das Rauchen aufgibt, verringert das Risiko schwerer Erkrankungen«. Er warf die Schachtel auf die Tischplatte, lief ins Haus, kam mit einer Zigarrenkiste zurück, deutete auf ein Etikett am Boden der Box und las: »Rauchen verursacht Krebs«.

»Was ist mit dir los, Moische?«

Er drückte ihr die Zigarrenpackung in die Hand. »Hier steht's!«

»Werde bitte deutlicher!«

»Verstehst du nicht?!« Moische sah sie erstaunt an. »Auf jeder Tabakpackung wird vor Krebs gewarnt. Überall wird gegen's Rauchen Reklame gemacht. Das kostet Millionen. Alles Schwindel! Lug und Trug!« Sein Gesicht war erhitzt. »Denn gleichzeitig kassiert der Staat zwanzig Milliarden an Tabaksteuer!« Moische ergriff erneut die Zigarettenpackung und klopfte mit dem Zeigefinger dagegen.

»Du und Millionen anderer Idioten zahlen fünf Mark für eine Schachtel Zigaretten. Davon sind mindestens vier Mark Tabaksteuer. Als Belohnung für eure Milliarden wird euch mitgeteilt, daß ihr euch zu Tode pafft ... Das stimmt! Die Gesundheitsschäden durchs Rauchen gehen ebenfalls in die Milliarden. Aber die zahlt nicht der Staat, sondern die Krankenkasse. Das ist die absolute Verarschung!« Seine Stimme überschlug sich.

Moische tippelte einige hektische Schritte, ehe er fortfuhr: »Der Staat verdient an eurer Sucht.«

»Na und? Das weiß doch jeder ...«

»Aber niemand spricht es aus. Ich werde es tun!« Er rannte ins Gästezimmer.

Moische kam zum Fazit seines Artikels. Er durfte nicht gegen das Rauchen an sich zu Felde ziehen, sonst verärgerte er einen Teil der Leser und stieß die Tabakindustrie vor den Kopf, auf deren Anzeigen *Germany Today* wie jede andere Zeitung angewiesen war.

Andererseits wollte Moische bei der Wahrheit bleiben. Er mußte die Gesundheitsgefährdung erwähnen. Es gab nur einen Ausweg aus dem Dilemma:

»Jeder Raucher weiß, was er tut. Unser Staat weiß es auch! Auf jeder Zigarettenpackung wird vor Gesundheitsschäden gewarnt. Die Regierung gibt Millionen für Anti-Tabakwerbung aus. Doch gleichzeitig kassiert der Finanzminister Tabaksteuern in Milliardenhöhe. Der Bundeskanzler bittet den Häuptling der Formel 1, in Deutschland mehr Autorennen zu veranstalten, die von der Tabakindustrie gesponsort werden und auf denen massiv für Zigaretten geworben wird. Das ist Doppelzüngigkeit. Das ist Betrug! Das ist Steuerbetrug! Wer rauchen will, soll frohen Herzens genießen – ohne daß ihm der Staat in die Tasche greift. Schluß mit der Heuchelei! Schaffen wir die Tabaksteuer ab! Die frei gewordenen Gelder werden in die Wirtschaft fließen und zehntausende neue Arbeitsplätze schaffen.«

Seinem Aufruf gab Moische die Überschrift:

Weg mit der Tabaksteuer!

Bin ich selbst doppelzüngig, erforschte sich der Autor. Nein! Niemand konnte die Raucher an ihrer Sucht hindern. Nicht mal Hitler! Moische wußte, daß der fanatische Nichtraucher als letzten Akt seiner »Führerschaft« vorhatte, ein Gesetz zu erlassen, daß auf jeder Zigarettenpackung vor den Gefahren des Rauchens gewarnt werden mußte. Hitlers Vision hatte sich erfüllt – dennoch wurde mehr geraucht als je zuvor. Geraucht und gesoffen! Moische schlug sich an die Stirn. Bislang waren seine Artikel Eintagsfliegen gewesen, damit war's endgültig vorbei! Der Autor beschloß, Serientäter zu werden. Ich muß eine Steuerfolge schreiben: Weg mit der Tabaksteuer! Weg mit der Branntweinsteuer und der Getränkesteuer!

Moische dachte intensiv nach. Weg mit der Mineralölsteuer! Weg mit den Schwindelsteuern! Die Menschen rauchten, soffen und rasten mit ihren Autos in den Tod. Der Staat hob mahnend den Zeigefinger und griff mit der anderen Hand den Leuten in den Geldsack.

Ich werde den Steuerschwindel entlarven, daß dem Finanzminister Hören und Sehen vergehen wird! Moische lachte unwillkürlich auf. Dadurch werde ich Deutschlands wichtigster Schreiber. Ich werde den Judenballast endgültig los.

Wie seine deutschen und jüdischen Landsleute wollte Moische nicht wahrhaben, daß die eigene Herkunft sich nicht wie Sperrmüll abladen läßt. Sie kehrt von der Deponie der Ängste, Vorurteile und Gewohnheiten stets aufs neue zurück.

Die Abfassung des Anti-Getränkesteuer-Artikels lief noch glatter als der Tabak-Kommentar. Seit Menschengedenken wurde gebechert. Im Christentum und Judentum gehört Wein zum religiösen Ritus. Das Motto: »Hopfen und Malz, Gott erhalt's!« unterstrich die Verbindung von Bier und Glauben. Trinksprüche wie »Zum Wohl«, »Le Chaim«, »A votre santé« bewiesen die tiefe Verwurzelung des Alkohols in Kultur und Gesellschaft.

Die kleine Minderheit der Alkoholiker konnte nicht geschützt werden, wie das Fiasko der Prohibition bewies. Sie durfte der großen Mehrheit die Segnungen von Bier und Wein nicht verleiden. Die Alkoholsteuer ein ausbeuterisches Alibi. Nichts weiter! Weg damit!

Abschließend ließ Moische den Volksmund sprechen: »In vino veritas! Dabei muß es bleiben!« Der Autor begann, ein Gesamtkonzept zu entwerfen.

Judith Zucker war wütend. Das giftgrün leuchtende Display ihres Weckers zeigte 1:17. Judith konnte nicht alleine einschlafen. Um Moisches willen hatte sie sogar ihr einziges Kind aus ihrem Bett verbannt. Doch statt ihre Liebe zu honorieren, ließ Moische sie alleine schmoren. Judith sprang zornig auf.

Der Kommentar zum Mineralölsteuer-Betrug gestaltete sich schwieriger, als Moische zunächst geahnt hatte. Sollte er die Kraftfahrzeugsteuer in seinen Artikel einbeziehen? Und die Umweltbelastung? Die Verkehrstoten? Das mußte sorgfältig erwogen werden. Doch seine Konzentration ließ nach. Ihm fehlten neue Ideen. Moische saß verkrampft am schmalen Tisch des Gästezimmers.

»Ich will dich als Liebhaber, nicht als Schichtarbeiter!« Moische fuhr herum. Judiths weißer Seidenkimono war nur lose verschnürt. Sie kam auf ihn zu, öffnete das Gewand, zog Moische an sich. Er umfing ihren Leib, sein Schmock wurde schwer. Sie wehrte ihn ab. Judith wollte die Freuden der Erotik in ihrem freigekämpften Bett auskosten. Sie führte ihn in ihr Schlafzimmer.

Moische hatte noch nie ein derart großes und elegantes Schlafgemach gesehen. Das Zimmer war mit zierlichen japanischen Möbeln und kostbaren chinesischen Vasen ausgestattet. Judith lag ausgestreckt auf dem weiten Futonbett. Ihr gebräunter Körper hob sich von der hellen Bettwäsche ab. Moische barst schier vor Stolz.

Die begehrenswerteste Jüdin, die attraktivste Frau Berlins, lag im schönsten Schlafzimmer der Stadt und wartete darauf, von ihm getrennt zu werden. Judith hatte im Gästezimmer Moisches spontane Geilheit abgewürgt. Nun lähmte ihn die Angst zu versagen. Judith zog Moische an sich. Er erstarrte, seine Hände und Füße waren blutleer, kalt. Judith unterdrückte ihren Unwillen über den workaholisch-schlappschwänzigen Freund. Sie streichelte ihn, wie sie es gewöhnlich mit ihrem Gabi tat. Der jüdische Jingale-Reflex funktionierte beim vierzigjährigen Mann ebenso wie bei ihrem zwölfjährigen Sohn. Unter Judiths Mammehänden wich die Angst aus Moisches schreckhafter Seele. Nach wenigen Minuten schlief er ein. Judith bettete seinen Kopf vorsichtig auf ein Kissen. Moische lächelte verklärt. Wahrscheinlich träumt er von den Brüsten seiner Mamme, dachte Judith.

Judith erwachte in der Morgendämmerung. Eine Weile lauschte sie dem Vogelkonzert in ihrem Garten. Dann nahm sie Moisches ruhige Atemzüge wahr. Sie betrachtete sein entspanntes Gesicht. Judith schlug vorsichtig die Bettdecke zurück und besah Moisches nackten Körper. Die langen, schlanken Arme, den behaarten Brustkorb, der in einer sanften Welle in einen flachen Bauch überging, der von einem dunklen Haarpfad geteilt wurde. Darunter ruhte Moisches schlaffes Glied. Judith konnte ihren Blick nicht von seinem beschnittenen Schmock wenden. Auf halber Höhe zog sich die braune Beschneidungsnarbe um den Hautschlauch, der von einem grauen Helm gekrönt wurde. Feuchte, lustvolle Wärme erhitzte ihr Geschlecht, ergriff ihren ganzen Leib. Judiths Zunge schwamm in Speichel. Ihre Lippen schlossen sich um Moisches Schmock, dessen scharfer Schweiß sie erregte. Sie sog an seinem Fleisch, das schnell fest wurde.

Moische meinte zu träumen. Judith saß auf ihm. Doch die immer schneller werdenden Stöße ihres Gesäßes gegen seinen Bauch trieben ihn in die Wirklichkeit. Er stieß sein Becken gegen sie. Der Rhythmus ihrer Körper wurde immer schneller, bis die Lust in Judith explodierte. Sie schrie auf, Tränen schossen aus ihren Augen, kullerten die Wangen herab. Judith heulte und lachte in einem. Ihre Ekstase riß Moische fort, der in dicken pulsierenden Stößen kam. Judith packte den Geliebten an seinen Haaren, riß ihn zu sich hoch, küßte und herzte ihn. Sie glitt herab, nahm Moische in ihre Arme, streichelte sein Gesicht. Ehe er wieder einschlief, dachte Moische an seine Mamme. Hanna wäre stolz auf ihn – endlich. Die schönste und wahrscheinlich reichste Jüdin Deutschlands liebte ihn.

Gabi Zucker war angewidert. Wie jeden Morgen wollte er sich von seiner Mamme mit einem Kuß verabschieden, ehe er zur Schule gefahren wurde. Doch anstatt frisch geduscht und nach Salben, Ölen und Parfums duftend auf ihr Jingale zu warten und es in die Arme zu schließen, steckte die Buhle mit ihrem Kerl im Bett. »Ihr geilen Schweine!« kreischte Gabriel. Moische fuhr erschrocken zusammen.

»Verschwinde!«

Gabi nahm Judiths Befehl nicht wahr. Er sah nur seine besudelte Mamme. Rasend schlug er ihr auf den Kopf, ins Gesicht, kratzte sie. Unentwegt schrie er: »Hure! Nutte! Verräterin! Drecksau!« Judith und Moische waren unfähig, auf die Attacke des Jungen zu reagieren. Moische beobachtete gebannt den Rasenden und seine wehrlose Mutter. Endlich fand er die Kraft, sich schützend vor Judith zu werfen. Sie hüllte sich in eine Decke, dann packte sie Gabriel an den Haaren. Der Junge fuhr fort, um sich zu schlagen und zu treten. Es gelang Judith, ihr Kind aus dem Raum zu zerren. Ehe sie ihn durch die Tür zwingen konnte, riß sich Gabriel los. Er rannte zu einer der chinesischen Bodenvasen und trat gegen sie. Das Gefäß zerbarst klirrend. Judith lief auf ihr Kind zu, dabei löste sich die Decke von ihrem Leib. Die nackte Mamme schlug ihrem Kind klatschend ins Gesicht, Moische zuckte zusammen. Judith packte Gabriels Hand. Willenlos ließ er sich von ihr aus dem Zimmer drängen.

Moische hörte Judith das Kindermädchen schelten. Er stand auf, wollte ins Bad, da stürmte Judith herein. Ihr zitterten die Hände. Moische nahm sie zaghaft in die Arme. Wie konnte er die aufgebrachte Mamme beruhigen? Schnell beruhigen! Er mußte in die Redaktion. Judith hatte andere Bedürfnisse. »Laß uns sofort verschwinden!«

»Meine Arbeit!«

»Das kommt nicht in Frage! Ich bin keine billige Schickse für eine Nacht. Ich brauche dich jetzt.«

Judith und Moische frühstückten kurz im Pavillon ihres Segelclubs. Danach stachen sie in den Wannsee. Judith besaß eine ›bescheidene‹ Jacht. Sie steuerte das Boot südwärts, vorbei am Lindwerder Inselchen. Nachdem sie Schwanenwerder passiert hatten, kreuzten sie westwärts. Der milchige Berliner Himmel war wolkenlos. Die späte Vormittagssonne wärmte die Luft auf. Der leise Fahrtwind kühlte sie angenehm. Judith steuerte am Kleinen und Großen Tiefenhorn vorbei und wendete das Boot nach Norden. Sie wollte sich und Moische vom Westufer des großen Wannsees fernhalten. Dort hatte in einer »arisierten« ehemaligen jüdischen Villa am 20. Januar 1942 die administrative Elite des Dritten Reiches unter der Führung Reinhard Heydrichs bei Kaffee und Cognac den Fahrplan zur Ausrottung ihres Volkes ausgearbeitet. Zwischen Pfaueninsel und Kälberwerder warfen sie Anker. Judith ließ sich von Moische einreiben, dann kuschelte sie sich an seine Seite. Sie erzählte ihm von ihrem Leben. Was Moische die Mamme, war Judith der Vater. Salomon Zucker war unüberwindbar.

Als Sechzehnjähriger hatte er 1943 am Aufstand im Warschauer Ghetto teilgenommen. Danach begann seine Odyssee durch deutsche Vernichtungslager: Auschwitz, Sobibor, Majdanek. »Das KZ war seine Universität. Er hat überlebt, weil er seine Menschlichkeit ausmerzte. Mein Vater kannte keine Rücksicht, kein Mitleid. – Das Leben ist Krieg! Wenn du dem anderen nicht den Schädel zertrümmerst, rammt er dir ein Messer in den Rücken! Entweder er oder ich! Was anderes gibt es nicht, sagte er«. Judith rollte zur Seite. Nahm Moisches Hand in die ihre.

»Mein Vater wollte mich lieben. Aber er konnte es nicht. Die Nazis hatten seine Liebe vergast. Er hat mich mit Geschenken überhäuft. Aber wenn ich nicht genau das tat, was er wollte, war ich seine Feindin. Dann schlug er mich windelweich. Dann machte er mich gnadenlos fertig. Vater wußte, wie das geht. Er war KZ-Kapo. Deswegen haben ihn die anderen Juden gehaßt, aber keiner hat sich getraut, ihm etwas zu sagen oder zu tun. Alle hatten Angst vor ihm.«

Judith setzte sich auf. Sie wischte sich Tränen aus den Augenwinkeln. Dann verbarg sie den Kopf zwischen ihren Knien. Ihre Stimme war heiser. »Ich habe mir geschworen, meinem Kind die beste Mutter der Welt zu sein. Gabi nie anzurühren. Und jetzt prügle ich ihn wie ein Kapo ...« Judith wurde von Weinkrämpfen geschüttelt. Moische legte seinen Arm um ihre Schultern.

Moische war ungehalten. Er sollte in seinem Büro sitzen und an seiner Steuerbetrugs-Serie arbeiten. Stattdessen mußte er Judiths Schoah-Spätfolgen-Epos über sich ergehen lassen. Was konnte er dafür? Moische ertappte sich dabei, wie ein Deutscher zu denken! Er begriff, weshalb viele junge Leute, die persönlich nichts ausgefressen hatten, keine Lust hatten, sich ständig die Sünden ihrer Väter vorhalten zu lassen. Zudem erinnerten ihn Judiths Selbstbezichtigungen an die penetrante Betroffenheit der zwanghaft bußfertigen Philosemiten. Die lieben uns, weil wir ihnen ständig Schuldorgasmen verschaffen! Cordula war ein derartiges Exemplar. Alles Lug und Trug! glaubte Moische. Sobald es um ihre Karriere ging, hatte sie ihn, ihren Juden, mit dem nächstbesten Goj betrogen. Judith war auch nicht besser. Sie schlug ihr Kind und heulte dann Moische die Hucke voll. Statt sich zu beruhigen, weinte Judith immer hysterischer. Er hielt sie doch schon im Arm. Was konnte er noch tun? Moische bugsierte Judith vorsichtig in die Kombüse und legte sich zu ihr. Seine Libido war ungestört, denn die hilflose Judith machte ihm keine Angst. Doch Mitleid und Ungeduld sind keine erotischen Stimulanzien. Moische empfand wenig Lust, Judith keine. Sie ließ ihn gewähren, um seine Nähe zu behalten.

Judith fiel in einen flachen, unruhigen Schlaf. Derweil kramte Moische leise in der Kombüse herum, bis er einen Kugelschreiber fand. Einen Notizblock suchte er vergeblich. Er mußte sich mit Papierservietten begnügen. Er schlich an Deck. Bald wurde ihm heiß. Er brauchte jedoch einen kühlen Kopf. Er sprang ins Wasser, kraulte eine erfrischende Runde ums Boot.

Die Menschen rundherum genossen das warme Wetter, das Wasser, ihre Muße. Doch Moische hatte eine Mission zu erfüllen. Er wollte berühmt werden.

Über die Auslegeleiter kletterte er zurück ins Boot. Er trocknete sich ab, hockte sich unters Sonnensegel und begann, seine Artikelfolge zu skizzieren. Sollte er die Kirchensteuer in die »Schwindelabgaben« einbeziehen? Die Steuer war scheinbar freiwillig. Scheinbar! Denn um ihr zu entgehen, mußte man erst seinen Austritt aus der eigenen Religionsgemeinschaft erklären. Warum mußte man für seinen Glauben zahlen? Wer die Kirche in Anspruch nahm, sollte zahlen – wie für jede normale

Serviceleistung, Show, Psychotherapie und den anderen Zirkus. Aber wieso mußten die passiven Christen und Juden für etwas blechen, das sie nicht in Anspruch nahmen? Moische hatte sich wiederholt vorgenommen, die Kirchensteuer zu sparen. Doch wenn Hanna davon erfuhr, würde sie ihm die Hölle heiß machen. Für alle Juden wäre er ein Renegat, ein Verräter. Doch für die Deutschen bliebe er ein Israelit. Viele Christen standen unter dem gleichen Druck. Moische erinnerte sich an Wimmers hysterische Ablehnung seiner Anti-Gott-Glosse. Doch wenn's um Geld und Auflage ging?

Judith riß den Autor aus seinen strategischen Überlegungen. Ihre Augen waren verheult. Angst stand in ihrem Gesicht. »Wir müssen sofort nach Hause! Ich habe geträumt, daß ich mein Jingale mit einer Peitsche geschlagen habe ...« Ihre Stimme zitterte. »Ich hatte eine schwarze SS-Uniform an. Mit Totenkopf und Schaftstiefeln!« Sie begann erneut zu schluchzen. Moische schloß Judith in seine Arme, tröstete sie. Judith beruhigte sich langsam. Er half ihr, zum Jachthafen zurückzusegeln.

Kaum hatte Moische den Wagen zum Stehen gebracht, da rannte Judith zu ihrem Jingale. Doch Gabi wollte seiner Mamme nicht vergeben. Er konnte es nicht. Bis an sein Lebensende würde er unter ihren Schlägen und ihrem Verrat leiden. Dadurch entwickelte sich Judiths Psyche zum Sandwich, eingeklemmt zwischen der Brutalität des Vaters und den Schuldgefühlen gegenüber ihrem Kind. Sie schwor Gabi, ihn nie wieder zu schlagen, versprach ihm ein eigenes Pferd. Gabi blieb unversöhnlich. Die Mamme nötigte ihn, die Nacht mit ihr im Ehebett zu verbringen. Da wurde Gabi weich. Kein Jingale kann den Platz am Mamme-Busen verweigern – und sei der Schmerz auch noch so groß und seien die Brüste noch so klein.

Judith schlief unruhig. Mehrmals erwachte sie, tastete nach Gabis Hand. Sie lauschte seinem flachen Atem, fuhr mit ihren Fingerspitzen zärtlich über sein Gesicht. Sanft küßte sie die

Stirn ihres Kindes. Endlich war sie wieder mit ihrem Jingale vereint.

Derweil überarbeitete der Autor seinen Artikel über den »Mineralölsteuer-Betrug«. Auch der Anti-Kirchensteuer-Kommentar war bereits skizziert. Moische begeisterte sich an seinem Resümee: »Der Klingelbeutel darf nicht zum Dummbeutel werden! Jesus hat die Wechsler aus dem Tempel vertrieben. Dabei muß es bleiben! Gott braucht nicht unser Geld! Wir wollen guten Glaubens spenden. Aber freiwillig! Ohne Zwang!« Jedes Wort saß. Jeder Satz war ein überzeugendes Plädoyer. Die Kirchensteuer mußte fallen. Freiwillig. Oder Hunderttausende kehrten der Kirche den Rücken.

Moische verharrte. Die Kirche würde seinen Angriff nicht widerstandslos hinnehmen. Wenn ein Jude sich am Christentum vergriff, kannte die Kirche keine Gnade. Moische dachte an die Scheiterhaufen der Inquisition. Daß auch die Juden einen Kritiker in Acht und Bann werfen konnten, hatte Moisches Kollege Baruch Spinoza erfahren müssen. Moische war bereit, sich mit Gott, an den er nicht glaubte, anzulegen. Doch dessen eifernde irdische Streiter machten ihm Angst. Salman Rushdie wurde allein wegen seiner ironischen Schreibe zu Tode gehetzt. Moische konnte sich ausmalen, wie Kirche, Synagoge und Moschee ihn bekämpfen würden, wenn er ihnen den Geldhahn abzudrehen drohte. Ich wäre der Todfeind. Frei für Scheiterhaufen, Steinigung und Scharfrichter, begriff er. Der Journalist zerriß sein Manuskript.

Moische grübelte über weitere Schwindelsteuern nach. Zunächst fiel ihm lediglich die Hundesteuer ein. Der Staat schröpfte sogar die Köterhalter. Auch Pferderennen, Lotto, Toto, Spielkasino, Sekt, Champagner, ja sogar Wasser wurden besteuert. »Für alles, was wir lieben, müssen wir zahlen. Das ist Staats-Prostitution. Weg mit dem Nepp!« Der letzte Satz war eine gigantische Schlagzeile.

Moische lehnte sich zurück. Seine Serie über den staatlichen Steuerschwindel stand. Der Autor verfaßte eine stimulierende

Einführung. »Steuern müssen sein! Aber sie müssen ehrlich sein! Wir müssen wissen, was und wofür wir bezahlen! Wenn uns das Geld aus der Tasche geschwindelt wird, werden wir sauer! *Germany Today* zeigt Ihnen, wie wir vom Staat um unser Geld betrogen werden.«

Das war's! Moische trommelte mit den Fäusten auf die Tischplatte. Er erschrak über den dumpfen Lärm im nachtschlafenden Haus. Doch beim Blick auf sein Manuskript kehrte seine Euphorie zurück. Ich bin genial, glaubte er. Meine Artikel werden mich zum Anwalt der Steuerzahler und damit nolens volens aller machen. Moische sprang auf. Ich, der kleine Jude Moische Bernstein, werde das Idol aller Deutschen sein. Der neue deutsche Schicksalslenker wankte zu Bett.

Ein Kuß weckte Moische. Er blickte in Judiths fröhliche Bärenaugen. Sie verströmte Duschfrische. Moische zog die Geliebte an sich. Doch Judith machte sich frei. »Schlaf weiter, Moischale! Ich möchte heute allein mit Gabi frühstücken. Das Kind braucht mich jetzt ganz besonders ...«

»Du brauchst ihn!«

»Und dann bring ich Gabi zur Schule.« Sie küßte Moische kurz auf die Stirn und entschwand mit raschen Schritten. Moische hätte Lust gehabt, ihr das rotgepunktete Seidenkleid vom Leib zu streifen. Doch Judith wollte ihre Mammepflichten erfüllen. Und du mußt ebenfalls deine Arbeit machen, trieb sich der Journalist an. Er sprang unter die Dusche, brauste sich kalt ab.

Georg Wimmer legte das ausgedruckte Manuskript beiseite. »Das ist pfundig, das ist Spitze!« Der Chefredakteur versprach, eine »Riesenaktion aus deinem Steuerschwindel zu machen«. Er sollte Wort halten. Ihm blieb nichts anderes übrig. Die Auflage zappelte seit Tagen deutlich unter der fatalen Halbe-Million-Marke. Doch Moische war auf der Hut. So schlug der Autor eine Einladung zum »Kreuzzug« – Wimmer vollführte die Geste des Becherns – aus. »Tut mir leid. Judith erwartet mich zum Abendessen. Das Hauspersonal macht um neun Feierabend.«

»Holla!« Wimmer zwinkerte. »Kleiner Mann – was nun?«

Der Chefredakteur kämpfte verbissen um einen Sonderwerbeetat über eine Million. Das Zutrauen des Verlagsleiters in Wimmers Blattmacherqualitäten war fast vollständig geschwunden. Kenneth Burns fürchtete um seinen eigenen Job, wenn es ihm nicht gelang, mit *Germany Today* Geld zu verdienen. Moische Bernsteins Steuerschwindelserie eröffnete gute Aussichten, die Auflage in die Höhe zu treiben. Was Besseres hatte Georg Wimmer ihm nicht zu bieten. Burns genehmigte nach Rücksprache mit der Konzernleitung in New York eine halbe Million Mark für die Steuerschwindel-Werbung. Er nahm sich vor, den Autor kennenzulernen. Vielleicht ergab sich hier langfristig eine Alternative zu Wimmer, der kein schlüssiges Konzept besaß, Geld und Auflage zu machen.

Der Erfolg von Moische Bernsteins Schwindel-Serie übertraf selbst die kühnsten Hoffnungen des Verlags. Die Vorwerbung hatte die Auflage bereits auf über eine halbe Million Exemplare gehoben. Sie kletterte von Ausgabe zu Ausgabe. Am Ende der Woche stieg die verkaufte Auflage auf über 750 000. Presseanalysen ergaben, daß annähernd drei Millionen Leser Moisches letzten Artikel »Weg mit dem Nepp!« gelesen hatten.

Moische Bernstein stand tagelang im Mittelpunkt. Regierung, Parteien, Wirtschaft, Industrie, Gewerkschaften, Arbeitgeber, Kirchen und vor allem die Presse setzten sich mit seinen Artikeln auseinander. Ein Regierungssprecher wies »die polemischen, unqualifizierten Angriffe des Journalisten Bernstein« nachdrücklich zurück. Er lehnte »den Aufruf zum Steuerboykott« ganz entschieden ab. Die Bundesanwaltschaft prüfte, ob gegen den Autor Anzeige wegen Anstiftung zu Straftaten erhoben werden konnte. Der Verfassungsschutz wurde angewiesen, zu untersuchen, aus welchen Quellen Bernstein seine Informationen bezog. Der Leiter der Behörde war ein begeisterter Bernstein-Leser. Als er die Bundesregierung davon informierte, daß der Autor lediglich mit öffentlich bekannten Zahlen operiert hatte, wurde er vom zuständigen Minister barsch getadelt.

Die liberale Wirtschaftspartei, der Juniorpartner der Regierungskoalition, dagegen begrüßte »den Tenor der Bernsteinschen Forderungen nach Steuererleichterungen«. Ihr alerter Generalsekretär forderte eine »unvoreingenommene Diskussion über Steuererleichterungen« und bot dem Autor Sitz und Stimme im Wirtschaftsbeirat der Partei an.

Die Opposition nahm Moisches Artikel zum Anlaß für eine Generalabrechnung mit der »unsozialen und unlauteren Steuerpolitik der Bundesregierung, die den Reichen zuschanzt, was sie den Armen abknöpft ... Bernsteins Artikel entlarven diese Bundesregierung, die sich vorbehaltlos zum Büttel von Wirtschaft und Industrie gemacht hat«, verkündete der Oppositionsführer im Bundestag.

Wirtschaft und Industrie wiederum feierten Moische Bernstein als »unerschrockenen Propheten einer modernen Steuer- und Wirtschaftspolitik, die Wohlstand für alle garantiert«.

Tabakindustrie, Werbewirtschaft, Brauereien und Mineralölindustrie druckten Moisches Artikel in Sonderbroschüren ab und versandten sie an Millionen Haushalte. Ihre Verbände starteten eine aufwendige Kampagne zur Senkung der sie betreffenden Steuern. Die Börse reagierte mit einer Hausse. Tabak-, Brauerei- und Mineralölaktien erreichten historische Höchstkurse. Moische Bernstein wurde von Wirtschaftsverbänden und Industrie mit gutdotierten Geldpreisen und Ehrungen überhäuft. Unter anderem wurde er als »Wirtschaftsjournalist des Jahres« ausgezeichnet.

Währenddessen beklagten Gewerkschaften und Kirchen die »soziale Unausgewogenheit der sogenannten Genußsteuern«. Sie verlangten vom Gesetzgeber und von der Bundesregierung konkrete Maßnahmen, die zu einer gerechteren Steuerverteilung beitragen sollten.

Wirtschaftsforschungsinstitute und Steuerexperten waren sich wie gewöhnlich uneinig über Moische Bernsteins Thesen.

Reaganisten, Thatcheristen und Wirtschaftsliberale befürworteten eine drastische Senkung aller Steuern. Die freiwerdenden Gelder würden zu einem neuen Wirtschaftsboom führen, der helfen würde, die Arbeitslosigkeit zu bekämpfen. Die Regularisten dagegen nannten Moisches Forderung »unverantwortlich«. Steuergeschenke würden unausweichlich eine Ausweitung der Staatsverschuldung zur Folge haben. Dies würde die Wirtschaft strangulieren. Millionen würden ihre Arbeit verlieren.

In Presse und Fernsehen wurden Moisches Vorstellungen ausführlich erörtert. Die Kommentatoren der öffentlich-rechtlichen Anstalten nannten Bernsteins Kritik »unseriös«, seine Vorstellungen bezeichneten sie als »Scharlatanerie«. Peinlich bemühten sie sich jedoch, alles zu vermeiden, was ihnen als »antisemitische Zwischentöne« angekreidet werden konnte.

Ihre Kollegen in den privaten Sendern dagegen hoben die wirtschaftliche Kompetenz Moisches hervor: »Bernstein weiß, wovon er spricht – vom Geld«. Automobilbranche, Brauereien und die Tabakindustrie lohnten diese Haltung und schalteten zusätzliche Werbesendungen und Inserate. Die Menschen wollten billig paffen, saufen und rasen und unterstützten daher begeistert Moisches Antisteuer-Parole »Weg mit dem Nepp!«

In zahllosen Sondersendungen, in Dokumentationen, Talkshows und Kommentaren wurden die »Steuerschwindel-Entlarvungen« als mutiger Journalismus und Beispiel für Zivilcourage gefeiert und Moisches Forderungen nach einer Abschaffung der Abgaben vorbehaltlos unterstützt.

Doch der Vielgepriesene machte sich rar. Er beschränkte sich auf Interviews in Wirtschaftssendungen und in den wichtigsten Nachrichtenmagazinen aus Hamburg und München. Die Medienabstinenz fiel dem egozentrischen Moische nicht leicht. Doch er hatte wenig Zeit. Moische hielt für sehr gutes Geld Vorträge vor Wirtschaftsverbänden und auf Managerseminaren.

Dabei lernte er einflußreiche Männer aus Wirtschaft und Medien kennen. Der stellvertretende Vorstandschef eines der größten Medienkonzerne bot ihm eine »leitende Funktion« in einem der bekannten Nachrichtenmagazine an. Moische wollte zusagen. Doch Judith dämpfte seine Euphorie: »Das Angebot ist unseriös.« Sie wollte den Geliebten nicht nach Hamburg ziehen lassen. »Leitende Funktion kann alles oder nichts heißen«, argumentierte sie. »Dann haben sie dich in der Hand, ohne dir eine konkrete Zusage gemacht zu haben.«

Moische bedauerte, daß Judith in diesen turbulenten Tagen wenig Zeit für ihn hatte. Doch sie mußte sich intensiv um ihr Jingale kümmern. Gabriel wachte eifersüchtig darüber, daß Judith immer um ihn war. Vor allem nachts!

Erst wenn Gabi fest schlief, schlich Judith ins Gästezimmer. Sie genoß das nächtliche Zusammensein mit Moische. Doch ihr Sex war verhalten. Die latente Vorstellung, ihr Jingale könnte unverhofft auftauchen, dämpfte ihre Lust. Die Furcht ließ sie nicht einschlafen. Im ersten Morgengrauen schlich Judith sich wieder ins Ehebett an Gabriels Seite. Glücklicherweise bekam der Junge nicht mit, daß sie ihn hinterging.

Moische nahm Judiths beschränkte Gunst hin. Er war in sie verliebt. Mit zunehmendem Ruhm forderte er von ihr jedoch mehr Zuwendung ein.

Moisches Erfolge waren Kenneth Burns' Versicherungspolice. Der Manager war daher entschlossen, den Autor langfristig an seine Zeitung zu binden – zumal er von Abwerbeversuchen anderer Verlage gehört hatte. Er ließ Moische eine Erfolgsprämie über 100 000 Mark überweisen, um ihn für die Verhandlungen über einen neuen langfristigen Vertrag positiv einzustimmen. Burns bot seinem Starautor einen Dreijahresvertrag mit einem jährlichen Grundgehalt von 600 000 Mark plus Sonderprämien an. Darüber hinaus wollte er Moische als stellvertretenden Chefredakteur installieren.

Georg Wimmer sperrte sich nicht gegen Moisches Promotion. Der Erfolgsautor war der Darling des Verlagsmanagements. Die ignoranten Erbsenzähler stierten allein auf die Auflagenziffern. Sie begriffen nicht, daß zum Etablieren und Führen einer Tageszeitung mehr gehörte, als gelegentlich einen spektakulären Kommentar zu verfassen.

Wenn Wimmer zuließ, daß Moische sein Stellvertreter wurde, dann war er ein Toter auf Abruf. Ein kurzes Absacken der Auflage würde genügen, um den jüdischen Marktschreier auf seinen Posten zu hieven. Da es sinnlos war, Moisches Beförderung direkt zu verhindern, taktierte Wimmer flexibel. Er befürwortete Moisches Eintritt in die Chefredaktion als zweiter Stellvertreter. Auf diese Weise stand der farblose Technokrat Ernst Diepholz als Karrierebarriere zwischen Bernstein und ihm. Georg Wimmer wußte, daß diese Maßnahme keine langfristige Überlebensgarantie für ihn bedeutete. Wenn es hart auf hart ging, scheute sich kein Verlag, Köpfe rollen zu lassen – schon gar nicht ein amerikanischer Medienkonzern. Doch der Chefredakteur hatte eine Atempause gewonnen. Langfristig konnte er seinen Job nur halten, wenn es ihm gelang, die Auflage in die Höhe zu treiben und viel Geld zu verdienen. Dies war nur mit guten Schreibern möglich. Moische war seine Erfindung. Daher suchte Wimmer angestrengt nach anderen, zugkräftigen Autoren. Derweil wollte er Moische als Sonderkorrespondent aus den Krisenzentren der Welt berichten lassen: Algerien, Sudan, Kongo, Kambodscha, Palästina.

»Der Goj will dich umbringen!« konstatierte Judith. Sie verbot Moische, sich »verheizen zu lassen«.

»Von den Brennpunkten der Welt zu berichten, ist eine Riesenchance für mich«, wagte Moische einzuwerfen.

»Wenn du tot bist, hat es sich ausgechancet!« schrie Judith.

»Aber als Mitglied der Chefredaktion muß ich tun, was von mir verlangt wird ...«

»Idiot!« Moisches Einfältigkeit erzürnte Judith. »Das ist der älteste Trick der Welt. Schon König David hat Usia, den Mann von Batscheba, in den Tod getrieben, um sich mit ihr zu vergnügen!«

Moisches Magen krampfte sich zusammen. Wimmer hatte

ihm Cordula gestohlen. Er hatte Judith natürlich kein Wort davon erzählt. Dennoch durchschaute sie diesen Mörder besser als er. Judith war genial. Er war froh, daß diese kluge jüdische Schönheit ihn beschützte. Doch was sollte er tun? »Ich kann mich doch nicht einfach drücken ...«

»Dann drück' dich zweifach!« bestimmte Judith. Sie nahm den ängstlichen Moische in ihre Arme wie ihr verschrecktes Jingale. Behutsam streichelte sie seinen Kopf. Judith war entschlossen, Moische vor der Unbill der Welt zu schützen. Derweil dachte sie angestrengt nach. Sie mußte in der kommenden Woche geschäftlich nach New York. Dort wollte sie sich auch um Moisches Belange kümmern. Da er von Finanzen keine Ahnung hatte, verwaltete sie sein Geld. In New York würde sie sich nach lukrativen Anlagemöglichkeiten umsehen – »wenn es meine Zeit erlaubt«. Judith dachte auch an Moisches berufliches Fortkommen. »Du kommst mit mir nach New York!«

»Aber ich soll doch über Krisen ...«, jammerte Moische.

»Krisen, Schmisen! Auch in New York gibt's Krisen. Und in New York ist eure Konzernzentrale. Also hin! Dort, nicht hier, wird deine Karriere entschieden – und schon gar nicht im Kongo oder in Algerien!«

Moische umarmte die Geliebte. Er war Judith dankbar. Sie kümmerte sich um ihn wie eine jiddische Mamme. Sie beschützte ihn, sie mehrte sein Geld und sie förderte seine Karriere.

»Ich liebe dich, Judith.«

»Kommst du mit mir nach New York?«

»Ja.«

Judith erwiderte Moisches Zärtlichkeit.

Amerika! Moische war überzeugt, Judith würde in Amerika *sein* Glück machen.

12
New York, New York

Moische hatte hart um seine New York-Story kämpfen müssen. Er wollte von der »Welthauptstadt am Rande des Zusammenbruchs« berichten: Mord, Totschlag, Pornographie, Drogen, Vergewaltigung, finanzieller Ruin.

Georg Wimmer wollte seinen zweiten Stellvertreter in den Kongo schicken. »Zehntausende sind bei dem Bürgerkrieg draufgegangen. Noch mehr werden sterben. Der schwarze Mann als Bestie! Das wollen die Leute lesen! Du kannst es schreiben«, hatte der Chefredakteur Moische angestachelt.

»Falls ich's überlebe.«

»Du sollst schreiben, nicht mitkämpfen,« grinste Wimmer. Ein Glimmen in den Augen seines Chefs verriet Moische, daß Judith recht hatte. Der Goj wollte ihn kaltmachen. »Fahr du doch in den Kongo und schreib drüber. Diepholz und ich werden *Germany Today* inzwischen führen.«

Wimmer tobte. Doch Moische blieb hart. Er wollte sich weder im Kongo noch in Algerien oder anderswo verheizen lassen. Der begehrte Schreiber bestand auf einer New York-Reportage. Wimmers Drohung, ihn wegen Arbeitsverweigerung fristlos zu feuern, begegnete Moische mit dem Einwurf: »Ich glaube nicht, daß die Verlagsleitung da mitspielen würde.« Wimmer begriff, daß er Chefredakteur auf Abruf war. Moische hatte seinen Finger am Abzug.

Vor zwanzig Jahren hatte Moische versucht, im Big Apple als Journalist Fuß zu fassen. Doch die amerikanische Presse hatte ihm keine Chance gegeben, sein Talent zu beweisen. Nach langem Suchen hatte er eine Hospitanz beim *Aufbau* ergattert. Die Zeitung war von jüdischen Einwanderern gegründet

worden. Nach Hitlers »Machtergreifung« hatte das Blatt flo-
riert.

Vierzig Jahre später, in den siebziger Jahren, waren viele
Einwanderer tot. Die Überlebenden hatten zumeist Englisch
gelernt. Die Auflage des *Aufbau* war auf einige Tausend gefallen. Die kleine Redaktion, eine Handvoll ältere Männer, hauste
in einer heruntergekommenen Wohnung in Manhattan.

Die Zeitung hatte zwei Reportagen von Moische abgedruckt. Er hatte über das Sterben der jüdischen Lower East
Side geschrieben – wie jüdische Wohnungen, Geschäfte und
Restaurants durch die Garküchen und bunten Läden ostasiati-
scher Einwanderer verdrängt wurden.

New York hatte seither seinen traurigen Ruf als Welthaupt-
stadt des Verbrechens verloren. Die Stadt war heute sicherer
als Frankfurt oder Berlin. Das einst heruntergekommene Green-
wich Village war saniert worden. Wohnungen, Galerien und
Boutiquen im Village waren teuer und begehrt. Rund um das
World Trade Center war ein expandierender Finanzdistrikt aus
Glas und Chrom entstanden. Selbst das früher berüchtigte
Harlem nördlich des Central Park gesundete zusehends.

Nach wie vor gehörten Schnorrer, Huren und Junkies zum
New Yorker Stadtbild. Doch typischer für den Big Apple wa-
ren mittlerweile die Scharen deutscher Touristen, die mit bun-
ten Einkaufstüten aus dem Kaufhaus *Macy's* am Empire State
Building in der 34. Straße stürmten, während ihre betuchteren
Landsleute die exklusiven Schmuckgeschäfte wie *Tiffany's* rund
um den Trump Tower in Midtown Manhattan zwischen der
57. und 58. Straße aufsuchten. Derweil pilgerten die deutschen
Bildungsbürger ins geschneckelte *Guggenheim* Museum an der
Westseite des Central Parks. In guten Restaurants, in Museen,
Kaufhäusern, Konzertsälen und den Broadwaytheatern hatte
sich Deutsch zur lingua franca gemausert. Moische fand es
symbolisch, daß ein Deutscher die New Yorker Philharmoni-
ker und ein Gütersloher Konzern von seinem Wolkenkratzer
am Times Square aus amerikanische Verlage, Musikunterneh-
men und Medien dirigierte.

Damals hatte Moische in einem verrotteten Zimmer in der 92. Straße im Upper Westside zwischen Broadway und Amsterdam Avenue gehaust und davon geträumt, ein berühmter Journalist zu werden. Er hatte wenig Geld in der Tasche. Er ernährte sich von Junk food und sehnte sich nach einer Frau. Er träumte von den eleganten Geschöpfen in der Park Avenue. Doch nicht einmal die schmuddelige Kellnerin im Deli an der Ecke, um die Moische notgedrungen beharrlich warb, war seine Geliebte geworden.

Die Zeiten hatten sich geändert. Moische residierte nun im *Waldorf Astoria*, dem exklusivsten New Yorker Hotel in der Park Avenue. Er teilte seine Suite mit Judith. Selbst unter den eleganten Frauen New Yorks fiel Judiths mädchenhafte Schönheit auf. In New York konnte sich das Paar endlich ungestört vergnügen. Nachts lebte Judith nur für ihre Lust. Moische hatte ihr zu dienen, und er tat es freudig.

Über dem Vergnügen mit Moische vergaß Judith jedoch keineswegs ihre Pflichten. Täglich telefonierte sie stundenlang mit ihrem Jingale. Sie notierte sich ausführlich die Wünsche ihres Kindes und besorgte jeweils am nächsten Tag die geforderten Geschenke: exklusive Klamotten, in Deutschland verbotene Videospiele und anderen technischen Krimskrams. Neben den Einkäufen für Gabriel und sich selbst war Judith mit ihren Geschäften befaßt. Sie suchte auf dem amerikanischen Markt nach lukrativen Anlagemöglichkeiten. Judith traf sich mit Bankern, Brokern und Juristen. Schließlich entschied sie sich für einen Drittelmix. Sie investierte ihr und das Geld, das Moische ihr anvertraut hatte, in Immobilien, Standardaktien und in Junk Bonds.

Derweil streifte Moische euphorisch durch Manhattan. Sein erster Gang führte ins *Museum of Modern Art* in der 52. Straße.

Vom *Waldorf Astoria* schritt er vorbei an den goldglänzenden Fassaden der Radio City Music Hall am *Rockefeller Center* nordwärts zum *MOMA*. Moische hastete die Rolltreppe empor in den ersten Stock. Max Beckmanns »Abfahrt« am Eingang zu den Ausstellungsräumen überwältigte ihn mit der gleichen Kraft wie stets. Vor zwanzig Jahren war das Triptychon Moisches Ikone gewesen. Wann immer er konnte oder die Verzweiflung ihn dazu trieb, war er zu dem Gemälde gepilgert. Moische hatte sich mit dem blaubetuchten König identifiziert, dem Künstler im Meer seines Schaffens, begleitet von seinem schönen Weib mit Kind. Moische sehnte sich nach der großen Fahrt des Lebens. Er sah seine Aufgabe darin, vom Leid der Welt, von der Lust, von der Kunst zu berichten. Damals hatte er sich vom Boot des Lebens ausgesperrt gefühlt. Heute sah er sich auf großer Fahrt. Er war wie Beckmann aus Deutschland in die Neue Welt gekommen. Judith begleitete ihn wie einst Quappi den großen Maler.

Später schlenderte Moische westwärts zum Broadway. Allenthalben wurde gebaut und renoviert. Zu beiden Seiten der Straße strömten Passanten über die breiten, betonierten amerikanischen Bürgersteige. Moische kehrte aus alter Gewohnheit in »seinem« Kosher Deli ein. In New York wohnten zwei Millionen Juden. Das Jüdische war, anders als in München und Berlin, ein lebendiger Teil der Stadt. Moische bestellte sich eine Hühnersuppe. Danach verzehrte er einen Hühnerschlegel mit Reis und süßen Karotten. Es schmeckte wie bei Hanna. Nach dem Essen rief er im *Waldorf* an. Er hörte Judiths Stimme vom Anrufbeantworter. Sie war unterwegs. Moische trat auf die Straße. Aus dem nicht abreißenden Verkehrsstrom fischte er sich ein kotzgelbes Cab.

In Williamsburg war die Zeit scheinbar stehengeblieben. Allein die Skyline Manhattans und der Verkehrslärm der nahen Schnellstraße 278 störten die Beschaulichkeit des Schtetl. Die kleinen Geschäfte mit den vernachlässigten Auslagen, die jiddischen Ladenschilder in hebräischen Lettern, vor allem aber die Menschen erhielten ein Judentum am Leben, das in Ost- und Mitteleuropa von den Nazis ausgerottet worden war. Frauen kleideten sich in knöchellange Kleider und Mädchenbeine steckten in dunklen Stoffstrümpfen, die keine Gedanken an Lust aufkommen ließen. Dem gleichen Zweck dienten die Perücken und Kopftücher, die alle verheirateten Frauen trugen. Denn der Talmud erklärte das Haar zum schönsten Schmuck des Weibes, kein fremder Mann sollte sich daran erfreuen und auf »sündige Gedanken« kommen. Die Frauen wurden von Kindern begleitet, sie waren fruchtbar und mehrten sich, wie das Gebot es befahl. Und sie fühlten sich dabei offensichtlich wohl. Nirgends sonst in New York sah man so offene und gelöste Gesichter. Die Mütter nahmen sich Zeit für ihre Kinder und für einen Schwatz mit Freundinnen und Ladenbesitzern.

Die Männer dagegen waren emsig. Sie hatten lange Bärte und trugen dunkle Hüte und Kaftane. Sie eilten ihres Weges in die zahlreichen Betstuben, die Jeschiwot, oder in ihre Geschäfte. Der rasche Gang war gleichsam religiöses Gebot: »Der Gerechte vergeudet keine Zeit.«

Williamsburg war das Zentrum der Satmarer Chassidim. Ihre Gemeinde war ultraorthodox. Allein das Wort der Schrift und ihre Interpretation im Talmud zählte. Die Satmarer lehnten den weltlichen Staat Israel als Blasphemie ab. Nur der Herr war befugt, einen Judenstaat zu errichten, das himmlische Jerusalem.

Die Satmarer Gemeinde war im Ungarn des 18. Jahrhunderts entstanden. Ihr letztes bedeutendes Oberhaupt war Rabbi Joel Teitelbaum. Der Rabbi geriet nach dem Einmarsch der Wehrmacht in Ungarn 1944 in die Hände der SS. Adolf Eichmann versuchte damals, die Alliierten zu einem Blutgeschäft zu erpressen. Über den ungarischen Judenrat bot er die Freilassung von 600 000 ungarischen Juden im Gegenzug für die Lieferung von 10 000 Lastwagen an.

Um seine Glaubwürdigkeit zu unterstreichen, ließ Eichmann 1350 prominente Juden, darunter Rabbi Teitelbaum frei. Doch die Alliierten nahmen die Vernichtung der ungarischen Juden in Kauf. In wenigen Monaten wurden mehr als eine halbe Million ungarischer Juden ermordet.

Noch während des Krieges gelangte Rabbi Teitelbaum nach

New York. Mit starker Hand und souveränem talmudischem Wissen leitete er das weltliche und religiöse Leben seiner Gemeinde in Williamsburg. Teitelbaums Talmudinterpretation blieb auch nach seinem Ableben für die Satmarer unumstößlich.

Moische kehrte in eine Backstube ein. Er roch frischen Teig und Gewürze. Der Bäcker war ein großer, kräftiger Bursche. Er mochte Anfang zwanzig sein. Auf seinen kurzgeschnittenen rötlichen Haaren thronte eine Kippa. Er sah Moische aus klaren, blauen Augen an und erkundigte sich in breitem Jiddisch nach seinen Wünschen. Moische antwortete in einem deutsch-jiddischen Kauderwelsch. Der Bäcker begriff, daß sein Kunde aus Deutschland kam und befragte ihn sogleich, ob »die nejen Nazis – verflucht sei ihr Name – hob'n a rejalistische Gelejgenheit, wieder zu mach'n die Dejtschn meschugge« und ob »die Jidn in Dejtschland nicht Mojre hobn, derhargenet zu werden«. Moische verneinte. Der Bäcker wiegte skeptisch den Kopf, kraulte seinen Bart und fragte seinen Kunden schließlich, wie »Jidn kenen lejbn in dem Land vun Hitler und seine Rozeichim?«

»Ich weiß auch nicht!« schrie Moische und stürzte aus dem Laden. Der Bäcker rannte hinterher. Er entschuldigte sich, bat Moische wieder in seinen Laden und nötigte ihn, sich eine Tüte gebackener Mohn- und Schokoladenplätzchen auszusuchen. Als Moische zahlen wollte, weigerte sich der Bäcker. Er leistete süße Wiedergutmachung, um sein schlechtes jüdisches Gewissen zu besänftigen.

Ließen Hitler und die Seinen sich nicht einmal in God's Own Country abschütteln? Kein deutscher Jude konnte ihnen entkommen. Selbst wenn er nach New York oder nach Jerusalem floh.

Am nächsten Morgen, noch vor dem Frühstück, schlich Moische sich aus der Suite. Er überquerte die Madison Avenue und lief auf der Fifth Avenue zehn Straßenblocks nordwärts. Vor ihm lag, eingebettet in die Häuserkulisse, das grüne Geviert des Central Park. Der Garten schlief noch. Tau lag auf Gras und Büschen. Moische zurrte die Schnürsenkel fest und lief mit stampfenden kurzen Schritten los. Am Zoo überquerte er die südliche Transversalstraße. Nach Luft hechelnd, passierte er nördlich der gläsernen Rückfront des *Metropolitan Museum* die dritte Straßentransversale. Von da waren es nur noch wenige Schritte zum Wasserreservoir. Moische mußte sich erschöpft am Schutzgitter festhalten. Er atmete keuchend. Als er wieder zu Luft gekommen war, umrundete er den See. Der Eastern Drive verlief parallel zur Museumsmeile. In Höhe der 92. Straße erspähte Moische die Fin-de-Siècle-Fassade des *Jewish Museum*.

Moische verspürte Lust, über das jüdische New York zu schreiben. Über die Chassidim in Williamsburg und die smarten jüdischen Geschäftsleute in der City. Er wollte erzählen von Woody Allen, der Manhattan und den Witz der New Yorker Intellektuellen in seinen Filmen verewigte. Auch Philip Roth, Dustin Hoffman, Steven Spielberg und Leonard Bernstein entstammten dem städtischen jüdischen Kleinbürgertum. Sie waren von ihren ehrgeizigen, bildungsbeflissenen Eltern auf Höchstleistungen getrimmt worden: »Du mußt immer besser sein als die Gojim, um weiterzukommen!« Moische wollte über jüdische Maler wie Roy Lichtenstein schreiben, über Modemacher wie Calvin Klein und Ralph Lauren. Er würde von den Kosmetikqueens Helena Rubinstein und Estée Lauder erzählen, von den Kunstmäzenen der Familie Guggenheim, den jüdischen Bankdynastien Schiff und Seligman, die die Santa-Fé-Bahn finanziert hatten. Moische wollte seinen Lesern Michael Milken vorstellen, der in den siebziger Jahren die Junk Bonds kreiert hatte. Risikokapital, mit dessen Hilfe kostspielige Hollywoodproduktionen ebenso ermöglicht wurden wie der Aufbau von Softwarefirmen im kalifornischen Silicon Valley und von Werbeagenturen in New York. Später wurde Milken wegen Finanzmanipulationen und Insidergeschäften ins Gefängnis geworfen. Dort entdeckte man bei ihm ein inoperables Krebsleiden. Er blieb unverzagt. Nach seiner Freilassung galt Milken als höchstdotierter Finanzberater der Welt und großzügiger Mäzen. Milken spendete Millionenbeträge für jüdische Bedürftige und Religionseinrichtungen. Der Bursche will mit Gott ins Geschäft kommen, ahnte Moische, während er im verhaltenen Trab durch den baumbewachsenen Park am Nordufer des Reservoirs lief. Reiche Juden interessierten die Leser mehr als schlaue. Michael Milken war kurzweiliger als Arthur Miller. Moische riß sich die verschwitzte Joggingjacke vom Leib, band sie um seine Taille.

Reiche Juden waren gut, aber nicht gut genug! Moische schrieb für Deutsche. Seine Leser wollten gestreichelt werden. Ich werde über das jüdische New York schreiben und über das deutsche – und über das schwarze! Die Deutschen wollten über sich lesen, über ihre Opfer und gelegentlich über den wilden schwarzen Mann. Moische lief quer über den Park zur Fifth Avenue und hielt ein Taxi an.

Judith war schon wieder unterwegs. Auf dem Spiegel des Badezimmers hatte sie mit Lippenstift einen Liebesgruß mit ihrem Kußmund signiert. Moische drückte seine Lippen ans Glas. Es war nicht kälter als Judiths Mund. Er flüchtete unter die Dusche.

Im Frühstücksraum brütete der Autor über seiner Serie. Was sollte er über das deutsche New York schreiben? Seine Leser sollten Lust bekommen, nach New York zu reisen. Welche Leckerbissen sollte er ihnen vorsetzen?

Der Hoteldirektor erschien an Moisches Tisch. Er erkundigte sich nach seinem Befinden. Der Akzent des untersetzten vierzigjährigen Mannes war Moische vertraut. Der Manager stellte sich vor: »Mein Name ist Allon Ben Gurion.« Der Hotelchef war ein Enkel von Israels Staatsgründer David Ben Gurion. Moische kam das bekannteste deutsche Ben Gurion-Foto in den Sinn. Der Fotograf Sven Simon hatte den alten Staatsmann beim Wüstenspaziergang mit seinem Enkel abgelichtet. David Ben Gurion war längst tot. Sven Simon hatte sich das Leben genommen. Und Ben Gurions Enkel arbeitete als Leiter des *Waldorf Astoria*, in dem sein Großvater 1960 mit Konrad Adenauer über deutsche Waffenlieferungen nach Israel verhandelt hatte.

»Was würde Ihr Großvater sagen, wenn er wüßte, daß Sie in Amerika leben und arbeiten?« fragte Moische.

»Was hast du dort verloren? Kehr heim nach Israel!« erwiderte Ben Gurion. Doch der Enkel des israelischen Staatsgründers dachte nicht daran. Sein Gelobtes Land war nicht Zion, sondern Amerika.

Moische ging wieder in die Suite und begann, seine New York-Serie zu konzipieren. Später wollte er in die Bronx, um mehr über die Schwarzen zu erfahren. Moische hatte in Deutschland Gil Aliceas *The air down here* gelesen. Das Buch war ein Sammelsurium von Geschichten eines 13jährigen puertoricanischen Buben aus der Südbronx. Drogen und Mord waren dort an der Tagesordnung. »Einmal sind Leute reingekommen. Sie haben die Familie über uns gekillt. Das Blut ist an der Wand runtergeflossen«, erzählte Gil.

Judith verbot Moische, in die Bronx zu fahren. Sie hatte Moische nicht mit nach New York genommen, um ihn von Schwarzen killen zu lassen. Judith war hier, um die Zukunft zu sichern. Durch Geld und Immobilien in Amerika – Judith traute den Deutschen nicht – und indem sie die Karriere ihres zukünftigen Mannes regelte. Als zweiter Stellvertreter des Chefredakteurs war Moische weniger wert als ein Synagogendiener.

Über ihren amerikanischen Anwalt nahm Judith Kontakt zum Management von *Media Star* auf, der Firma, der *Germany Today* gehörte. Der Konzern hatte seine Zentrale im *Rockefeller Center*. Für den Abend war Judith mit Richard Carter zum Dinner verabredet. Sie war entschlossen, den Europachef von *Media Star* zu überzeugen, daß *Germany Today* auf dem deutschen Markt nur bestehen konnte, wenn Moische die Zeitung leitete. Carter wollte Judith kurzfristig keinen Termin einräumen. Doch die Geschäftsfrau wußte dem Manager

Beine zu machen. Judith gab sich als Sprecherin deutscher Geschäftsleute aus, die im internationalen Medienbereich »eine Investition im dreistelligen Millionenbereich anstreben«. Daraufhin lud Carter sie für den selben Abend ins *San Domenico* ein.

Carters rasches Umschwenken hatte Judith zunächst geschmeichelt. Dennoch blieb sie auf der Hut. Der Manager wollte sie sehen, weil er Geld brauchte – offenbar dringend, denn die Medienkonzerne fraßen sich gegenseitig auf. Judith dachte nicht daran, ihr Geld in eine derartig unsolide Branche zu stecken. Sie mußte den Goj hinhalten und versuchen, Moische derweil als Chefredakteur zu etablieren. Carter würde genau umgekehrt taktieren: erst das Geld, dann Moisches Personalpromotion. War es da klug, den Freund zu der Besprechung mitzunehmen? Sie konnte Moisches Interessen besser vertreten als er selbst. Nach einigem Zögern entschloß sich Judith, Moische dennoch zum Dinner mitzunehmen. Wenn sie Carter schon kein Geld vorweisen konnte, dann wenigstens einen potentiellen Chefredakteur.

Doch sie wollte Moisches Schicksal und damit auch ihre Zukunft nicht allein in die Hände von Carter legen. Bei Geschäften darf man sich nie in die Gewalt eines einzigen Partners begeben – »Du mußt immer ein zweites Seil spannen!« hatte ihr unseliger Vater sie ermahnt. Welches zweite Seil, war die Frage.

»Bei dem Trust geschieht nur, was Ron Manly befiehlt«, wußte ihr Anwalt.

»Ich muß mit ihm reden!« forderte Judith.

Der Advokat lächelte sie freundlich an. »Wenn Sie eine Bankbürgschaft über eine Milliarde Dollar vorweisen, ist er in zehn Minuten für Sie zu sprechen. Sonst nicht.«

Doch Judith gab nicht auf. Sie beschwatzte und beschimpfte den Anwalt so lange, bis er ihr die Durchwahlnummer von Manlys Stabschef, Tom Jason aushändigte.

»Sie haben eine Minute Zeit, um ihr Anliegen vorzubringen«, kam es aus dem Hörer.

»Sie sollen Moische Bernstein zum Chefredakteur von *Germany Today* machen …«

»Warum?«

»Weil die Leute die Zeitung nur kaufen, um seine Artikel zu lesen.«

Jason ließ sich Moisches Namen buchstabieren. »Ich werde das überprüfen lassen. Danke.« Das Telefon wurde aufgelegt. Judith zitterte. In diesem Ton hatte bisher nur ein Mann mit ihr geredet: ihr Vater.

Tom Jason ließ sich sogleich mit dem Verlagsleiter von *Germany Today* in Berlin verbinden. Er verlangte von Kenneth Burns eine verbindliche Analyse des Einflusses von Moische Bernsteins Artikeln auf die Auflage. Der Verlagsleiter sagte zu, die Denkschrift am nächsten Tag erstellen zu lassen.

»Ich erwarte Ihr Papier heute. Innerhalb von vier Stunden«, befahl der New Yorker.

»Das ist unmöglich. Es ist in Deutschland bereits sechs Uhr abends. Kein Mensch ist mehr im Büro ...«

Jason ließ sich nicht beirren: »Sie werden mir die Analyse über Bernstein zur vereinbarten Zeit zuschicken. Sonst müssen Sie sich ein neues Büro suchen.« Burns alarmierte seinen Personalchef samt Assistent und Sekretärin.

Das *San Domenico* am Central Park South war eines der exklusivsten Lokale Manhattans. Hier gaben sich bei edlem norditalienischen Essen Medienmanager, Verleger und Immobilienhändler ein Stelldichein.

Judith und Moische erschienen kurz vor acht Uhr. Richard Carter war noch nicht da. Moische war aufgeregt. Natürlich träumte er gelegentlich davon, Chefredakteur zu werden – das tat jeder Journalist. Doch im Moment war er in seine New York-Serie versunken. Judith stieß ihn in die Wirklichkeit zurück. Um Moische zu entspannen, führte sie ihn an die kleine Bar rechts vom Eingang. Einige gutgekleidete Männer saßen auf breiten Lederhockern. Während sie ihren Drinks zusprachen, unterhielten sie sich lachend. Judith bestellte Moische einen Kamillentee und sich selbst einen Sherry Medium.

Pünktlich um acht erschien Richard Carter. Der Enddreißiger sah so aus, wie Moische sich einen amerikanischen Manager vorstellte. Carter war blond, hochgewachsen, seine Figur war sportlich trainiert. An seinem Finger klebte ein protziger amerikanischer Universitätsring mit blauem Stein. Carter betrachtete das Paar aus grauverschleierten Augen.

Ein Goj, ein WASP, dachte Moische, während ein Kellner sie einige Stufen herab ins Restaurant führte. Judith bestellte Dorate alla griglia mit diversen Gemüsen, Carter orderte Gnocchi mit Trüffeln und anschließend Lammrücken in Marsala. Moische hatte wenig Appetit. Er wünschte sich Spaghetti alla Bolognese. Doch dieses gewöhnliche Gericht bereiteten die arroganten Köche im *San Domenico* nicht zu. So erbat Judith für ihn Fettucine frutti di mare. Moische haßte Muscheln und ekelte sich vor Tintenfischen, aber es war ihm peinlich, in Gegenwart des Managers und der arroganten Kellner Judith zu widersprechen.

Carter zersäbelte sein Lamm und schob einen Bissen nach dem anderen mechanisch in den Mund. Moische würdigte er kaum eines Blickes. Der Manager interessierte sich lediglich für Judith. Er zog sie mit seinen Blicken aus. Judith fühlte sich geschmeichelt. Moische hätte dem geilen Goj am liebsten in die Eier getreten. Aber er fühlte sich Richard, den Judith bald schon kokett Dick nannte, hoffnungslos unterlegen.

Nachdem der Amerikaner zügig eine halbe Flasche Barolo geleert hatte, röteten sich seine Wangen, seine Augen traten leicht aus ihren Höhlen. Carter beugte sich zu Judith, die zwischen den Männern saß: »Mit wieviel wollen Sie und Ihre Partner bei uns einsteigen, Mrs. Zucker?«

»Das habe ich Ihnen bereits angedeutet, Dick.«

»Bis zu einer Milliarde Mark oder Dollar?«

Moische schoß das Blut zu Kopf. Reichtum bedeutete für ihn einige Millionen. Milliarden, die die Amerikaner Billionen nannten, waren ihm eine unvorstellbare Dimension.

Judith lächelte fein. Die Gutgläubigkeit der Männer amüsierte sie. Bei Moische hatte sie damit gerechnet. Daß der amerikanische Manager, von der Gier nach lukrativen Geschäften getrieben, derartig naiv reagierte, erhöhte ihren Spaß.

Carter vollführte einen plumpen Eiertanz. Er buhlte um Judiths Wohlwollen als Frau und potentielle Geschäftspartnerin und versuchte gleichzeitig, ihre Investitionsbereitschaft auszuloten. Judith begriff, daß Carter sich offenbar nur am Rande mit Finanzen beschäftigte. So fiel es ihr leicht, mit ihm Katz und Maus zu spielen, ehe sie zubiß: »Meine, das heißt unsere Investitionsbereitschaft bei *Media Star* ist an eine Bedingung gebunden. Wir wollen einen tüchtigen Chefredakteur in Deutschland. Wir haben uns für Herrn Bernstein entschieden. Er ist ein begnadeter Journalist.« Carter war froh, daß das Gespräch endlich auf ein Feld kam, von dem er Ahnung zu haben glaubte, das Zeitungsmachen. Außerdem lag ihm daran, Judith zu imponieren. Er wandte sich langsam Moische zu und starrte ihn so lange an, bis dieser den Blick senkte. Der Manager lehnte sich zurück und blickte wieder zu Judith.

»Sorry, Mrs. Zucker. In dem Punkt haben wir einen Dissens. Ich habe mir Mr. Bernsteins Unterlagen genau angesehen. Das ist unmöglich. Mr. Bernstein hat zu wenig Berufspraxis.«

»Aber er ist ein genialer Schreiber.«

Carter fixierte wiederum den Autor. »Wie lange machen Sie Ihren Job, Moische?«

Der Goj nennt mich Moische! Er will mich vor Judith fertigmachen! »Ich bin seit zwanzig Jahren Journalist«, hörte Moische seine heisere Stimme.

»Journalist ist nix. Das ist jeder. Wie lange machen Sie Ihren jetzigen Job?«

Moische fühlte seinen Schädel platzen. Er zwang sich zur Antwort. »Seit einer Woche.«

»Eben!« Carter schlug Moische gewollt leger auf den Rücken. »Das ist zu wenig. Selbst für ein so rasantes Unternehmen wie *Media Star*.«

»Wir denken aber, daß Moische …« – Warum nannte ihn auch Judith jetzt Moische?! – »… der richtige Boss für *Germany Today* ist«, beharrte sie.

»Vielleicht ... mit der Zeit. Wenn er mehr Erfahrung gesammelt hat.« Carter fletschte grinsend seine Zähne. »Im Moment, auf absehbare Zeit, können wir unsere Zeitung keinem Mann anvertrauen, der nicht weiß, wie man ein Blatt führen muß.«

Judith insistierte. Aber Carter blieb bei aller Liebenswürdigkeit in diesem Punkt hartnäckig. »No way for Moische, sorry.« Er versprach jedoch, Moische im Auge zu behalten. Carter sah Judith vielsagend an: »Wenn Sie sich so für ihn einsetzen, dann muß er etwas können.«

Moische ballte ohnmächtig die Fäuste. Derweil lud der Manager Judith für den kommenden Tag zum Lunch ein, um mit ihr »detailliert über Ihr Vorhaben zu verhandeln«.

Tom Jason las den Bericht aus Berlin sehr sorgfältig. Unmittelbar danach vereinbarte er mit Ron Manly für neun Uhr abends eine Dringlichkeitssitzung.

Ron Manlys zweihundertfünfzig-Quadratmeter-Büro im 42. Stock des Radio City Buildings lag teilweise im Dunkeln. Lediglich die Sitzgruppe um den kleinen Konferenztisch in der Nordostecke war beleuchtet. Aus der Fensterfront sah man auf das Häusermeer Manhattans, das von den Leuchtspuren der Nord-Süd-Transversale durchzogen wurde. Zwischen den leuchtenden Bändern der 5. und 8. Avenue lag der dunkle Teppich des Central Park, in dem nur einzelne Lichter glitzerten.

Die Männer am Tisch kümmerten sich nicht um den Ausblick auf das nächtliche New York. Auf der polierten Tischplatte vor ihnen lagen drei Papiere. Der Bericht des deutschen *Media Star*-Repräsentanten Kenneth Burns, eine Zahlenübersicht über die Auflagenentwicklung und die Bilanzen von *Germany Today*, die der Finanzchef Victor Cerutti zusammengestellt hatte, sowie die Analyse von Tom Jason.

»Dick Carter und Ken Burns sind unfähig«, leitete Jason die Sitzung ein. »*Germany Today* wäre längst abgesoffen, wenn wir ihnen nicht ständig unsere guten Dollars in den Arsch schieben würden ...«

»Wieviel?« begehrte Ron Manly zu wissen. Der schlanke Neuseeländer steckte in einem grauen Konfektionsanzug. Er fischte seine schlichte Lesebrille aus seiner Jackettasche und schob sie über seine gewaltige Nase. Auf den ersten Blick vermittelte Manly den Eindruck eines rührigen Lagerverwalters. Doch wer näher mit ihm zu tun hatte, begriff schnell, wie es dem Erben eines unbedeutenden Lokalblattes aus der neuseeländischen Provinz gelungen war, innerhalb weniger Jahre zum mächtigsten Medientycoon der Welt aufzusteigen. Manly hatte einen nüchternen Verstand und ein robustes Selbstvertrauen. Der Verleger begriff sogleich den Kern der meisten Probleme. Er war besessen von seiner Arbeit. Manly besaß die Fähigkeit, die passenden Mitarbeiter für seine diversen Projekte zu gewinnen, sie zu motivieren und gleichzeitig gegeneinander auszuspielen. Wenn jemand in seinen Augen versagte, kannte er keine Skrupel.

Victor Cerutti ergriff sein Papier. Der untersetzte Enkel italienischer Einwanderer kannte jede Zahl auswendig, die über seinen Tisch lief. »Wir haben das Blatt mit siebzig Millionen Dollar angeschoben und schießen seither zwischen siebenkommafünf und acht Millionen monatlich zu.«

Cerutti schob Manly eine Ertragsgraphik zu. Der Verleger warf einen Blick auf die konstante Verlustlinie. »Shit. Ich will Geld in Deutschland machen. Nicht hundert Millionen jährlich hineinpumpen.«

Tom Jason legte Manly und Cerutti jetzt ein farbiges Schaubild vor. Es wies wilde Zacken auf. Jason referierte: »Am bemerkenswertesten bei dem Blatt ist die Auflagenentwicklung. Von den ersten Reklametagen abgesehen, krebst die Auflage um die 450 000 herum ... «

Ehe Manly fragen konnte, gab ihm sein Stabschef bereits die Antwort »... erst ab deutlich über eine halbe Million beginnen wir, vor allem wegen der dann günstigeren Werbeeinnahmen, den Minusbereich zu verlassen. Stabile Gewinne können wir nur erzielen, wenn es uns gelingt, die Auflage konstant über 600 000 Exemplare zu halten.«

»Ist das zu schaffen? Wenn ja, wie lange brauchen wir voraussichtlich dazu?« ließ Manly sich vernehmen.

»Mit dem jetzigen Chefredakteur überhaupt nicht. Dieser Wimmer ist ein Großmaul und Nichtskönner.«

»Warum läßt Ken Burns ihn weitermachen?« wollte der Verleger wissen.

»Weil er ein fauler Hund ist und kaum deutsch spricht.«

»Und wo steckt Dick Carter?« hakte Manly nach.

»Keine Ahnung! Seiner Sekretärin hat er was von einem furchtbar wichtigen Arbeitsessen erzählt und ist abgedüst.«

»Ruf den Burschen sofort her!« befahl der Chef.

»Unmöglich! Bob hat nicht hinterlassen, wo er so furchtbar wichtig futtert. Sicherheitshalber hat er auch sein Handy ausgeschaltet.«

»Ich will den Burschen morgen sehen«, bestimmte Manly.

Tom Jason hielt den Moment für gekommen, seine Unentbehrlichkeit unter Beweis zu stellen. »Wir können unser deutsches Zeitungsproblem hier in wenigen Minuten erledigen.« Jason kostete den seltenen Moment aus, seinen Chef verdutzt zu sehen. »Wenn Sie so freundlich wären, meine Graphik eingehend anzusehen, finden Sie die Lösung. Die blaue Linie zeigt die gewöhnliche Auflage um 450 000. Die roten Spitzen bis zu einer dreiviertel Million haben eine einzige Ursache. Da hat ein bestimmter Autor geschrieben, ein gewisser Moische Bernstein.«

»Ein Jude!« entfuhr es Cerutti.

»Er bringt als einziger Leser!« erwiderte Jason.

»Hast du das genau überprüft, Tom?« Manly fragte mit Nachdruck.

»Ja!«

»Welche Funktion hat der Mann im Blatt?«

»Zunächst war er gewöhnlicher Schreiber. Vor kurzem haben sie ihn zum Stellvertreter des Stellvertreters gemacht und wollen ihn als Sonderkorrespondenten verwursten.«

»Was schlägst du vor?«

»Daß wir uns diesen Bernstein sofort ansehen. Ich könnte mir vorstellen, daß der Bursche was taugt.«

»Ich auch«, bestätigte Manly.

Während der Taxifahrt hatte Moische kein Wort mit Judith gewechselt. Sie nahm es hin. Eifersucht ist männlich. Als er im Hotelzimmer weiter miese Laune verbreitete, wurde Judith ungehalten. »Ich bin nicht dein Haremsweib. Wenn es dir nicht paßt, daß ich auch mit Männern Geschäfte mache, mußt du dir eine andere suchen!«

»Nein!« Moische entschuldigte sich. Wofür, wußte er selbst nicht genau. Aber er war entschlossen, alles zu tun, die Geliebte nicht zu verlieren. Seine Eifersucht erklärte er wie jeder Heuchler mit »Liebe«. Judith ließ es dabei bewenden. Sie hatte Moische gezeigt, wer das Sagen hatte. Überdies würde sie sich morgen mit Dick treffen. Ein Goj. Aber ein attraktiver Mann.

Das Telefon klingelte. Eine Sekretärin von *Media Star* rief an und verlangte Judith Zucker zu sprechen. Moische reichte ihr den Hörer. Carter ließ nicht locker. Moisches Eifersucht flammte erneut auf. Er sah, wie Judith bereitwillig ein ums andere Mal »yes, sure, no problem« ins Telefon hauchte. Schließlich sagte sie zu, »morgen pünktlich bei Ihnen zu sein« und legte auf.

Judith fiel dem verdrossenen Geliebten um den Hals. »Ich hab's geschafft, Moischale! Ich werde morgen um sieben zum Frühstück von deinem obersten Boss empfangen. Und du kommst mit.«

Carter wollte sich doch alleine mit seiner Judith treffen! Nun sollte er dabei sein. Wollte der Goj ihn noch tiefer demütigen?

Judith beruhigte Moische. Sie habe sich hinter dem Rücken des einfältigen Carter direkt mit dem Büro des obersten Chefs kurzgeschlossen. Moische bereute seine kleinmütige Eifersucht und versprach, sich »fortan wie ein erwachsener Mensch zu benehmen«. Judith war amüsiert. Derartige Gelöbnisse war sie von ihrem Sohn Gabi gewohnt. Sie umarmte Moische routiniert und ließ sich von ihm lieben.

Moische erwachte mit einem schlechten Gefühl. Er befürchtete eine Intrige. Männer wie Georg Wimmer und Richard Carter ließen sich nicht einfach umgehen.

Judith hatte ihr elegantestes Kostüm gewählt. Entgegen ihrer Gewohnheit hatte sie sogar ein zartes Make-up aufgetragen. Sie sah Moische strahlend an und drückte seine naßkalte Hand. »Bald sind wir am Ziel, Moischale«, meinte sie.

Fünf Minuten vor sieben Uhr betrat Tom Jason sein Büro. Er begrüßte die Besucher. »Mr. Manly erwartet Sie zum Frühstück«, erklärte der Stabschef. Jason trat auf Judith zu. Er sprach, ohne seine Stimme zu heben: »Mr. Manly möchte sich allein mit Mr. Bernstein unterhalten. Ich muß Sie daher bitten, in meinem Büro zu warten. Meine Sekretärin bringt Ihnen eine Tasse Kaffee.« Jason blickte Judith direkt in die Augen. Er begleitete Moische in Manlys Büro. Der Goj drehte sich nicht einmal nach ihr um. Judith haßte Jason.

Ronald Manly blickte Moische kurz, aber eingehend an, ehe er mit ausgestreckter Hand auf seinen Gast zukam. Manly war gut einen halben Kopf größer als der Journalist. Moische fürchtete sich vor einem Schraubstockgriff. Doch der Verleger drückte ihm nur flüchtig die Hand und wies mit knapper Geste zum Ecktisch, wo ein livrierter Kellner ein amerikanisches Frühstück mit Rühreiern und Speck servierte. Moische setzte sich Manly gegenüber, Jason nahm seitlich zwischen ihnen Platz. Moische sah auf den Central Park. Er wollte dort wie gestern joggen. Statt dessen hatte ihn Judith zu diesem Machtmenschen geschleppt, dessen Bürochef genug Einfluß besaß, sie wie ein Dienstmädchen abzufertigen. Was hatte der Boss der Bosse mit ihm vor?

»Mr. Bernstein, wie erklären Sie sich, daß Ihre Artikel die Auflage von *Germany Today* hochpuschen?«

Der schwarze Kellner schenkte den Männern ungefragt Kaffee ein. Moische suchte Schutz hinter seiner bewährten Verteidigungsstellung: »Ich schreibe die Wahrheit.«

»Was heißt Wahrheit?«

Der Mann ließ sich nicht mit Gequassel abspeisen. Moische dachte konzentriert nach. »Ich fühle und schreibe, was die Leser interessiert.«

»Den Eindruck habe ich auch.« Manly sah Moische unverwandt an. »Trauen Sie sich zu, *Germany Today* so zu führen, daß die Leser, die bisher Ihre Artikel gelesen haben, meine Zeitung täglich kaufen?«

»Ja.«

Manly ließ den Journalisten nicht aus den Augen. »Tagtäglich!? Da genügt es nicht, interessante Artikel zu schreiben. Sie werden ununterbrochen Themen finden müssen, nach denen die Leser gieren und Schreiber, die sie verfassen können, denn als Chef werden Sie keine Zeit haben, dauernd Artikel zu schreiben.«

»Ich weiß.«

»Sie haben keine Erfahrung im Führen einer Zeitung.«

Es wäre dumm, zu versuchen, Manly mit seiner Zeit als Chef der Studentenzeitung imponieren zu wollen, überlegte Moische. »Das stimmt, Mr. Manly. Aber ich besitze genügend Phantasie und habe den festen Willen und das Selbstvertrauen, Ihre Zeitung zum Erfolg zu führen.«

»Sie können reden. Sicher können Sie auch so schreiben. Sie haben mich überzeugt. Jetzt müssen Sie die deutschen Leser überzeugen.«

»Das werde ich tun.«

Manly erhob sich, Moische und Jason folgten ihm. Der Verleger reichte Moische die Hand – nicht länger und herzlicher als zuvor. »Good luck«, meinte er. Manly sah von Moische zu Jason. »Ich will Ihnen helfen, Erfolg zu haben, Moses.« Moisches Herz galoppierte. Der mächtigste Medienmensch der Welt amerikanisierte seinen Vornamen, er nahm ihn in seine Mischpoche auf. Moische hatte noch nicht begriffen, daß Männer wie Ronald Manly ihre Positionen erreichen, weil sie unabhängig von Familie, Freunden und Vertrauten sind. »Deshalb gebe ich Ihnen meinen besten Mann mit. Tom Jason wird als mein Europachef bei Ihnen in Berlin sitzen. Er wird Sie unterstützen, beraten und auf Sie aufpassen. O.K., Tom?« Manly ging einen Schritt auf Jason zu. »Heute noch mistest du den Stall aus. Ich will Carter und Burns nicht mehr sehen. Morgen fliegt ihr zusammen nach Berlin.«

Manly streckte beide Hände aus. Tom Jason und Moische Bernstein drückten ihrem Patron die Hand. »Macht's gut, boys. Vor allem gute Dollars.«

Auf der Straße fiel Moische Judith um den Hals. »Ich bin Chefredakteur«, verkündete er.

»Das hast du mir zu verdanken.«

Moische sah Judith an. Er wollte nicht antworten.

13
Chefredakteur

Moisches Traum war wahr geworden. Er war Chefredakteur.
Sein Name stand im Impressum an erster Stelle. Doch er hatte
Angst. Er hatte erlebt, wie unverhofft und gnadenlos Georg
Wimmer und Knut Reydt davongejagt worden waren.

Moische fürchtete so sehr, seine Macht zu verlieren, daß er
vorerst nicht wagte, sie zu gebrauchen. Natürlich konnte er in
die Redaktionskonferenz stürmen, den Idioten die Meinung
sagen und ein halbes Dutzend Redakteure feuern. Aber damit
würde er die Thorarolle fortwerfen, aus der er lesen mußte.
Mit einem Schlag würde er sich in der Redaktion verhaßt machen. Verhaßter, als er ohnehin schon war. Sie hassen mich,
weil ich Jude bin, glaubte er. Vor einer Woche war ich einer von
ihnen. Jetzt bin ich ihr Chef. Wäre ich ein Goj, müßten sie's
hinnehmen. Aber ich bin Jude. Wenn ich Erfolg habe, glauben
sie nicht, daß ich klüger bin als sie, sondern daß irgendeine fin-
stere Macht mich an ihnen vorbeiziehen läßt. Die Weisen von
Zion! Ich darf mir nicht den kleinsten Fehler erlauben, sonst
fallen sie über mich her und massakrieren mich wie ihre Vorfahren es mit Jud Süß getan haben oder ihre Eltern mit meiner
Mischpoche in Auschwitz.

Neben seiner Antisemitismus-Paranoia hatte Moische auch
einen realen Grund, vor der Macht zurückzuschrecken: Tom
Jason. Manlys Zerberus kontrollierte ihn unerbittlich. Er war
auf das Wohlwollen des unnahbaren Amerikaners ebenso angewiesen wie auf sein Geld. Moische wußte, daß ohne neue Investitionen für fähige Redakteure, Schreiber, Kolumnisten und
viel Geld für Werbung seine Zeitung untergehen würde.

Moisches Kräfteparallelogramm aus Angst, Verfolgungswahn
und nüchterner Überlegung war eine Voraussetzung für seinen

erfolgreichen Einstieg als Chefredakteur. Es hinderte ihn an übereilten Handlungen und zwang ihn, seine Schritte sorgfältig zu überlegen. Moische bat seinen Stellvertreter Ernst Diepholz, bis auf weiteres die Geschäfte zu führen. Er selbst ließ sich selten auf Redaktionskonferenzen und Ressortleiterbesprechungen sehen. War er anwesend, verfolgte er die Sitzung, ohne ein Wort von sich zu geben. Moische fiel es oft schwer, den Mund zu halten.

Schlagzeilen wie »Jumbo abgestürzt. Über 400 Tote« oder »Minister muß gehen« trieben Moische zur Weißglut. Jeder potentielle Leser wußte aus Rundfunk und Fernsehen bereits seit Stunden, daß das Flugzeug zerschmettert und der Politiker gefeuert war. Die Leute wollten wissen, warum die Mühle in Trümmern lag und der Minister zum Teufel gejagt worden war. Die Leser gierten nach exklusiven Informationen. Sie wollten Zeuge sein, wenn der Jumbo crashte und dabei sein, wenn der Minister bestochen wurde. Das kapierten seine Redaktionsdeppen nicht. Sie warteten darauf, daß ihnen die Exklusivmeldungen auf dem Silbertablett serviert wurden. Auf Spekulationen wollten sie sich nicht verlassen. Statt selbst zu recherchieren und ihre Phantasie spielen zu lassen, warteten sie auf harte Fakten. Sie kapierten nicht, daß sich die Leser einen feuchten Kehricht um die sogenannten Fakten scherten. Die Menschen hatten mehr Phantasie als seine Redakteure. Ein Flugzeugabsturz wegen eines defekten Triebwerkes interessierte zu Recht niemanden. Die Leser wollten echte Katastrophen, Verschwörungen, Wahnsinn. Raketen, die Flugzeuge vom Himmel holten, Terroristen, die sich in Fetzen sprengten, verrückte Piloten, die ihre Maschinen in den Boden bohrten, um sich an ihren betrügerischen Ehefrauen zu rächen. Warum gab man den Leuten nicht die Stories, nach denen sie lechzten, um vor der Eintönigkeit ihres Alltags zu fliehen? Geltungssüchtige, sogenannte Fachleute, Psychologen und paranoide Politiker, die danach drängten, ihre verworrenen Thesen unters Publikum zu streuen, gab's genug. Die Leser wollten nicht belogen werden, aber sie waren neugierig auf abstruse Spekulationen. Also hatte die Zeitung die Pflicht, diese Bedürfnisse zu erfüllen.

Die Schlaftablettenschlagzeilen führten direkt zum nächsten Schwachpunkt der Zeitung: der Faktenhuberei. Die Artikel lasen sich trocken wie die Wüste Negev. Ohne Oasen! Die wenigen Analysen waren so lebendig wie Mumien. Keine Phantasie! Keine Chuzpe! »Der Bürgerkrieg in Algerien wird nicht ohne Auswirkungen auf Europa bleiben!« beendete der Auslandschef seinen Kommentar. Moische hätte den Hohlkopf am liebsten augenblicklich gefeuert. Warum beschrieb der Idiot nicht, wie Millionen fanatisierter Moslems in Frankreich einfielen, dort die Republik ins Wanken brachten und sich anschließend nach Deutschland ergossen, wo sie sich mit Millionen aufgehetzter Türken und Hunderttausenden kriegs- lüsterner Bosnier vereinigten und einen Bürgerkrieg auf deutschem Boden anzettelten. Statt mit »Algerien am Abgrund« zu langweilen, mußten die Leser mit der Aussicht auf einen »Bürgerkrieg in Deutschland« geschreckt werden.

Die Innenpolitik agierte ebenso einfallslos. Die Schlagzeile »Regierung weiß nicht weiter« war auch ein treffender Titel für die Arbeit des Innenressorts. Die Leser wußten längst, daß die Regierung nicht weiter wußte. In *Germany Today* suchten sie vergebens nach einer Alternative oder gar nach Erbauung. Dabei lag der Titel und der entsprechende Artikel auf der Hand: »Droht der Staatsbankrott?« oder besser noch »Staatsbankrott!« Am besten gefiel Moische »Deutschland versinkt im Chaos!«. Ein aufrüttelnder Artikel, ergänzt durch ein freches Interview. Von den SPD-Häuptlingen war wenig Originelles zu erwarten. Das Trio Langeweile gebärdete sich staatsmännisch. Die potentiellen Kanzlerkandidaten droschen leeres Stroh, das man den Lesern nicht zumuten konnte. Wohl aus diesem Grund hatte *Germany Today* bereits Beiträge von den Ghostwritern der SPD-Gespenster abgedruckt. »Trio Langeweile« klang wirklich gut. Moische hatte die Idee, einen strammen Rechten oder grünen Alleinunterhalter zu einem gnadenlosen SPD-Verriß aufzufordern. Oder Gysi? Spitzel oder nicht!

Der Bursche war blitzgescheit. Kein Wunder: sein Vater war Jude. Ich denke wie ein Antisemit, schalt sich Moische. Na und? Zweitausend Jahre haben sie uns drangsaliert. Jetzt sind wir dran!

Der Chefredakteur konzentrierte sich wieder auf seine Arbeit. Seine Gysi-Idee gefiel ihm. Den laß' ich schreiben! Dem PDS-Kopf wird's gefallen. Die Leser werden sich ärgern. Aber schon am nächsten Tag sollte ein Wechselbad folgen: Ein unbarmherziger Gysi-Verriß. Durch einen Mann aus der Gauck-Behörde. Oder noch besser durch eine verhärmte Bürgerrechtlerin, die das kurze Gedächtnis der Menschen nicht verwinden konnte. Die Idealisten begriffen nicht, daß ein Bösewicht sexier ist als ein Tugendbold. Gysi ist amüsanter als Vera Wollenschläger – obgleich alle wissen, daß der Bursche nicht koscher ist. Trotz seiner jüdischen Ahnen.

Auch die Nazis faszinierten die Menschen mehr als ihre Opfer. Hitler war interessanter als Edith Stein. In jeder Kneipe wurde darüber gestritten, ob Nazis oder Kommis schlimmer waren – nur nicht in *Germany Today*. Moische würde dieser Abstinenz ein Ende bereiten. Hannah Arendts Totalitarismus-Theorie mußte auf 120 leserfreundliche Zeilen simplifiziert werden. Moische verspürte Lust, einen Kommentar zu verfassen: »Mißbrauchter Idealismus. Nazis und Kommunisten.« Das wird uns Aufmerksamkeit sichern. Nicht zuletzt wegen des ewigen Ossi-Wessi-Streits. In jeder Berliner S-Bahn zankten sich die Leute, wer der bessere Mensch war. Moisches Redaktion saß in der gleichen Stadt und nahm keine Notiz davon!

Kein *Germany Today*-Leitartikler fragte, ob die Wessis die Moral gepachtet hatten. Damit war Schluß. Moische wollte seine Leser reizen. Er wollte sie mit einem Kommentar zu einem Was-Wäre-Wenn-Ost-West-Spiel animieren. Angenommen, die Nazis hätten in Ostdeutschland regiert und im Westen die Kommis. Wo wären jetzt die »besseren Menschen« zuhause? Moische nahm sich vor, diese Frage mit einer großen Leseraktion zu verbinden.

Doch zunächst wollte der neue Chef seine Klientel kennenlernen. Er ließ sich vom Vertriebschef einen detaillierten Leserspiegel erstellen. Als Moische den Bericht gelesen hatte, wußte er nicht, ob er lachen oder weinen sollte. Georg Wimmer, den Moische zunächst bewundert und später gehaßt hatte, war ein Idiot. Ein Ignorant. Ein dummer Goj.

Der Chefredakteur ordnete umgehend eine Übersetzung des Vertriebsspiegels an, die noch am gleichen Tag dem Verlagsleiter zuging. Um neun Uhr abends eilte Moische in Jasons Büro.

»Mit der bisherigen Strategie kann *Germany Today* keinen Erfolg haben.« Moische sprach aufgeregt. »Wir hocken in Berlin und schreiben für die Provinz.«

»Was schlägst du vor, Mosch?«

Der Chefredakteur ließ sich seine Vorlesung nicht vermasseln: »In Berlin sitzen sechs Tageszeitungen: *BZ, taz, Tagesspiegel, Berliner Zeitung, Morgenpost* und *Bild* mit einer großen Lokalredaktion. Dagegen anstinken zu wollen, ist, als ob du gegen die Niagara-Fälle anpinkeln wolltest.«

»Ich will nicht gegen die Niagara-Fälle pissen, sondern von dir wissen, was du vorschlägst«, antwortete Jason ungeduldig.

»Wenn du mir zuhörst, wirst du's bald erfahren.«

Jason sagte nichts. Er war vorläufig auf Moische angewiesen, denn er sprach noch nicht deutsch. Aber er paukte sechs Stunden am Tag *der, die, das.*

»In Berlin verkaufen wir gerade 30 000 Stück. Das sind weniger als fünf Prozent der Auflage. Ähnlich läuft's in München, Hamburg, Frankfurt und Köln. Überall, wo starke Regionalblätter arbeiten. Fast neunzig Prozent unserer Auflage verkaufen wir in der Provinz.«

Moische schwieg. Er ließ Jason zappeln.

»Ich weiß, was du von mir wissen willst, Tom. Sollen wir unseren Laden dichtmachen oder nicht? Zumindest zu unseren Lesern aufs Land ziehen?«

Beides wäre für Jason ein Alptraum gewesen.

»Nein! Wir müssen in Berlin bleiben!«

Der Manager hörte Moische konzentriert zu.

»Wir müssen in Berlin bleiben!« wiederholte Moische. »Aber wir dürfen uns nicht an die Berliner anwanzen. Die nehmen uns nicht ernst. Noch nicht!« Er trank einen Schluck Wasser. »Unsere Provinzleser kaufen uns, weil wir den Glanz der Weltstadt in ihren eintönigen Alltag bringen. Wir müssen also aus Berlin für unser Landpublikum schreiben. Und zwar so, daß die Menschen vom Land das Gefühl haben, sie sind in der Metropole dabei, wenn's um Geld, um Macht, um Gesellschaft, um Kultur, aber auch um sex and crime geht. Die Leser sollen darauf brennen, von uns zu erfahren, was sich in der Weltstadt tut. Wir müssen also mehr statt weniger aus Berlin berichten.«

Der Chefredakteur fühlte Jasons Erleichterung. Jetzt mußte er sein Konzept durchsetzen.

»Das gleiche gilt für München, Frankfurt, Hamburg, Düsseldorf und Köln. Aus jeder dieser Städte müssen wir authentisch berichten! In jeder Stadt brauchen wir eine Lokalredaktion mit guten Schreibern! Für jede Stadt brauchen wir eine eigene Seite!«

Jason benötigte einige Sekunden, um die Bedeutung des in unbeholfenem Englisch Vorgebrachten zu begreifen. Dann brüllte er los: »Maniac! Madman!« Jason zählte an den Fingern seiner linken Hand die Namen der deutschen Städte auf: »Munich, Frankfurt, Hamburg, Dusseldorf ...«

»And Köln!« ergänzte Moische.

»Fünf Lokalredaktionen und fünf Extra-Seiten! Weißt du, was das kostet, du Megalomaniac?!« tobte der Amerikaner.

»Ich weiß es genausowenig wie du!«

Jason schwankte zwischen Schreien und Abwarten. Da er nichts Besseres wußte, entschied sich der Manager, zunächst den Journalisten kommen zu lassen.

Moische erriet Jasons Taktik. Aber seine zappelnden Nerven geboten ihm weiterzureden. »Ich habe in den vergangenen Tagen einige Ideen entwickelt. Laß sie uns durchsprechen und gemeinsam eine Strategie entwickeln, Tom.«

»O.K.! Aber wir haben kein Geld für fünf neue Redaktionen und 1500 Extraseiten im Jahr.«

Jason rechnete also schon auf der Basis seines Planes. »Wir brauchen nicht mal hundertfünfzig Seiten und auf Dauer auch kein Extrageld für die Redaktionen.« Moische genoß die Verblüffung des Verlagsmanagers. Während er auf und ab marschierte, sammelte er seine Gedanken. Ruckartig blieb er in Jasons Rücken stehen, machte auf der Ferse kehrt und baute sich vor dem Amerikaner auf.

»Ich weiß, daß wir nicht täglich eine Seite für jede Stadt machen können. Aber wir müssen zumindest einmal in der Woche regelmäßig die Großstädte abklappern. Also Montag Frankfurt, Dienstag Köln, Mittwoch Hamburg, und so weiter. Damit die Provinzler wissen, was in ihrer gelobten Stadt los ist: Konzert, Kino, Skandal, Mord, Sportevent, Ausstellung, etc.«

»Das sind über dreihundert Sonderseiten, nicht hundertfünfzig!«

Der Erbsenzähler konnte nicht aus seiner Haut. »Wenn wir gut arbeiten – und das werden wir tun – werden wir schnell Anzeigen bekommen. Dann ist die halbe Seite ruckzuck voll.«

»Das sind Hoffnungen, keine facts ...«

»Ihr habt mich engagiert, damit ich die Hoffnungen realisiere!« Der Chefredakteur behielt den Manager im Blick. »Dich drücken die Kosten für die Stadtredaktionen.«

»So ist es.«

»Auch dafür habe ich eine Lösung.« Moische ging gewollt langsam zu seinem Sessel. Er schlug ein Bein übers andere, fühlte sich dabei unwohl, entwirrte die Beine wieder. Hör auf mit den Faxen und laß deinen Kopf arbeiten, befal sich Moische. Er rutschte vor und hielt sich am Tisch fest. »Wir müssen unseren Preis erhöhen!«

»Wenn wir in dieser kritischen Phase den Preis anheben, dann sacken wir unter 400 000. Das ist das Ende!« Jason knetete die Lehnen seines Sessels. »Du hast keine Ahnung vom Zeitungsgeschäft«, schrie er.

»Und du hast keine Ahnung von deutschen Lesern!« bellte Moische zurück. Er riß ein zusammengefaltetes Papier aus seiner Jackentasche und warf es auf den Tisch.

»Unsere Preiskalkulation ist Mist! Wimmer ist ein dummer Go …« Moische suchte verzweifelt nach einem englischen Wort mit Go …, um das Schimpfwort Goj zu vermeiden. Doch Jasons Miene verriet ihm, daß der New Yorker ihn verstanden hatte. Wenn er unter zwei Millionen Juden aufwächst, weiß jeder Goj, was ein Goj ist und daß die Juden die gleichen Vorurteile haben wie er selbst. »Go ahead, Jew!« grinste Jason.

Moische lächelte erleichtert zurück. Der Ami war kein dumpfer deutscher Betroffenheitstrommler.

»Achtzig Pfennig sind ein Witz! Wimmer und Burns wollten billiger sein als die *Bild*-Zeitung. Das schafft keiner. Sogar wenn wir auf sechzig Pfennig gegangen wären, hätten sie uns mühelos unterboten. Die verkaufen täglich mehr als 4,5 Millionen und haben entsprechende Anzeigenerlöse. Wir haben nicht mal zehn Prozent ihrer Auflage, von stabilen Werbeerlösen ganz zu schweigen. Das heißt, wir können *Bild* keine Konkurrenz machen. Unsere Leser kaufen uns, gerade weil wir eine Alternative zu *Bild* sind. Dafür zahlen sie schon jetzt zwanzig Pfennig mehr. Sie werden bereit sein, fünfzig Pfennig mehr zu zahlen.«

»Kannst du das beweisen?«

»Ja! Auch in der Provinz werden die *FAZ* und die *Süddeutsche* gelesen. Die kosten zwei Mark.«

»Das ist kein Beweis! Wir lassen eine Leserumfrage machen, dann wissen wir Bescheid.«

»Einen Dreck wissen wir!« tobte Moische. Er war von seinem Wutausbruch mehr überrascht als Jason. »Wenn du die Leute interviewst, werden sie selbstverständlich sagen, daß sie nicht mehr zahlen wollen. Ich und du würden genauso antworten. Trotzdem sind wir bereit, mehr zu blechen!«

»Nein!«

»Doch! Du kaufst dir die *International Herald Tribune*, obwohl sie teurer ist als *USA Today*.«

Moisches Fanatismus gefiel Jason. Nur Fanatiker und Irre waren imstande, neue Zeitungen und Fernsehsender auf die

Beine zu stellen. Die Finanzierung war den Verrückten egal. Jason mußte Moisches Tatendrang in rationale Bahnen lenken, um von ihm zu profitieren.

»Wir brauchen feste Daten, bevor wir investieren, sonst machst du die Zeitung kaputt«, beharrte Jason.

Der stupide Rationalismus des Managers machte Moische rasend. »Das Blatt geht nur kaputt, wenn wir nichts dagegen tun. Kapier das endlich!« schrie er. »Die Zeitung ist zu billig und zu langweilig. Drum wird sie nicht gekauft. Das ist ein Beweis, den sogar dein Buchhalterhirn begreifen muß.«

»Ja«, entfuhr es Jason.

Die unerwartete Zustimmung des Managers brachte Moische auf Touren. Er sprang auf, lief mit gesenktem Kopf durchs Büro und verkündete seine publizistische Heilslehre. »Es gibt nur einen Weg, meine Zeitung zu retten! Die Leser müssen scharf auf unser Blatt sein und dafür einen vernünftigen Preis zahlen.«

Jason nickte unwillkürlich. Doch sogleich befielen ihn wieder Bedenken. »Und das willst du mit ein paar Seiten über München und Frankfurt schaffen?«

Wie überzeugte man einen Buchhalter vom Thrill des Bungee-Springens? Indem man ihm zeigte, wieviel er damit verdienen konnte. Ich muß ruhiger werden, ermahnte sich Moische. Er setzte sich wieder an den Tisch und bemühte sich, gelassen zu sprechen, doch seine Stimme war rauh. »Die Stadtberichte sind nur eine Säule. Aber es gibt noch wichtigere Säulen, die unseren Tempel ...« Jason unterdrückte ein Grinsen, das Moische gleichwohl spürte, »... unseren Leser-Tempel tragen müssen: packende Schlagzeilen, die die Leser anlocken. Dem gleichen Zweck dienen provozierende Kommentare und aufsehenerregende Interviews. Unser Blatt muß ständig im Gespräch sein. Die Leser müssen süchtig nach uns werden!« Die Worte sprudelten aus Moische heraus. »Wir brauchen aber auch Rubriken, um die gewonnenen Käufer bei der Stange zu halten: spannende Serien, Hintergrundberichte aus Politik und Wirtschaft, und vor allem Leserservice und Lebenshilfe. Wie bleibe ich gesund? Wie werde ich gesund? Wie finde ich einen Mann, eine Frau? Wie mache ich guten Sex? Wo gibt's die günstigsten Kredite, wenn ich mir ein Haus baue? Das alles interessiert unsere Leser mehr als Wahlen in Bulgarien oder Unruhen in Israel ...«

Jason winkte entschlossen ab. »Ich habe dein Konzept verstanden, Moses. Wir werden uns ab morgen zusammensetzen, um festzustellen, was wir davon finanzieren können ...«

»Alles! Alles!« schrie Moische auf. »Wenn wir nicht all das machen, was ich dir vorgetragen habe und noch viel mehr, zum Beispiel Sport, Kosmetik ...«

»Genug!« bestimmte Jason.

Aber Moische schrie weiter. »Wenn wir unseren Lesern nicht sofort eine gute, spannende, eine provozierende und eine informierende Zeitung präsentieren, geht das Blatt vor die Hunde.«

»Das hast du schon mehrmals gesagt ...«

»Aber du hast es offenbar nicht kapiert! Du hast nicht begriffen, daß wir im gleichen Boot sitzen. Wenn wir das Blatt nicht richten, geht es kaputt. Und dann gehst du auch kaputt.«

»Ich?«

»Ja! Wenn du nach New York kommst und Manly sagst, *Germany Today* ist im Arsch, dann bist du's auch. Nicht nur bei Manly. Überall!«

»Ich habe kein Geld für deine Phantasien«, brüllte Jason und sprang auf.

Moische schnellte ebenfalls hoch. »Dann beschaff's! Und hilf mir, meine Phantasien zu verwirklichen! Ich werde arbeiten bis zum Umfallen. Wir werden Erfolg haben.«

»Wie willst du das garantieren?«

»Durch meine Artikel und Kommentare habe ich die Auflage fast verdoppelt. Als Chefredakteur werde ich sie verdreifachen und vervierfachen.«

»Ein Chefredakteur muß andere Sachen können als ein Schreiber ...«

»Ich kann es! Ich kann es! Ich weiß, daß ich es kann!«

Der Bursche war vollständig verrückt.

»Ich werde ein perfektes Blatt bauen! Wir können keine halben Sachen machen! Wir müssen unser Baby puschen, sonst verreckt es, und wir beide auch.«

Die Männer standen sich gegenüber. Moisches Stirn war voller Schweißperlen, seine Hände zitterten.

Der athletische Amerikaner gab sich kontrolliert. Einige Gesichtsnerven entzogen sich jedoch seinem Willen. Sein linkes Augenlid zuckte in wildem Rhythmus. Thomas E. Jason begriff, daß Moisches Analyse korrekt war. Er hatte keine andere Wahl, als dem meschuggenen Journalisten zu helfen, sein größenwahnsinniges Konzept durchzusetzen. Doch sein nüchterner Verstand mußte den Fanatismus und die Phantasie des Juden ständig kontrollieren. Das war ihre einzige Erfolgschance.

»O.K., Moses. Ich werde dir das Geld verschaffen.«

»Du wirst es nicht bereuen, Tom.«

Moische fiel Jason um den Hals. Der Verlagschef spürte das Beben des schmächtigen Journalisten. Ich muß aufpassen, daß der Bursche nicht durchdreht oder einen Infarkt kriegt, sorgte sich der Manager. Dann schob er den verschwitzten Chefredakteur sachte von sich.

Moische lud Tom Jason ein, ihn und Judith zu besuchen.

Der Manager lehnte ab. Er wollte eine erneute Begegnung mit Judith vermeiden. Jason gab einen unaufschiebbaren Termin vor. Moische ahnte, daß der Amerikaner nicht die Wahrheit sagte. Wer hatte schon Verabredungen nach zweiundzwanzig Uhr? Der Chefredakteur ging in sein Büro und überarbeitete sein Konzept.

Kurz nach dreiundzwanzig Uhr war Moische daheim in Dahlem. Doch Judith war noch unterwegs. Moische setzte sich an den Schreibtisch. Er wollte an seinen New York-Reportagen arbeiten. Doch er konnte sich schlecht konzentrieren. Er war eifersüchtig. Nach einer Stunde warf er den Füller auf den Tisch und ging unter die Dusche.

Moische lag im Bett. Bei jedem vorbeifahrenden Auto horchte er auf. Doch Judith kam nicht nach Hause. Hatte Judith einen Freund? Moische wollte nicht zurück ins Hotel. Er gierte nach der Liebe der schönen, reichen Jüdin.

Motorgeräusche. Das automatische Garagentor rollte zurück. Es war fast eins! Judith öffnete die Haustür. Moische setzte sich auf. Endlich kam die Freundin. Judith eilte direkt in ihr Schlafzimmer. Moische wartete noch eine Weile. Doch die Geliebte klebte an ihrem Balg. Moische sprang aus dem Bett. Er wollte Judith zur Rede stellen. Doch er hielt inne. Sie würde Moische zuzischen, er solle ihren Rotzlöffel nicht wecken, und ihn wieder auf sein Zimmer schicken. Moische warf sich auf sein Bett.

Moische Bernstein und Thomas Jason erarbeiteten ein Konzept und einen Finanzplan für die kommenden zwölf Monate. Der Verlagschef drückte die Kosten, wo er konnte. Die Lokalredaktionen wurden auf zwei Journalisten begrenzt. Köln und Düsseldorf wurden zusammengelegt. Jason strich den Aufbau eines eigenen Archivs. »Was du vorschlägst, kostet mindestens zwei Millionen Dollar jährlich. Und ein Miniarchiv taugt nichts.« Das stimmte. Immerhin einigte man sich auf einen Benutzervertrag mit einem der besten Zeitungsarchive. Jason genehmigte auch den Ausbau der Fotoredaktion. Er sah ein, daß gute Farbbilder notwendig waren, um Leser anzulocken. Dies zog kostspielige Investitionen in der Druckerei nach sich.

Die Gesundheitsredaktion wurde auf einen Arzt beschränkt. Moische hatte zusätzlich zwei Redakteure gefordert. Die Idee, den Bundestrainer als Kolumnisten anzuheuern, wurde fallengelassen. Auch in den Ressorts Wirtschaft, Gesellschaft, Fernsehen und Forschung wurden die Pläne des Chefredakteurs beschnitten. Am heftigsten rangen Moische und Jason um die Recherche- und Serienredaktionen. Sie bildeten das Herzstück in Moisches Konzeption. Ein Dutzend qualifizierter Rechercheure, Reporter und Schreiber sollte ihm helfen, brisante Themen aufzutun und spannend darüber zu berichten. Die Kommentierung wollte der Chefredakteur selbst übernehmen. Doch der Verlagsleiter weigerte sich standhaft, Geld für neue Mitarbeiter zur Verfügung zu stellen: »Von mir aus steckst du zwanzig Typen in deine Rechercheredaktion. Zieh sie aus den anderen Ressorts.«

»Dort sitzen lauter Luschen …«

»Dann wirf sie raus und stell' neue ein!«

»Wenn ich zwanzig Leute aus der Redaktion ziehe, bricht der Laden zusammen! Die Personaldecke ist viel zu kurz.«

»Dann begnüg' dich mit zwei Mann!«

Moische argumentierte, bettelte und brüllte. Vergeblich. Jason blieb stur. »No honey! No money!« Daraufhin zerriß Moische seine Papiere. Er lief aus der Redaktion. Judith war nicht zu Hause. So nahm Moische ein Taxi nach Weißensee. Der Friedhofsbesuch gab ihm neue Kraft.

Am nächsten Tag erschien Moische pünktlich in seinem Büro. Er nahm jedoch an keiner Sitzung teil und wies seine Sekretärin an, keinen Anruf durchzustellen.

Mittags stürmte Tom Jason in das Büro des Chefredakteurs. »Wenn du nicht mit dem Kindergarten aufhörst, feuere ich dich auf der Stelle.«

»Bitte.« Moische erhob sich. »Entweder wir stellen ein Dutzend fähige Rechercheredakteure und Schreiber ein, oder ich trete ab.«

Wenn Moische bis zum Letzten ging, dann konnte er ohne eine erweiterte Crew offenbar nicht arbeiten. Jason mußte nachgeben. Er nahm dem Chefredakteur die Erpressung nicht übel.

Auch in der Frage der geforderten Preiserhöhung bewies der Chefredakteur Augenmaß und Klugheit. Moische war gegen eine sukzessive Steigerung. »Wohltaten sollen tröpfchenweise erfolgen. Grausamkeiten muß man überfallartig verüben. Erst wenn das Blatt gut läuft, springt der Preis.« Jason gefiel Moisches machiavellistische Strategie.

Binnen weniger Tage einigten sich Moische und Jason auf eine Revision des Finanzplans. Er ging nun um fast neunzehn

Millionen Dollar über das laufende Budget hinaus. »Manly wird mir den Kopf abreißen. Er hat mich als Wachhund eingestellt, damit ich die Kosten drücke, nicht als Geldkacker. Der Boss will Geld verdienen, nicht ausgeben.« Dennoch flog Tom Jason guten Mutes nach New York. Er war überzeugt, Ron Manly von seinem Sanierungsplan überzeugen zu können und zumindest einen Teil der notwendigen Mittel gewährt zu bekommen.

Parallel zu den Verhandlungen mit Jason führte der neue Chefredakteur ausführliche Gespräche mit seinen Mitarbeitern. Die Redaktions-Konferenzen, an denen er bislang bei *logo!* und *Germany Today* teilgenommen hatte, waren für die Katz gewesen. Ebenso nutzlos waren Ressortleitersitzungen. »Das einzige, was bei diesen Sitzungen herauskommt, ist ein wunder Arsch«, wußte er. Von den Chefs würde er zuletzt erfahren, was in ihren Abteilungen los war. Gleichwohl durfte Moische sie vorläufig nicht vor den Kopf stoßen, indem er sie ignorierte. So erduldete er das Geschwätz seiner Ressortleiter.

Aufschlußreich waren für Moische die Gespräche mit den Jungredakteuren. Von ihnen erfuhr er von der Routine, vom Schlendrian, von der Faulheit und von den Intrigen in den einzelnen Ressorts. Die Phantasie der jungen Männer und Frauen war noch nicht unter den Opportunitäten der Karriere und der Resignation zerstobener Illusionen begraben. Ihr Ehrgeiz brannte. Moische tat alles, um den Einfallsreichtum und die Ambitionen der Jungen anzustacheln. »Ich bin für jede Idee offen. Sie können immer zu mir kommen. Alter und Rang zählen bei mir nicht. Wenn Sie gut arbeiten und neue Ideen haben, stehen Ihnen alle Positionen offen. Jeder hat seinen Marschallstab, sprich die Chefredaktion, im Tornister.« Moische beließ es nicht bei folgenlosem Geschwätz.

Frank Lachner war so, wie Moische gern gewesen wäre. Der schlanke Redakteur hatte Moisches Größe und besaß dessen Intelligenz. Aber der Bursche war stets guter Laune und selbstbewußt. Nach dem Studium hatte Lachner zunächst im Auswärtigen Amt gearbeitet. Doch die Bürokratie hatte ihn ermüdet. So volontierte er im Bonner Büro eines Wirtschaftsjournals. Sein jugendhafter Charme öffnete ihm in der Bundeshauptstadt viele Türen. Bereitwillig gaben ihm Abgeordnete und Minister Interviews, um die sich gestandene Redakteure lange bemühen mußten. Die Pressesprecher und Politiker vertrauten Frank Lachner. Er enttäuschte sie nicht. Stolz zeigte er Moische eine Kopie seines Interviews mit dem Außenminister. »Als ich hörte, daß in Berlin eine neue überregionale Zeitung aufgebaut wurde, habe ich mich sofort beworben. Die Musik spielt jetzt in Berlin. Bonn wird bald wieder so verschlafen sein wie vor Adenauer.« Lachner arbeitete im Auslands-Ressort.

Der Chef fragte den Redakteur nach Anregungen für ein neues Zeitungskonzept. Lachner zögerte nicht. »*Germany Today* sollte jünger und schneller und hilfreicher sein.«

»Was meinen Sie damit?«

»Die Zeitungen gehen auf Jugendliche nur am Rande ein, mit traurigen Sonderseiten. Lediglich die *Süddeutsche* hat ein Jugendmagazin, *jetzt*. So was sollten wir auch machen.«

»Sicher!« Daran hatte Moische noch nicht gedacht.

»Prima!« Lachner strahlte. Moische hatte sein Herz geöffnet. »Ich fände es gut, auch in der Normalzeitung auf jüngere Leser einzugehen. Die Artikel müßten flotter geschrieben werden und weniger Kenntnisse voraussetzen. Wir sollten auch auf die speziellen Belange der jungen Leser konkret eingehen. Welchen Beruf, welches Studium ergreife ich? Wie komme ich im Job voran? Wie finde ich eine Bude? Wie kommt man in einer Beziehung zurecht? Lohnt sich's zu heiraten? Und und und, mir fallen tausend Themen ein.« Lachner lachte über den eigenen Eifer.

»Frank, Sie sind ab sofort Ressortleiter Jugend. Sie sind mir direkt zugeordnet.«

Moische fühlte die Bewunderung des jungen Mannes. Auf den Burschen kann ich mich verlassen! Er hat Verstand und Idealismus und ist auf mich angewiesen, glaubte er.

»Sie werden Mitglied der Chefredaktion. Stellvertreter von Diepholz. Er wird sich ums Blattmachen kümmern, und Sie werden für die Recherche und Serienredaktion verantwortlich sein. Das ist das Herz unserer neuen Zeitung. Ihr müßt ständig neue Ideen und Konzepte entwickeln und realisieren. Und Sie müssen darauf achten, daß der Jugendbereich gebührend berücksichtigt wird.«

»Bestimmt.« Lachner bemühte sich, Moisches Worte zu verdauen. »Aber ich bin erst achtundzwanzig ...«

»Ob du achtundzwanzig oder zweiundachtzig bist, ist scheißegal! Wichtig ist, daß du deinen Kopf nutzt und gute Arbeit leistest. Ich weiß, daß du's kannst und mich nicht enttäuschen wirst.«

»Niemals!« Lachners Gesicht glühte. Moische Bernstein und Frank Lachner sahen einander lange schweigend an. Sie hatten sich ineinander verliebt. Doch ihre andressierte Männlichkeit hinderte sie daran, es sich einzugestehen.

Moische wollte erst nach der Absegnung seines Sanierungsplans und dessen Finanzierung durch die New Yorker Zentrale das aktuelle Tagesgeschäft der Zeitung bestimmen. Die Unfähigkeit von Diepholz und seinen Ressortleitern zwang ihn jedoch, schon früher anzugreifen.

Anlaß war ein Anschlag auf den französischen Ministerpräsidenten. Auf der Titelkonferenz um 15 Uhr segnete Diepholz die Schlagzeile des Aufmachers ab:

Attentat in Paris.
Regierungschef überlebt Anschlag

»Das kommt nicht in Frage!« bestimmte der neue Chefredakteur. Alle Köpfe fuhren herum. Moisches Herz sprintete los. Jetzt kann ich nicht mehr zurück, spürte er. »Der Anschlag hat sich um kurz vor zehn ereignet. Wenn die Leute morgen die Zeitung am Kiosk sehen, sind knapp vierundzwanzig Stunden vergangen. Bis dahin haben sie die Nachricht mindestens zehnmal im Radio gehört und im Fernsehen auf mehreren Kanälen alles in allen Einzelheiten gesehen, bedeutungsschwangere Statements vom Bundeskanzler bis zum Vorsitzenden der Polizeigewerkschaft gehört, wie verwerflich Attentate und Gewalt sind etcetera pp. Und dann kommen wir an und sagen den übersättigten Lesern: Attentat in Paris! Die halten uns für bescheuert – mit vollem Recht.«

»Wir besitzen noch keine Hintergrundinformationen über den oder die Attentäter«, konterte Diepholz.

»Dann besorgen Sie sich die Info!« explodierte Moische.

»Wie? Wo?« Diepholz ließ sich nicht einschüchtern.

Moische winkte verächtlich ab.

»Frank!« Lachner errötete. »Du schnappst dir zwei Mann von der Außenpolitik, einen, der was von innerer Sicherheit versteht, und einen Kommentator. Ihr verfolgt alle französischen Radiostationen, die ihr empfangen könnt. Gleichzeitig hört ihr euch in deutschen Sicherheitskreisen um. Und dann haben wir noch sogenannte Experten, Scholl-Latour, Weisenfeld und so.«

Moische bemerkte die Verwirrung der Redaktion. Er dachte konzentriert nach. Er mußte die Redaktion, vor allem die Jüngeren packen, für sich gewinnen. »Der Umstand, daß noch keine gesicherten Informationen vorliegen, ist kein Freifahrtschein fürs Nichtstun. Im Gegenteil! Jetzt muß besonders hart recherchiert werden. Phantasie ist Trumpf. Wir müssen in alle Richtungen denken! Wie war der Anschlag möglich? Welche Sicherungsmaßnahmen wurden getroffen? Können Politiker geschützt werden? Wer steht hinter dem Attentat? Islamisten aus Algerien? Was sind die Konsequenzen für Deutschland? Waren die Täter Rechtsextremisten, Neonazis? Wie geht's in Frankreich weiter?«

Moische wandte sich an den Chef vom Dienst: »Hessing, reißen Sie zwei Sonderseiten auf, wir berichten über den Anschlag, Frankreich nach dem Attentat, den Kreis der möglichen Attentäter etc., dazu Kommentare, Interviews, Bilder. Jeder, der eine Idee, einen Beitrag, eine Information hat, ist eingeladen mitzuarbeiten. Frank, du koordinierst das Ganze. Um 18

Uhr treffen wir uns zur Schlußkonferenz, bis dahin muß das gesamte Blatt stehen.«

Kurz nach 17 Uhr abends gaben die französischen Behörden bekannt, daß der Attentäter ein offenbar geistesgestörter Einzelgänger gewesen war. Diepholz und der Chef der Außenpolitik, Wölk, hatten Mühe, ihre Genugtuung zu verbergen. Moische ignorierte dies.

»Damit hat sich unsere Strategie bestätigt«, verkündete er der verblüfften Redaktionsrunde. »Wir vertiefen den Aspekt innere Sicherheit. Sind Politiker Freiwild? Frank, du mußt ein Interview mit Oskar Lafontaine organisieren. Der ist doch von einer Meschuggenen fast abgemurkst worden. Wir brauchen Beiträge von Psychiatern, Psychologen, Ärzten. Sieh' zu, was du in den nächsten zwei Stunden auf die Beine stellen kannst. Den Aufmacher und den Kommentar schreibe ich.«

Moische spielte mit dem Gedanken, den Aufmacher »Der Wahnsinn regiert in Frankreich« zu titeln. Dies hätte zwar kurzfristig Auflage gemacht, aber das Seriositäts-Renommee von *Germany Today* beschädigt. So entschied sich der Chefredakteur für eine fünfspaltige Schlagzeile:

Wahnsinns-Attentat in Paris

und ein Farbfoto des Anschlags. Moisches Leitglosse beschäftigte sich mit

Politik und Irrsinn

»Davon sind eh' alle überzeugt«, verkündete er. Er behielt zumindest indirekt recht. Die verkaufte Auflage der Wahnsinns-Nummer kletterte, wie der Chef vom Dienst am übernächsten Tag auf der Redaktionskonferenz verkündete, um knapp zehn Prozent.

Sein unbeabsichtigt frühzeitiges Eingreifen sicherte Moisches Macht. Die jungen Redakteure folgten ihm begeistert. Die Älteren und Etablierten mußten mitziehen, um ihre Pfründe zu erhalten.

In den nächsten Tagen reduzierte Moische seine Präsenz in der Gesamtredaktion. Er wollte den Triumph seines ersten Auflage-Scharmützels nicht verwässern. Und er hatte wenig Zeit. Moische setzte seine Einzelgespräche fort. Er achtete darauf, junge Redakteure mit Routiniers zu kombinieren. So wollte er Ehrgeiz und Phantasie nutzen und gleichzeitig durch Erfahrung kontrollieren.

Der Chefredakteur telefonierte täglich mit Tom Jason. Die Schnorrmission des Managers in der New Yorker *Media Star*-Zentrale gestaltete sich schwieriger als Tom und Moische es sich gedacht hatten. Richard Carter, dessen Sturz als Europachef Jason veranlaßt hatte, war es gelungen, wieder Ron Manlys Vertrauen zu gewinnen. Der Verleger beschäftigte ihn als seinen Bürochef. Der rachsüchtige Carter tat alles, um zu verhindern, daß sein Intimfeind Jason Zugang zu Manly bekam. Der Finanzchef Victor Cerutti wiederum war nicht bereit, »einen Cent für deinen Kraut- und Würstchensalat in Berlin zum Fenster hinauszuwerfen.«

Doch Tom Jason war nicht der Mann, sich von Pfennigfuchsern und Intriganten aufhalten zu lassen, wenn er von seiner Aufgabe überzeugt war. Nachdem er auf regulärem Weg nicht zu Manly vorgelassen wurde, erzwang er sich eben den Zugang zu seinem Meister. Jason überzeugte den Medienmagnaten mit Moisches nüchterner Katastrophen-Logik. »Entweder wir investieren in das Blatt, oder wir schreiben es ab.« Vic Cerutti empfahl eben dies. Doch Ron Manly reuten »die guten achtzig Millionen Bucks, die wir in den Saftladen gesteckt haben«. Jason bestärkte den Verleger in seinem Geiz und stachelte gleichzeitig seine Gewinngier an, indem er Moische als »Erfolgsgarantie« pries. »Schon jetzt hat er die Auflage um zwanzig Prozent gesteigert«, log er. »Der Jude sprüht vor Energie und Ideen. Er wird das Blatt zur Goldgrube machen.«

»Zu seiner, nicht zu unserer. Die Jitzigs wirtschaften nur in die eigene Tasche«, verkündete Cerutti.

»Das machen vor allem die Spaghettis!« konterte Jason.

Manly schlichtete den Streit salomonisch. Er entschied sich für eine weitere Investition, begrenzte sie jedoch auf die Hälfte der von Berlin geforderten Gelder.

Noch ehe Jason aus Amerika zurückkehrte, wollte Moische Heiner Keller feuern. Doch objektiv konnte man dem Redakteur nichts vorwerfen. Eine fristlose Kündigung wäre daher den Verlag teuer zu stehen gekommen. Tom Jason würde sich querlegen und nach Gründen fragen.

Die Verhandlungen mit der Verlagsspitze in New York hatten Moische bestätigt, daß er auf Jason angewiesen war. Er durfte das Wohlwollen des Managers nicht wegen seiner persönlichen Gefühle riskieren.

Doch Moische konnte und wollte nicht auf Vergeltung verzichten. Da er kein Schlüsselressort mit dem Faulpelz belasten wollte, hatte er entschieden, Heiner Keller in die Leserbriefredaktion abzuschieben.

Um die Demütigung zu erhöhen, bat Moische seinen Leutnant, »dem neuen Leserbriefonkel seine Aufgabe zu erläutern«. Lachner zögerte. »Keller ist über zehn Jahre älter als ich. Er war schon Ressortleiter, als ich noch zur Schule ging.«

Die Gutmütigkeit des Jungen rührte Moische. Doch er wollte seinem Lehrling Härte beibringen. »Du bist stellvertretender Chefredakteur, Frank. Du mußt deine Aufgaben erfüllen und dich durchsetzen, auch wenn es gelegentlich unangenehm ist.«

Judith war von Moisches Arbeitsauffassung enttäuscht. »Ich habe dich nicht zum Chefredakteur gemacht, damit du Tag und Nacht im Büro sitzt! Wir müssen unser Leben jetzt genießen, solange wir noch jung sind.« Sie erwartete mehr Zuwendung von Moische – und Sex.

Judith hatte leicht reden. Sie hatte vom Vater ein Millionenvermögen geerbt. Moische dagegen mußte sein Geld erst verdienen. Jetzt kam es für ihn darauf an, seine Spitzenposition zu stabilisieren und auszubauen. Das erforderte seine gesamte Aufmerksamkeit und Zeit. Doch Judith bestand auf ihren

Rechten. Sobald Moische nach Hause kam, schlich sie sich aus ihrem Ehebett zum Geliebten. Der Journalist kam selten vor elf Uhr nachts heim. Auch an diesem Abend war Moische müde und abgespannt. Judith bereitete ihm einen Tee zu.

Während Moische versuchte, sich zu entspannen, beklagte sich Judith leise, um ihr Jingale nicht zu wecken: »Du arbeitest von der Früh' bis in die Nacht! Du ruinierst deine Gesundheit! Ich habe keine Lust, dich im Krankenhaus zu pflegen, statt mich mit dir zu vergnügen.« Der Ausdruck ihrer Bärenaugen wechselte von Strenge zu lasziver Erotik.

Noch vor wenigen Wochen hätte ein solcher Blick von Judith genügt, um Moisches Herz rasen und seinen Schmock schwellen zu lassen. Damals hatte der Journalist Muße gehabt. Heute war der Chefredakteur so ausgelaugt, daß er die Offerte der Geliebten kaum wahrnahm. Moische hatte nur ein Bedürfnis – er wollte schlafen. Judith begleitete ihn auf sein Zimmer. Moische umarmte die Geliebte und drängte sie aufs Bett. Er wollte den Sex schnell hinter sich bringen. Aber Judith dachte nicht daran, sich »abfertigen zu lassen wie eine Fünfminuten-Chonte von einem dahergelaufenen Freier«. Moisches Haare und Kleidung stanken nach abgestandenem Rauch. Sie schickte ihn unter die Dusche. Moische schloß die Augen und ließ das warme Wasser über seinen Körper laufen. Judith pochte ans Milchglas. Moische kletterte aus der Duschkabine. Judith lag bereits in seinem Bett. Sie schlug langsam die Decke zurück. Die Geliebte war nackt. Moische kam zu ihr. Sie drückte seine Hand zwischen ihre Beine. Judith wollte stimuliert werden. Doch Moische war zu geil. Er versuchte, sich zwischen ihre Beine zu quetschen.

Alle Männer sind Tiere, hatte Judiths Mutter sie gewarnt. Moische hatte zunächst den Sanften gemimt. Doch kaum hatte sie ihm zum Erfolg verholfen, gebärdete er sich wie alle anderen Kerle. »Bestie«, herrschte sie ihn an und stieß ihn von sich.

»Entschuldige …«, stammelte er perplex.

Sie sprang aus dem Bett. »Du führst dich auf wie ein Nazi!«

Am Morgen bat Moische Judith erneut um Verzeihung. Sie ließ sich erweichen und gab ihm noch eine Chance. Sie wollte ihre Versöhnlichkeit demonstrieren und ihm gleichzeitig die Schönheit des Lebens außerhalb seines Zeitungsmiefs zeigen.

»Nächsten Dienstag habe ich Geburtstag. Ich bin Jungfrau und werde es immer bleiben. Damit mußt du dich abfinden.« Sie lächelte schief.«Und du bist Chefredakteur geworden, was ja schließlich auch einiges mit mir zu tun hat.« Judith ergriff seine Hand. »Laß' uns beide *Simches* gemeinsam feiern.« Moische umarmte sie. Judith besiegelte die Aussöhnung mit einem Kuß auf seine Wange.

Nachdem Moische zur Arbeit gefahren war, rief Judith im Büro ihrer Hausverwaltung an und ließ sich ihre Standard-Gästeliste durchfaxen. Sie ergänzte die Aufstellung und fuhr in die Brahmsstraße. Dort besprach sie mit dem Hotelmanager die Organisation ihres Festes.

Am Abend berichtete sie Moische, daß »unsere kleine Feier am Sonntagabend im *Vier Jahreszeiten* steigen wird«.

Den ganzen Tag beriet der Chefredakteur mit seinem »Küchenkabinett«, wie das neue Zeitungskonzept trotz der Kürzungen der New Yorker Zentrale verwirklicht werden konnte. Zu dem Kreis zählten neben Frank Lachner der zweite Chef vom Dienst, Karl Abt und der Leiter der Sportredaktion, Mark Hauser sowie der Chef der Personalabteilung, Gernot Horn. Der technische Direktor wurde ebenfalls hinzugezogen. Moische wollte unter allen Umständen eine leistungsfähige Recherche- und Serienredaktion erhalten und lokale Redaktionen in Hamburg, in Köln/Düsseldorf, Frankfurt und München etablieren.

»Ohne diese zwei Standbeine ist es sinnlos, ein Blatt machen zu wollen, das sich verkauft«, erklärte der Chefredakteur. Er trieb seine Vertrauten zur Eile. Am Wochenende würde Tom Jason aus Amerika zurückkehren. Moische wollte ihm ein schlüssiges Zeitungskonzept mit einem entsprechenden Finanzplan präsentieren. Die Männer forsteten alle Ausgabeposten durch und kürzten, wo sie konnten. Dennoch blieb ein Fehlbetrag von sechs Millionen Mark.

Als Tom Jason am Sonntagmorgen kurz nach acht Uhr morgens übernächtigt vom Transatlantikflug die Zollkontrolle am Flughafen Tegel passierte, erwartete ihn Moische Bernstein. Jason fuhr in Moisches Begleitung ins Hotel, duschte und begab sich dann sofort in die Redaktion. Moische wollte sein Küchenkabinett zu der Sitzung hinzuziehen – so fühlte er sich sicherer. Doch Jason lehnte ab: »Ich habe in New York genug mit Dummschwätzern und Wichtigtuern zu schaffen gehabt. Wir werden das Ding allein regeln.«

Als der Chefredakteur dem Manager seine detaillierten Pläne vorlegte und ihm von der Finanzlücke von sechs Millionen Mark vorjammerte, wischte Jason die Papiere lachend vom Tisch.

»Du bildest dir ein, ein smarter Jid zu sein, was?« Moische lächelte bejahend. »Aber du bist ein Kraut wie deine Landsleute. Du vertraust jedem Papier und jedem Plan mehr als deinem gesunden Menschenverstand. Laß mich in Ruh' mit deinen Zahlen! Wenn du die Auflage in die Höhe puschst, schwimmst du in Geld.«

»Aber ich brauche das Geld jetzt.«

»Dann nimm's dir!«

»Woher?«

Jason war über Moisches Begriffsstutzigkeit erstaunt. »Du verbrätst jetzt, was du kriegen kannst. Hast du Erfolg, küßt dir Manly die Füße. Sackt dir aber die Auflage weg, dann wirst du gefeuert. Egal, wieviel Geld du dem Verlag gespart hast.«

»Du meinst, ich darf jetzt Gelder ausgeben, die erst in einem halben Jahr fällig sind?«

»Du darfst einen Dreck, du deutscher Rückversicherer! Und wenn ich dich erwische, werde ich dafür sorgen, daß du fliegst. Aber solange du Erfolg hast, werde ich dich unter Garantie nicht kriegen. Doch wenn du versagst, dann gnade dir Gott! Dann bin ich penetranter als ein Großinquisitor.«

Jason verabschiedete sich mit einem fröhlichen »Fuck off!«
und zog sich in sein Hotel zurück, um »endlich auszuschlafen.
Und wage nicht, mich aufzuwecken, du Hurensohn.«

Moische war ratlos. Bis dahin hatte er sich als Jude jedem
Goj überlegen gefühlt. Doch Tom Jason war cleverer als er.
Moische begriff, daß Überlegenheit unabhängig von der Herkunft war. Die Nazis hatten unrecht, stellte er verblüfft fest. Er
wußte nicht, ob er sich darüber freuen oder ärgern sollte.

Tom Jason hatte Moische Bernstein gelehrt, daß er allein die
Verantwortung zu übernehmen hatte. Gemeinsam mit seinen
Vertrauten entwickelte der Chefredakteur eine Blattstrategie
mit entsprechenden Personal- und Finanzplänen. »Die Entscheidung ist gefallen! Unsere neue *Germany Today* startet mit
der kommenden Wochenendausgabe. Macht euch an die Arbeit, Männer. Ich stehe hinter euch!«

Derweil erwuchs Moische eine weitere Pflicht, die er bereits
vergessen hatte. Judith hatte die Chefsekretärin genötigt, Moisches strenges Telefondurchstellverbot zu durchbrechen.
»Wenn Sie mich nicht augenblicklich mit meinem Mann verbinden, schmeiße ich ihn aus meinem Haus. Dann müssen Sie
ihm ein Hotelzimmer besorgen oder können ihn bei sich aufnehmen.«

Heike Pompetzki hätte Judiths Vorschlag gerne realisiert.
Doch die Sekretärin war verheiratet. Also gab sie der Erpres-
sung nach und stellte die Anruferin durch. »Ihre Gattin, Herr
Bernstein«, flötete Heike Pompetzki.

»Du hast meinen Geburtstag vergessen!« herrschte Judith
Moische an.

»Nein ...«

»Doch! Du hast mir heute morgen nicht mal gratuliert.«

»Du hast erst am Dienstag Geburtstag, hast du gesagt ...«

»Das spielt keine Rolle! Unser Fest ist heute!«

Moische hatte die Feier vergessen. Er winkte seinen Redakteuren ab, ließ sein Gespräch ins leere Nebenzimmer stellen,

hastete in den Raum und ergriff den Hörer: »Ich weiß. Ich mußte aber zuvor noch ins Büro.«

»Du kommst bestimmt?!«

»Selbstverständlich! Um wieviel Uhr soll ich dort sein?«

»Gleich!«

»Aber es ist doch erst kurz nach fünf ...«

»Na und?! Warum muß ich alles alleine vorbereiten? Es ist auch dein Fest.«

»Meines?«

»Ja! Wir feiern außer meinem Geburtstag auch deine Ernennung zum Chefredakteur! Weißt du's nicht mehr?«

»Doch. Wo soll das Fest steigen?«

»Du hast alles vergessen! Ich bin dir egal.«

»Nein! Ich bin nur furchtbar in Druck. Ich will hier gute Arbeit leisten ...«

»Meinst du, ich leiste schlechte?! Ich habe immer Zeit für dich.«

Außer nachts! Wenn du mit deinem Balg im Ehebett pennst!

»... und du arbeitest Tag und Nacht und verdienst einen Dreck!«

»Fünfhunderttausend sind nicht zu verachten.«

»Ich verdiene zehnmal soviel!«

Es war sinnlos, mit Judith über Geld zu streiten. »Ich komme so schnell ich kann zu dir. Wo findet unsere Party gleich wieder statt?«

Dieser arrogante Schmock! Seine lächerliche Arbeit war ihm wichtiger als sie. Judith knallte den Hörer auf das Telefongerät. Er hatte ihren Geburtstag, ihr Fest, sogar den Ort der Feier vergessen!

Moische nahm Judiths Wutausbruch hin. Er rief sogleich zurück, um sich für sein Versäumnis zu entschuldigen. Judith war jedoch nicht mehr zu Hause. Das Kindermädchen wußte lediglich, daß sie Gabi kurz vor acht ins Hotel *Vier Jahreszeiten* bringen sollte. Moische ließ seine Sekretärin die Adresse eruieren. Noch fehlte ihm ein Geschenk. Er befragte Frau Pompetzki.

»Ich würde ihr Blumen schenken.«

»Sonst nichts?«

»Wozu?«

Sie kannte seine verwöhnte Judith nicht. Warum mußte sie immer eine Show abziehen? Warum konnte sie sich nicht bescheiden wie eine Schickse? Moische zweifelte an seinem Verstand. Die schönste und reichste Jüdin Berlins war seine Geliebte, und er sehnte sich nach einer einfachen Schickse! Seine Mamme würde ihn steinigen. Hanna wußte immer, was richtig und falsch war. Moische nahm sich wieder einmal vor, sobald er Zeit fand, seine Mamme anzurufen. Jetzt mußte er sich um Judith kümmern! Was würde Hanna Judith schenken? Seine Mamme erwartete von Moische zum Geburtstag immer Parfum. Hanna liebte *Uralt Lavendel*. Moische hatte keine Ahnung, welche Düfte die Frauen heute schätzen. Er fragte die Sekretärin.

»Das kommt ganz auf den Frauentyp an.«

Moische sah Heike Pompetzki an. Seine Sekretärin war Mitte dreißig, sie hatte eine kräftigere Statur als Judith, ihr Busen war üppiger. Heike Pompetzki hatte blaue Augen, aber immerhin waren ihre Haare ebenso dunkel wie die Judiths. Sie errötete unter Moisches Blicken. Es war das erste Mal, daß der Chef sie als Frau wahrnahm. Der Streß der letzten Wochen hatte Moisches Libido narkotisiert. Er trat näher, schnupperte. »Welches Parfum benutzen Sie, Frau Pompetzki?«

»*Eternity* von Calvin Klein. Ein neuer Duft.«

Calvin Klein war ein New Yorker Jid. Sein Duftwasser konnte nicht falsch sein. »Tun Sie mir bitte den Gefallen und besorgen Sie mir einen Strauß Blumen und das Parfum von Calvin Klein.«

Heike Pompetzki lächelte. »Welche Blumen und welche Sorte?«

Hanna liebte rote Rosen. »Kaufen Sie rote Rosen und dieses *Eternity*.«

»Parfum, Eau de Toilette oder Eau de Parfum?«

»Was empfehlen Sie?«

»Das kommt ganz darauf an, was Sie ausgeben wollen.«

Moische hatte Hanna Eau de Cologne für zwanzig Mark gekauft. Soviel gab er auch für die Blumen aus, die er Brigitte geschenkt hatte. Aber Judith war anspruchsvoller. Er zückte seine Brieftasche und reichte der Pompetzki einen Hundertmarkschein. Moische bemerkte ihre Verwirrung. »Was ist?«

»Für hundert Mark gibt's nicht mal ein Eau de Toilette ...«

»Was kostet das Zeug denn?«

»Das kleinste Flakon, 100 Milliliter, kostet in meiner Parfümerie hundertzwanzig Mark ...«

Kein Wunder, daß dieser Klein stinkreich wurde. Moische erwog kurz, *Uralt Lavendel* oder eine andere preiswerte deutsche Marke besorgen zu lassen, Hanna schätzte auch 4711. Aber er hatte Angst, Judith zu verärgern. So gab er der Pompetzki einen zweiten Hunderter. »Das muß aber reichen.«

»Heute ist Sonntag ...«

Moische verstand. Er kramte noch einen Fünfzig-Mark-Schein hervor. »Fahren Sie bitte zum Flughafen oder zum Bahnhof und besorgen Sie den Kram.«

»Jetzt gleich?«

»Ja. Lassen Sie sich derweil von Franks Sekretärin vertreten.«

Moische betrat wieder sein Büro. Er entschuldigte sich bei seinem Team für die Unterbrechung. Mark Hauser winkte grinsend ab. »Die Weiber lassen einen nie in Ruh'. Vor allem am Sonntag. Da gehört Papi der Familie.« Die Männerrunde feixte.

Die Truppe brütete wieder über dem neuen Zeitungskonzept. Doch der Chefredakteur war mit seinen Gedanken woanders. Offenbar wurden auch seine Männer von ihren Frauen terrorisiert. Obgleich sie Gojim waren! Die Schicksen waren also keineswegs besser als die Jüdinnen. Brigitte würde sich an Judiths Stelle wahrscheinlich genauso aufführen.

Moische versuchte sich vergebens auf die Beratung seiner Mannschaft zu konzentrieren. Nach einer Weile entließ er die Männer: »Ich muß nochmals mit dem Verlagsleiter sprechen.«

Nachdem die Redakteure gegangen waren, rief er Jason an.

»Goddamn! Laß mich in Ruhe!«

»Sorry, Tom. Aber ich habe ganz vergessen, dich einzuladen. Judith feiert heute ihren Geburtstag …«

»Laß sie alleine feiern. Du weißt, ich möchte nichts mit ihr zu tun haben.«

»Du würdest mir einen großen Gefallen erweisen …«

»Nein! Laß mich schlafen.«

»Es ist nicht nur Judiths Geburtstagsparty. Wir feiern auch meine Berufung zum Chefredakteur.«

»Oh.« Was blieb dem Verlagschef übrig? Jason mußte den sensiblen Chefredakteur bei Laune halten. Er hatte der geltungssüchtigen ›Jewish German Princess‹ seine Aufwartung zu machen.

Als Tom Jason wie verabredet um halb acht in der Lobby des *Kempinski* erschien, tippelte Moische bereits zappelig durch die elegante Empfangshalle. In der linken Faust trug er einen großen, in Cellophan verpackten Blumenstrauß. Jason schlüpfte in die Bar, kippte einen Whisky hinunter, besorgte sich eine Flasche Champagner und trat zum aufgeregten Moische.

»Sorry, Tom, daß ich dich gestört habe …«

»Bullshit! Ich freue mich auf dein Fest.«

Bereits die Auffahrt zum *Vier Jahreszeiten Schloßhotel* schüchterte Moische ein. Die Eleganz der Lobby, die Pracht der Hallen und Gänge steigerte seinen Kleinmut. Zumindest hatte er ordentliche Geschenke besorgt. Tom Jason dagegen genoß den Luxus des altneuen Hotels. »Stil hat deine Prinzessin ja«, meinte er anerkennend.

Als die beiden Männer den kleinen Festsaal betraten, erklang ein Tusch. Auf einer improvisierten Bühne an der Stirnseite des Saals saß ein Musikantenquartett. Über ihnen hing ein weißes Transparent, auf dem in roten Lettern die Parole des Abends stand: *Masl tow, Judith und Moische!*

Moische stockte der Atem. Er hatte eine kleine Feier erwartet. Statt dessen hatten sich an die hundert Gäste versammelt. Sie saßen an runden, elegant gedeckten Tischen oder standen schwätzend vor einem üppigen Buffet. Die Frauen trugen teure Abend- oder Ballkleider und kostbaren Schmuck, die Männer Abendanzüge oder Smokings. Moische schämte sich. Er hatte lediglich ein Straßenjackett an.

Der Tusch hatte die Aufmerksamkeit auf Moische und Jason gelenkt. Der Amerikaner reckte seine Arme in die Höhe wie ein Preisboxer beim Betreten des Rings und winkte nach allen Seiten. Moische dagegen verzagte unter den Blicken der Gäste. Er errötete. Judith erlöste ihn – vorerst. Sie lief auf Moische zu und fiel ihm um den Hals. Schüchtern erwiderte er ihre Umarmung, wobei er nicht wußte, wohin mit dem Blumenstrauß. Jason nahm ihn mit einer raschen Bewegung an sich. Die Kapelle wiederholte den Tusch. Judith nahm Moisches Gesicht in ihre Hände und küßte ihn. Der Schlagzeuger ließ ein Stakkato erklingen. Judith öffnete ihre Lippen, preßte ihre Zunge in Moisches Mund. Das öffentliche Getrommel beflügelte sie. Noch nie hatte sie den Geliebten so heiß geküßt. Doch Moisches Schmock blieb ungerührt – er konnte der Show nichts abgewinnen.

Endlich ließ Judith von Moische ab. Die Gäste klatschten. Jason überreichte Judith die in Cellophan verpackten Rosen sowie die Champagnerflasche, die sie wiederum Moische in die Hand drückte. Sie bedankte sich und hielt dem Gast die Wange zum Kuß entgegen. Jason tat, was von ihm erwartet wurde.

Judith geleitete die neuen Gäste an ihren Tisch, an dem Gabi bereits saß. Moische grüßte den Jungen, der daraufhin den Kopf wegdrehte. Ein Kellner eilte herbei und legte ein zusätzliches Gedeck für Jason auf. Moische nahm zwischen ihm und Judith Platz. Judith gegenüber saß ihre Mamme Esther. Das Gesicht der alten Frau war verwelkt. Ihr verbitterter Mund kontrastierte mit den lebendigen, hellbraunen Augen, die ihre Umgebung aufmerksam beobachteten. Esther Zucker wurde von Rafael und Elischeba Schwarz flankiert. Die Sitzordnung kam nicht von ungefähr. Das Ehepaar, Judiths Geschäftspartner, hatte sich wenig zu sagen. Der feiste Rafael begann in holprigem Englisch sogleich ein Gespräch mit Jason, zwischendurch schielte er den Kellnerinnen oder den jungen Tänzerinnen nach. Derweil machte Elischeba Konversation mit Jacob Talismann. Zu den Mandanten des rührigen Steuerberaters gehörten auch Judith Zucker und Rafael Schwarz. Talismann galt als Sprachrohr der Gemeinde. Er setzte seinen öligen Charme ein, um »den Juden Freunde zu schaffen«. Doch seine Rhetorik machte es selbst eingefleischten Philosemiten gelegentlich schwer, ihren Schutzbefohlenen die Treue zu halten.

Nachdem Judith eine Weile Small talk mit ihren Tischnachbarn betrieben hatte, richtete sie ihren Blick auf Talismann. Der hob fragend eine Augenbraue.

»Jackilein, ich würde mich freuen, wenn du einige Worte zu unseren Gästen sagen könntest.«

»Selbstverständlich, Judithka. Ich warte schon die ganze Zeit darauf, dir ...« er sah kurz zu Moische und fletschte seine Colgate-gepflegten Zähne, »... und Moische diesen Freundschaftsdienst erweisen zu dürfen.«

Talismann federte hoch. Er schritt nach vorn, sprang auf die Bühne und gab mit einer herrischen Geste der Band zu verstehen, daß sie ausgespielt hatte. Er zog das Mikrophon aus seiner Halterung und hob an.

»Liebe Judith, wir, deine Freunde, sind mit Freuden herbeigeströmt, um gemeinsam mit dir, deiner geliebten Mamme und deinem entzückenden Sohn Gabi deinen Geburtstag zu zelebrieren.«

Jacob Talismann stimmte, leise begleitet von der Kapelle, »Happy birthday, dear Judithka« an. Alle Gäste sangen mit, selbst Moische bewegte seine Lippen.

Dann setzte der Redner seine Eloge auf Judith fort.

Talismann beendete seine Ansprache mit dem traditionellen jüdischen Glückwunsch: »Hundertzwanzig Jahre sollst du alt werden und dich wie zwanzig fühlen!«

Dieser eingebildete Schleimer hat mich mit keiner Silbe erwähnt, zürnte Moische.

Die Gäste klatschten begeistert Beifall. Die Band setzte einen Tusch, den der Redner wiederum mit einer gebieterischen Handbewegung zum Verstummen brachte.

Jacob Talismann breitete seine Arme aus und blickte versonnen zur Decke.

»Liebe Judithka, du bist nicht nur schön und klug, du verfügst auch über eine enorme Menschenkenntnis und einen unwiderstehlichen Charme. Dies alles hast du einem Mann geschenkt, der es verdient: Er ist einer der bekanntesten und sicherlich einer der besten Journalisten dieses Landes ...« – Talismann hob seine Stimme – »... Moische Bernstein!«

Die Gäste klatschten.

»Lieber Moische, Masl tow zu deinem Glück ...«

Wahrscheinlich weiß der Idiot nicht mal, was inzwischen jedem Goj bekannt ist, daß Masl Glück heißt, vermutete der Angesprochene.

»... daß Judithka dich unter uns allen erwählt hat.« Erneuter Beifall.

»Und nicht genug damit«, fuhr Talismann fort, »Judith hat auch dafür gesorgt, daß du, lieber Moische, deine Fähigkeiten an der richtigen Stelle ausüben kannst, als Chefredakteur der modernsten deutschen Zeitung.«

Den Saukerl erwürg' ich, nahm sich Moische vor. Seine Verliebtheit und seine Wut hinderten ihn daran, zu begreifen, daß Talismann lediglich zum Besten gab, was Judith hören wollte. Moische schielte zu Jason, der die Jewish Party amüsiert beobachtete. Gottlob verstand der Amerikaner kein Deutsch.

»Es wird höchste Zeit, daß die deutsche Presse endlich wieder jüdische Chefredakteure hat! Lieber Moische, du stehst in der Tradition von Theodor Wolff und Alfred Kerr, jüdischen Intellektuellen und Journalisten, die als Chefredakteure Deutschland den Weg zu Demokratie und Humanität gewiesen haben.«

Deshalb haben sie Hitler zu ihrem Führer gewählt, dachte

Moische. Mehr noch als über die Ignoranz Talismanns ärgerte sich Moische über das Publikum. Über Juden und Philosemiten. Wie kann man so einen Trottel die »jüdische Stimme Deutschlands« nennen? Die Deutschen haben jetzt die Juden, die sie verdienen, hatte ein jüdischer Schreiber festgestellt.

»Judithka und Moische, darf ich euch zu mir auf die Bühne bitten, um euch vor all unseren lieben Freunden zu eurem Glück und eurem Erfolg zu gratulieren?« rief der Redner und winkte die beiden herbei.

Judith strahlte. Sie griff in ihre Handtasche, holte ein kleines Päckchen hervor. Judith stand auf und streckte Moische ihre Hand entgegen. Die Band stimmte den jiddischen Schlager *Simen tow und Masl tow* an. Unter rhythmischem Händeklatschen schritt Judith zur Bühne, Moische folgte ihr mit einem Schritt Abstand. Talismann umarmte Judith so stürmisch wie es ging. Moische schüttelte er beide Hände. Der ekelte sich vor den warmen, verschwitzten Händen des Conférenciers.

Unter dem Beifall der Gäste forderte Jacob Talismann das Paar auf, »nach meiner Speech selbst einige Worte an unsere Freunde« zu richten. Schwungvoll übergab er »der lieben Judithka das Mikro« und verabschiedete sich mit großer Geste und einem vorsichtigen Sprung von der Bühne. Die erleichterten Musiker ließen sogleich einen Tusch erklingen.

Judith dankte »meiner über alles geliebten Mamme, meinem über alles geliebten, wunderbaren Sohn Gabriel und meinen Freunden, mehr als Freunden, ihr seid meine Mischpoche …«, heftiger Beifall unterbrach sie, »… daß ihr alle gekommen seid, um mit mir und meinem lieben Moische unser kleines Fest zu feiern.« Judith fiel Moische um den Hals. Sie küßte ihn ebenso heftig und noch länger als bei seinem Eintreffen. Erneut begleiteten die Musikanten die Zärtlichkeits-Zeremonie.

Endlich löste sich Judith von ihm. Betont ordnete sie ihre Frisur. Alle erwarteten wieder eine langatmige Ansprache, doch Judith enttäuschte sie. »Statt lange Reden zu halten, will ich dir, lieber Moische, ein kleines Geschenk überreichen. Damit du und wir und deine Leser immer wissen, was und wem die Stunde geschlagen hat.«

Judith entnahm dem Päckchen eine goldene Uhr und zischte Moische zu: »Steck den alten Wecker weg.« Nach einer lähmenden Überraschungssekunde tat Moische, wie ihm befohlen wurde. Fahrig schob er seine Uhr in die Jackettasche. Er hatte sie von seinen Eltern zur Bar Mizwa bekommen und seither immer getragen.

Unter dem Beifall des Publikums und wiederholten Tuschs der Band legte Judith Moische die Uhr um und verriegelte das Goldarmband.

Jetzt beginnt eine neue Zeit. Judith tritt an die Stelle meiner Mamme, dämmerte Moische. Judiths erwartungsvoller Blick zeigte Moische, was sie von ihm erwartete. Er rief »Danke« und fiel ihr um den Hals. Nachdem Judith die Umarmung beendet hatte, wies sie zum Mikrofon. Moische wollte den Kopf schütteln, er hatte noch nie eine Ansprache gehalten, doch Judith war unbeirrbar. Sie zog das Mikrofon wieder aus der Halterung und reichte es ihm. Schweißperlen traten auf seine Stirn. Nimm dich zusammen! Als Chefredakteur wirst du jetzt öfters in der Öffentlichkeit stehen, ahnte Moische.

»Liebe Judith, herzlichen Dank. Judith, dir und Ihnen ...«, Moische besann sich, daß die Juden Deutschlands sich duzten, selbst wenn sie sich spinnefeind waren, »... und euch, vor lauter Aufregung hätte ich euch beinahe gesiezt, liebe Freunde ...« Was erzähl' ich den Idioten nur, fragte sich Moische verzweifelt. Sein Blick irrte von Judith aus durch den Saal. Er sah Tom Jason, der ihn amüsiert beobachtete »... und dir, lieber Tom Jason, gebe ich mein Wort, das zu tun, was du, liebe Judith, von mir verlangt hast. So zu schreiben, daß alle wissen, was die Stunde geschlagen hat.« Moische hatte Beifall erwartet, doch niemand klatschte. Er überlegte, was die Anwesenden noch hören wollten, ehe sie ihm ihre Anerkennung bekundeten. »Ich möchte unsere Zeitung *Germany Today* so führen, daß ihr alle stolz auf mich sein könnt.« Der Beifall war verhalten. Die Juden verlangten, daß er mit flammenden Worten seine Loyalität zu ihrer Gemeinschaft und zum Staat Israel bekundete. Doch Moische war nicht so meschugge, dies im Beisein von Tom Jason zu tun. Vielleicht bekam der Amerikaner doch das eine oder andere deutsche Wort mit. Moische plagte die Loyalitätsangst der assimilierten Juden von Benjamin Disraeli bis Bruno Kreisky. Er wollte sich nicht dem Verdacht aussetzen, ein jüdischer Lobbyist zu sein.

Bei Tisch besah sich Moische sein Geschenk. Es war eine goldene Rolex. Die Uhr mochte zwanzigtausend Mark wert sein. Sein Magen krampfte sich zusammen. Gut, daß er nicht auf seine Sekretärin gehört hatte und Judith neben den Blumen ein weiteres Geschenk hatte besorgen lassen. Doch er ahnte, daß Judith sich nicht mit einem Parfum zufrieden geben würde, auch wenn es mehr als hundert Mark teuer war. Er würde sich morgen die Zeit nehmen müssen und sich in einem Schmuckgeschäft nach einem passenden Präsent umschauen. Eine Kette mit einem goldenen Davidstern war allemal ein passendes Präsent für eine jüdische Frau zwischen acht und achtzig. So ließ Moische zunächst sein Parfum in der Brusttasche über seinem Herzen ruhen.

Ständig traten andere Gäste an den Tisch, um Judith enthusiastisch und Moische pflichtgemäß zu beglückwünschen. Sie nahm die Gratulationen freundlich und routiniert entgegen. Moische spürte, was Judith von ihm erwartete. Er ahnte, daß es ein Fehler war, doch sein schwaches Selbstwertgefühl vermochte ihrem Druck nicht zu widerstehen. Moische holte sein Präsent hervor. »Das ist ein kleines Geschenk für dich«, sprach er belegt und reichte ihr das Päckchen. Judith drückte ihm einen flüchtigen Kuß auf die Lippen – das kleine Tischpublikum erwartete keine große Geste – und machte sich mit flinken Fingern daran, das Geschenkpäckchen zu öffnen. Die Tischgenossen beobachteten sie dabei.

Als Judith die Parfumflasche sah, erstarrte sie. Nur langsam löste sich die Verkrampfung. Ihr erbleichtes Gesicht rötete sich zunehmend. Judith packte die Parfumflasche und stopfte sie unter das Geschenkpapier. »Chuzpe!« Sie reckte Moische ihren Kopf entgegen. »Ich zerbreche mir wochenlang den Kopf, was ich dir schenken kann! Ich kaufe dir eine wertvolle Goldrolex ...«

Moische wollte weglaufen. Doch er klebte an seinem Sessel und mußte die Strafpredigt seiner Prophetin erdulden.

»... und du wirfst mir ein billiges Parfumfläschchen vor die Füße, das wahrscheinlich deine Sekretärin verpackt hat!«

Hatte die Pompetzki ihr's verraten?

»Du bist ein respektloser Geizhals ohne Stil!«

Moische sah von Judith zu Tom Jason – der Amerikaner begriff, auch ohne Deutsch zu verstehen – und wieder zurück. »Entschuldige, Judith ...«

»Nein! Ich entschuldige nicht! Diese Chuzpe werde ich dir nie verzeihen!«

Jacob Talismann rettete die Situation. Er schnellte hoch und gab der Band mit schnalzend erhobenen Fingern das Signal, mit lauter Tanzmusik einzusetzen. Seine Order wurde umgehend befolgt.

Die Musik kühlte Judiths Wutausbruch. Sie trat zu Talismann. »Danke, Jacki! Du bist eben ein wunderbarer Mann.« Sie flog in seine ausgestreckten Arme. Rasch folgten andere Paare. Moische blieb benommen am Tisch sitzen.

»Ich habe Judith schon immer gesagt, daß du ein großer Arsch bist. Du trägst nicht mal Hemden von Ralph Lauren«, höhnte Gabi.

Esther Zucker teilte zwar die Mißbilligung ihres Enkels, doch die alte Dame meinte es gut mit Moische. Denn ihm fehlte das herrische Wesen ihres verstorbenen Mannes, das ihr selbst nach seinem Tod Schrecken einjagte. Esther Zucker wußte, daß ihre Tochter ebenso empfand. Die Angst vor Macho-Männern war der einzige Grund, weshalb Judith sich mit diesem Habenichts eingelassen hatte. Gleichzeitig entdeckte die Alte entsetzt, daß bei Judith mit zunehmendem Alter die despotischen Züge des Vaters zum Vorschein kamen. Sollte sie Moische davor warnen? Ihr Leben hatte sie gelehrt, daß Mahnungen, Warnungen und Ratschläge sinnlos waren. Die Menschen taten, was sie tun mußten, wie Steine, die den Berg herabrollten. Am Ende landeten alle im Grab. Die einen ein bißchen früher, die anderen ein wenig später. Nur der Ewige kannte die Regeln seiner Spielzeuge. Esther Zucker war nicht vermessen genug, dem Allmächtigen, der schon seine Hand nach ihr ausstreckte, ins Handwerk pfuschen zu wollen. Sie schwieg.

Tom Jason machte sich Sorgen um seinen Chefredakteur. Der Bursche war zwar begabt, aber ihm fehlte die Kraft, der anmaßenden Furie zu widerstehen. Jason mußte ihm helfen, sonst machte die ›Jewish German Princess‹ ihn kaputt, ehe er Erfolg als Chefredakteur hatte.

Jason hob sein Glas. »Ich trinke auf dich, Moses«, sprach er gewollt munter. Moische riß sich soweit aus seiner Lethargie, daß er mit seinem Verlagsleiter anstoßen konnte. Jason beugte sich vor und berührte Moisches Arm. »Ich bewundere die Kraft und Entschiedenheit, mit der du unsere Zeitung führst, Moses«. Der Verlagsleiter bemühte sich, Wärme in seine Stimme zu packen. »Ich bin sicher, du wirst auch im Privatleben deine Kraft finden!«

Wie? Wodurch? Moische wußte, was er zu schreiben hatte, um die Leser für sich zu gewinnen: das, was sie hören wollten. Judith wollte hören, daß er ihr bedingungslos folgte. Und da faselte dieser unbedarfte Goj von »Kraft«. Die Kraft war auf Judiths Seite – wie alles andere auch: Schönheit, Selbstbewußtsein, Geld.

Jason bemerkte Moisches Angst und Verzagtheit. »Laß dich nicht irre machen, alter Kumpel! Wenn es der Lady nicht paßt, jag' sie zum Teufel!« Jason begriff nicht, daß Moische Judith nicht verlassen konnte. Denn sie war für ihn die Erfüllung seines Lebensziels, das ihm seine Mamme mit der Muttermilch eingeflößt hatte.

Die Band unterbrach ihre Musik. Die Paare, auch Judith und Jacob Talismann, kehrten an ihre Tische zurück. Judith würdigte Moische keines Blickes. Das elektrische Licht wurde herabgedimmt. Die Tischkerzen tauchten den Saal in weiche, warme Farben, die ineinanderflossen. Das Unterhaltungsgewisper wurde durch den einsetzenden Trommelwirbel der Band übertönt. Ein Spotlight leuchtete auf. Sein Strahl erfaßte einen schwarzen Sänger in einem weißen Glitzerkostüm. Der Musiker huschte in graziösen Sprüngen zur Mitte des Podests. Er ergriff das Mikrophon. Das Trommeln brach ab. Mit rauher, aber einschmeichelnder Stimme begrüßte der Sänger sein Publikum. »Ladies and Gentlemen, Schalom!« Das jüdische Publikum spendete dem Schwarzen Beifall für seinen bestandenen Schalom-Test.

»Judith and Moische, congratulations and Masl tow.«

Die Band intonierte den Jubelmarsch »Congratulations and Celebrations«. Die Gäste klatschten im Rhythmus mit. Judith erhob sich kurz und verbeugte sich. Beifall.

Sie bemerkte Moisches Blick, der sie um Verzeihung, zumindest aber um Aufmerksamkeit anbettelte. Doch sie ignorierte ihn.

Nach dem Song schloß der Sänger seine Augen, drückte die Handflächen aneinander und führte sie zur Stirn. Er verharrte einige Sekunden in dieser Stellung, ehe er langsam die Lider hob und die Arme sinken ließ. Mit einem Mal gab er mit der freien Hand und mit stampfendem rechten Fuß den Rhythmus vor, die Band fiel leise spielend ein.

»Let's get going now, Ladies and Gentlemen! Let's dance! All of you! All night long!« Mit Inbrunst und Spannung stimmte er »Nights in White Satin« an. Die ersten Paare glitten auf die Tanzfläche. Auch Judith stand auf. Jacob Talismann sah sie erwartungsvoll an, doch sie beachtete ihn nicht.

Sie will mich, jubelte Moische. Sein Herz trommelte ein fröhliches Stakkato. Sie hat mir verziehen! Doch Judith stellte sich vor Tom Jason und forderte ihn zum Tanz auf. Der zögerte, blickte Moische hilflos an. Doch Judith war nicht gewillt, sich von Männersolidarität beirren zu lassen. Sie streckte dem Amerikaner beide Hände entgegen, so daß ihm nichts übrig blieb, als ihren Wunsch zu erfüllen. Moische saß starr auf seinem Stuhl und bemühte sich, nicht aufs Parkett zu blicken. Judith schritt derweil vorwärts, ohne sich umzuwenden.

Sie schmiegte sich eng an Tom Jason an. Zunächst hoffte er, es läge an der allgemeinen Stimmung, dem spärlichen Licht, der schwülstigen Musik und den übrigen Tanzpaaren. Jason straffte seinen Körper und versuchte, Abstand zu bewahren, ohne seine Partnerin zurückzustoßen. Doch Judith ließ sich nicht abdrängen. Im Gegenteil, sie preßte ihren Körper gegen den Mann. Im Gegensatz zu Moisches eingeschüchtertem Schmock empfand Tom Jasons munterer Schwanz Verlangen nach Judiths Körper. Judith spürte es und preßte sich noch enger an Tom. Er ließ es geschehen.

Als die Melodie wechselte, stemmte Jason Judith entschlossen von sich und führte sie auf die Terrasse. Vom nahen Grunewald und vom Grunewaldsee wehte ein lauer Abendwind, der mit Judiths Locken spielte. Sie stützte sich mit ihren Armen am Eisengeländer ab und reckte ihm ihren Mund entgegen. Tom Jason hatte Lust auf diese Frau. Er packte Judith an den Oberarmen. Sie fiel ihm sogleich entgegen. Doch Jason hielt sie von sich fern, ehe er sie mit einem Mal losließ. »Ich bin verheiratet!« Seine Stimme war belegt.

»Na und? Ich war's auch.« Judith lächelte Jason herausfordernd an.

»Dick Carter hat mir von dir erzählt …«

»Lüge!« zischte sie. »Ich lasse mir von so einem miesen Typen nichts anhängen.«

»Halt's Maul!« befahl Jason. »Dick ist mir genauso egal wie du!« herrschte er sie an. »Aber Moische ist mir wichtig …«

»Weil du ihn brauchst!«

Jason hob unwillkürlich die Hand. Judith zuckte zusammen. Sie hatte die Vorstellung, daß er ebenso wie ihr Vater zuschlagen würde, wenn sie ihm nicht folgte.

»Bernstein ist ein hervorragender Mann. Einer der wenigen, die selbständig denken können, und der weiß, wie man eine gute Zeitung macht. Aber er ist ein sensibler Bursche. Und wenn du wagst, ihm zu schaden, mach' ich dich fertig!«

Judith wagte es nicht, ihn anzusehen.

»Ist das klar?« wollte Jason wissen.

Sie blieb stumm.

»Hast du mich verstanden?« herrschte er sie an.

Judith nickte.

Tom Jason verließ das Fest ohne Abschied. Judith blieb noch eine Weile auf der Terrasse. Dann schleppte sie sich zur Damentoilette. Sie erschrak über ihr Spiegelbild. Judith restaurierte ihr Make-up und kehrte an ihren Tisch zurück.

Nach einer Weile schenkte sie Moische wieder ihre Aufmerksamkeit. Seine Erstarrung löste sich langsam. Judith begriff, daß Moische sie ähnlich fürchtete wie sie Tom Jason. Besser er hat Angst vor mir, als ich vor ihm, entschied sie.

Sie blieb Moische gegenüber reserviert. Doch zum Ausklang des Fests um ein Uhr nachts schenkte sie ihm den letzten Tanz. Moische war beglückt, er versuchte, sich an sie zu schmiegen, doch sie hielt ihn von sich ab. Er sollte begreifen, daß er sie tief gekränkt hatte.

Gabi, der um elf Uhr abgeholt und in ihr Bett gebracht worden war, schlief bereits. Judith lud Moische zu einem Drink im Salon ein. Er wollte sie an sich ziehen, doch sie entwand sich.

»Trotz deiner Chuzpe und deines Geizes will ich es nochmals mit dir versuchen, Moische! Ich glaube, du hast mich lieb ...«

»Bestimmt, Judith!«

»... und ich hoffe, du wirst dir Mühe geben.«

»Ganz sicher!«

»Gut!« Judith erhob sich. »Aber ich bin nur unter einer Bedingung bereit, unsere Beziehung fortzusetzen.« Sie ließ Moische eine Weile in seiner Angst frieren. »Ich verlange, daß du nie wieder diesen Jamson oder Jason anschleppst. Ich will diesen brutalen Goj nie wieder sehen. Nie wieder!« Ihre Stimme überschlug sich. »Wenn mir dieses Schwein noch einmal unter die Augen tritt, laß' ich ihn rauswerfen, und dich dazu!« Judith zitterte vor Aufregung.

Moische sah sie entsetzt und verständnislos zugleich an.

Judith warf sich auf die Couch und weinte. Als er sie streicheln wollte, stieß Judith ihn zunächst weg. Nach einer Weile erst winkte sie ihn zu sich. Er streichelte sie behutsam, bis sie allmählich ruhiger wurde.

»Der dreckige Goj hat mich bedrängt. Er wollte, daß ich mit ihm schlafe.«

Moische wurde übel. Nur mit Mühe bezwang er seinen Brechreiz. Alle hatten ihn hintergangen. Heiner Keller, Georg Wimmer und nun Tom Jason, dem er am meisten vertraut hatte. Moische ballte wütend die Fäuste. Aber ich habe alle besiegt, machte er sich Mut. Keller schmachtet bei den Leserbriefen, Wimmer ist zum Teufel gejagt worden, und mit Jason werde ich auch noch fertig!

Judith sah ihn erwartungsvoll an.

»Danke, daß du mir's erzählt hast. Der Goj wird dir nie wieder unter die Augen treten! Ich werde ihn fertigmachen!«

Judith spürte, daß es Moische ernst war. Sie drückte ihm einen eisigen Kuß auf den Mund. »Ich liebe dich, Moischale.«

»Ich dich auch, Judith.«

Moische umarmte die Geliebte.

Nachdem sie sich von ihm gelöst hatte, eilte sie davon.

Moische blieb verwirrt zurück. Ich werde mich an Jason und an Keller und an Wimmer und an allen Verrätern rächen, schwor er sich.

14
Hybris

Nach Judiths Geburtstag arbeitete Moische bis zur Erschöpfung. Unentwegt trieb er Redaktion, Technik, Vertrieb und Werbung an, damit das neue *Germany Today* pünktlich am ersten Oktoberwochenende starten konnte.

Zwischendurch mußte Moische Judith ein nachträgliches Geburtstagsgeschenk besorgen. Nach der Redaktionskonferenz um halb zwölf hastete er vom Kurfürstendamm über die Tauentzien zur Nürnberger Straße. Dort hatte ein jüdischer Juwelier sein Schmuckgeschäft. Auf einem Samttablett wurden ihm Hunderte glitzernde Davidsterne präsentiert. Sie waren bis zu zweihundert Mark teuer. Doch Moische ahnte, daß Judith sich nicht mit einem simplen Davidstern begnügen würde. Also erwarb er für weitere zweihundert Mark eine Goldkette. Das mußte selbst der verwöhnten Judith genügen.

Die alberne Einkauferei hatte Moische viel Zeit gekostet. Er kam gerade rechtzeitig in die Redaktion zurück, um eine Katastrophen-Schlagzeile zu verhindern. Nach Bekanntgabe des offiziellen Berichts der Nürnberger Bundesanstalt für Arbeit hatten Diepholz und seine Holzköpfe gedichtet:

Neuer Arbeitslosenrekord
Fast fünf Millionen ohne Beschäftigung

»Die Schlagzeile taugt nicht mal für den Papierkorb!« Die Männer und Frauen sahen Moische an.

»Seit fünf Jahren weiß jedermann in Deutschland, daß die Arbeitslosenzahlen steigen ...«, der Chefredakteur nahm die Einwände vorweg, »... und daß wir von einem Rekord in die nächste Katastrophe taumeln. Neue Arbeitslosenrekorde sind älter als der Hut von Charlie Chaplin.« Einige Redakteure kicherten. »Wir müssen endlich die Interessen des Lesers berücksichtigen. Was will der Leser wissen?«

»Wie's weiter geht, nehme ich an«, meinte Frank Lachner unbekümmert. »Und wie wir eine Wende herbeiführen können.«

»Sicher. Das sind gute Fragen. Doch die viel näherliegende Frage lautet doch: Wer ist schuld an dem Desaster?«

Das Aufleuchten in den meisten Gesichtern und das zustimmende Raunen zeigte dem Chef, daß er seine Redaktion überzeugt hatte. »Unsere Leser wollen wissen, wer sie, ihre Familie, ihre Freunde und Bekannten in die Arbeitslosigkeit getrieben hat oder es bald tun könnte. Und es ist unsere Pflicht, ihnen das zu sagen.«

Moische legte eine Pause ein. Er genoß die neugierigen Mienen der Umsitzenden. »Die Politik hat versagt!« rief er. »Genauso wie die Wirtschaft!« ergänzte Bodo Bauer, ein jüngerer Redakteur aus dem Wirtschaftsressort.

»So ist es!« erwiderte Moische. »Und es gibt noch eine Reihe weiterer Schuldiger: inflexible Gewerkschaften, faule Arbeitnehmer, etcetera pp. Aber wir brauchen eine Schlagzeile, keinen Roman!«

Allgemeines Gelächter.

»Und wir brauchen die Anzeigenwirtschaft, um unser *Germany Today* aufzubauen und die Arbeitnehmer, um es an sie zu verkaufen. Unsere journalistische Pflicht in Ehren, aber von der Michael-Kohlhaas-Katastrophenphilosophie: ›Viel Feind, viel Ehr‹ halte ich nichts.« Moische dachte konzentriert nach. »Unsere Zeile muß lauten:

Arbeitslosigkeit:
Die Schuldigen

Darunter setzen wir alle Köpfe des Kabinetts. Neben dem Aufmacher schreibe ich einen Kurzkommentar für die erste Seite. Titel: *Regierung am Pranger.*«

Frank Lachner und einige jüngere Kollegen klopften Beifall, rasch schlossen sich die übrigen Redakteure an.

Moische war geschmeichelt, doch gleichzeitig fühlte er sich plötzlich unsicher. Er stand auf, bedankte sich linkisch und eilte aus dem Raum.

»Arbeitslosigkeit ist kein Gottesurteil. Sie ist lediglich ein Dokument der Unfähigkeit!« hob der Chefredakteur in seinem Kommentar an. »In den letzten vier Jahren sind in Amerika elf Millionen neue Arbeitsplätze geschaffen worden, die Zahl der Erwerbslosen wurde halbiert. Bei uns hingegen wurden im gleichen Zeitraum über zwei Millionen Arbeitsstellen vernichtet. Zwei Millionen Frauen und Männer haben ihre Arbeit verloren, ihr Leben wurde weitgehend seines Sinnes beraubt, weil die Regierung unfähig ist. Statt sich um das Wohl der Bürger dieses Landes zu kümmern, wie es das Grundgesetz verlangt, auf das jeder Minister vereidigt ist, fliegt man munter durch die Welt und macht große Politik. Inzwischen gehen Deutschland und seine Menschen vor die Hunde. Doch wen kümmert's? Die Damen und Herren Minister haben sichere Jobs. Und selbst wenn sie eines Tages wegen Unfähigkeit oder Korruption ihr Amt aufgeben müssen, fallen sie weich: Pensionen, Abgeordnetendiäten, Stiftungen und Aufsichtsratsposten sind sanfte Kissen, auf denen sich die Versager trefflich ausruhen können.«

Moische beklagte die billionenhohe Staatsverschuldung und schloß vernichtend: »Jeder kleine Geschäftsmann, der seine Firma zugrunde richtet, seiner Belegschaft die Arbeit raubt und Schulden für die kommenden Generationen auftürmt, wird zur Verantwortung gezogen. Wir haben die gleiche Pflicht! Diese Regierung muß Rechenschaft ablegen, ehe sie aus dem Amt gejagt wird. Sie muß das Schicksal ihrer Opfer teilen: Arbeitslosigkeit!«

Während Heike Pompetzki seinen Artikel in den Computer eingab, streifte der Chefredakteur unruhig durch sein Büro. Sein Kommentar traf den Nerv der Zeit und des Volkes! Arbeitslosigkeit war das Lieblingsschreckgespenst der Deutschen. Moische gab die Anweisung, den Wortlaut seines Kommentars an die Nachrichtenagenturen weiterzuleiten. Das würde den Reklameeffekt erhöhen. Doch auch damit durfte es nicht genug sein!

Die Deutschen fürchten die Arbeitslosigkeit wie die Juden den Holocaust. Deshalb kommen sie nie von ihr los. Ich werde ihnen geben, wonach sie süchtig sind! Eine Serie über Arbeitslosigkeit.

Moische nahm seine Wanderung wieder auf. Das Telefon läutete. Die Pompetzki meldete einen Anruf Judiths. »Kommt jetzt nicht in Frage!« rief Moische und legte, ohne eine Reaktion abzuwarten, auf. Er war so aufgeregt, daß er sogar bereit war, Judiths Zorn in Kauf zu nehmen.

Die Deutschen paniken vor der Arbeitslosigkeit. Ohne Arbeit kommen sie sich nutzlos vor. Hitler hatte ihnen gesagt, was sie zu tun hatten, und wer schuld an ihrem Elend war: die Juden. Ich hab's in meinem Kommentar genauso gemacht. Was gestern die Juden waren, ist heute die Regierung. Das ist's! Das ist die neue Serie!

Der Chefredakteur ließ Frank Lachner und den zweiten CvD, Karl Abt, sowie den Werbechef Bernd Kasford in sein Büro zitieren.

»Unser heutiger Aufmacher war der Aufgalopp zu unserer neuen Serie. Sie beginnt am Schabb ...«, wenn Moische aufgeregt war, verfiel er unwillkürlich ins Idiom seines Elternhauses, »... am Wochenende. Ihr Titel:

Die Arbeitsplatzvernichter: Die Regierung und ihre Helfer
Jeder Arbeitsplatzvernichter wird eigens porträtiert!«

Frank Lachner strahlte. Doch der Werbechef äußerte Bedenken. »Wirbeln wir damit nicht arg viel Staub auf ...?«

»Dafür werden wir alle bezahlt. Besonders Sie, Kasford!«

»Sicher. Aber bei dem Staub ist in diesem Fall auch viel brauner Dreck, Herr Bernstein.«

»Das lassen Sie mal meine Sorge sein! Kümmern Sie sich lieber um eine durchschlagende PR-Kampagne!« bestimmte Moische. Der freche Goj, der ihn beschuldigte, mit Nazimethoden zu arbeiten, erzürnte Moische. Der Bursche will mir Schuldgefühle einreden! Ich habe keinen Juden erschlagen, auch nicht mein Vater und mein Großvater. Aber sein Opa hat bestimmt ein paar von uns gekillt. Ich mache ihm keinen Vorwurf. Aber ich muß mir auch nicht gefallen lassen, daß dieser Trickbetrüger mich fertigmacht!

Der Chefredakteur verbannte Kasford aus seinem Büro. Er forderte von ihm, bis zum nächsten Vormittag ein detailliertes PR-Konzept auszuarbeiten.

Derweil trieb Moische seine willigen Helfer an. Frank Lachner bekam den Auftrag, seine Rechercheredaktion im Schnelldurchlauf zusammenzustellen und im Eilverfahren mit dem Schreiben der Porträts zu beginnen. »Als erstes muß der Kanzler dran glauben!«

Lachner feixte.

»Ich brauche den Artikel bis spätestens morgen abend. Das nächste halbe Dutzend bis zum Wochenende: Finanzminister, Wirtschaftsminister, Arbeits- und Sozialminister, Technologie-, Jugend- und …« Moische stockte.

»Wir könnten den Bauminister dazunehmen«, ergänzte Lachner.

»Prima, Frank! Du denkst mit. Dazu noch den Verkehrsminister, dann ist die erste Woche voll. Aber alles muß blitzschnell gehen und tipp topp sein.«

»Ich tue, was ich kann«, versprach Lachner.

»Das ist nicht genug! Die Biographien müssen objektiv hervorragend sein, sonst machen wir uns lächerlich.«

»Selbstverständlich! Ich sorge dafür, daß die Artikel exzellent werden.« Moische blickte auf seine Notizen. »Und dann brauche ich morgen von euch beiden die Lokalseiten! Und zwar alle: München, Frankfurt, Düsseldorf, Köln, Hamburg und Berlin …!«

Lachner und Abt tauschten Blicke. Das bedeutete eine neue Nachtschicht. Karl Abts Freundin rebellierte bereits gegen dessen »Ehe mit der Scheißzeitung« und drohte, ihn zu verlassen. Frank Lachners Geliebte hatte dieselbe Drohung bereits wahr gemacht. Er war nicht unglücklich darüber. Edith hätte seine Karriere nicht gefördert. Sie besaß weder Geld noch Einfluß.

Allein kam er besser zurecht als im Dauerstreit mit der Freundin. Zur Zeit galt Lachners uneingeschränkte Loyalität seinem Chef. Von ihm konnte der junge Journalist viel lernen. Bernstein war auf Lachners Kraft angewiesen. War er seinem Chef nützlich, dann würde er ihn zum Erfolgsgipfel begleiten dürfen.

Moische und Karl Abt berieten eingehend, wie die Blattreform rechtzeitig und effizient durchzusetzen war. Der Chefredakteur wollte über alle Einzelheiten informiert werden. Er ermahnte seinen CvD, »immer mit der Dummheit der Leute zu rechnen. Du mußt alle – alle! – von Diepholz über deine Kollegen, die Ressortleiter, Techniker, Drucker und so weiter bis zur letzten Putzfrau auf die Notwendigkeiten des neuen Systems einschwören. Es dürfen keine Pannen passieren!«
Abt wußte, daß Pannen passieren mußten, da man es mit Menschen zu tun hatte, obgleich es zwanghafte Deutsche waren. Der Zwanghafteste war allerdings sein jüdischer Chef. Daher war es sinnlos, mit ihm über menschliches Versagen und Fehlerwahrscheinlichkeit zu debattieren. Das war eine sichere Methode, Bernstein hysterisch zu stimmen und das eigene Fortkommen zu torpedieren. So fügte sich Karl Abt in Moisches Perfektionismus. Gegen vier Uhr morgens gingen die Männer erschöpft auseinander.

Um diese Zeit steckte Frank Lachner mitten in der Arbeit. Er hatte seine Recherchecrew zusammengebastelt und bestimmt, wer welches Kabinettsporträt schreiben sollte. Lachner wollte zunächst selbst die Kanzlerbiographie abfassen. Er hatte sich bereits die Materialien im Archiv zusammenstellen lassen und mit dem Artikel begonnen. Doch dabei wurde ihm schnell deutlich, daß dies nicht die richtige Aufgabe für ihn war. Er wußte, daß sein Chef eine unversöhnliche Abrechnung erwartete, die nicht scharf genug ausfallen konnte. Frank Lachner dachte trotz seiner Jugend langfristig. Er wollte sich nicht die Feindschaft des Kanzlers zuziehen. Ihm war bekannt, daß der Regierungschef keine Kränkung verzieh. Den Kanzler zum

Feind zu haben, konnte für seine Karriere großen Schaden bedeuten. Frank Lachner war kein Hasser. Moische Bernstein würde es ein Vergnügen sein, mit dem Politiker abzurechnen. Der Redakteur wollte seinem Chef dabei nicht im Wege stehen.

Er schob die neue CD von Depeche Mode in seinen CD-Player und goß sich eine Coca Cola ein. Der Rhythmus der Musik, die eisige Kälte des Getränks und das Koffein erfrischten und beflügelten ihn. Er drehte die Lautstärke auf, daß die Bässe vibrierten, warf sich in seinen Sessel, legte seine Beine lässig auf den Tisch und ergriff die Fahnenabzüge der Lokalseiten. Mit flotter Hand redigierte er die Artikel und Bildunterschriften.

»So geht das nicht! Du mußt noch viel lernen, Frank!« Moische Bernstein war süchtig nach der Bewunderung seines Favoriten. Doch die Städteseiten, die unter Lachners Leitung zusammengestellt worden waren, erwiesen sich als schiere Katastrophe.

»Die Seiten sind doch optisch sehr ansprechend. Und die Farbe ...«

»Farbe, Schmarbe! Wenn's um Optik und Ästhetik ginge, wären *Pan* und *Schöner Wohnen* Topseller. Doch die Leute kaufen *WAZ* und *Bild*. Sie wollen keine schöne Zeitschrift, sondern ein spannendes Blatt, und das müssen wir ihnen bieten.«

»Das stimmt.« Lachner setzte wieder sein Jungenlächeln auf. Der Chefredakteur nahm den Fahnenabzug der Münchenseite in die Hand. »Tolles Foto des Stadtpanoramas. Nur, deshalb kauft keiner unser Blatt. Leute, denen an schönen Städtebildern liegt, kaufen *Merian* und so'n Zeug. An deren Fotografen und Farbqualität kommen wir nicht ran.«

Lachner nickte.

»Unsere Leser wollen von uns auch keine feinziselierten Konzertkritiken. Wer so was sucht, liest die *Süddeutsche*. Da kriegt er die Artikel von Joachim Kaiser und Klaus Bennert frei Haus.«

Moische holte Atem: »Unsere Leser wollen wissen, was in München los ist. Zum Beispiel, daß das *Rossini* des Dietl-Films in Wirklichkeit *Romagna Antica* heißt und in der Elisabethstraße in Schwabing liegt. Wer dort verkehrt. Und wo die Spieler und Manager des FC-Bayern essen und saufen. Nämlich bei *Fausto* in der Schönstraße. Und wer verkehrt bei *Schumann's*, Deutschlands exklusivster Bar in der Maximilianstraße? Was kostet dort ein Drink? Wie schlüpft man durch die Gesichtskontrolle? Das gleiche gilt für die Nobeldisco *P 1* in der Prinzregentenstraße!«

Moische lächelte. »Das ist doch dein Revier! Das hast du mir doch erklärt!«

Lachner sah seinen Mentor verständnislos an.

»Junge Leser! Für die ist doch die *P 1* ein Traum. Die fahren doch nicht nach München, um sich von den Philharmonikern zugeigen zu lassen ...«

Der Redakteur nickte.

»Die wollen wissen, wo sie was erleben können. Also Popkonzerte. Und die Älteren möchten wissen, wo sie gut fressen und saufen können. Ich brauche also Reportagen über die *Käfer*-Restaurants und über das *Glockenbach*. Natürlich auch etwas über Oper, Operette, *Deutsches Theater* in der Schwanthalerstraße et cetera ...

Die Menschen sind neugierig, wie sich's in den Nobelvierteln Bogenhausen und Grünwald wohnt. Was die Häuser und Mieten dort kosten und wie hoch die Preise auf dem Strich sind. Wer das meiste Geld besitzt, und wer in München das Sagen hat. Hier sind doch alle versammelt: *BMW*, *Löwenbräu*, *Allianz*, *Münchner Rückversicherung*. Berichte über deren Geschäfte und Macht. Das gleiche gilt für Hamburg, Frankfurt, Düsseldorf.« Moische fuchtelte mit den Armen. »Es gibt doch unendlich viele Geschichten!«

Wie sollte Lachner in der Eile seine Seiten umbauen? Woher bekam er die entsprechenden Artikel?

»Aus dem Archiv!« bestimmte sein Meister.

»Sie meinen abschreiben?«

Frank Lachner ahnte, daß sein Chef es ernst meinte.

»Ja! Das meine ich! Ihr wart zu doof, die passenden Artikel rechtzeitig zu liefern. Also bleibt euch nichts übrig, als abzukupfern. Das ist nicht ehrenrührig!« tröstete er den Jungen. »Einer schreibt vom anderen ab, schamlos. Warum, meinst du, liest jeder Journalist am Morgen als erstes die Konkurrenzblätter? Bestimmt nicht, um deren Auflage in die Höhe zu jagen. Wir müssen diesmal notgedrungen das gleiche tun. Verschafft euch einige vernünftige Reportagen. Pfriemelt sie sorgfältig um. Kein Leser darf merken, daß ihr gespickt habt. Alles muß exklusiv klingen. Das ist das A und O! Der Leser muß das Gefühl haben, er wird als Erster informiert – selbst wenn bereits zehn Millionen vor ihm den gleichen Quatsch vorgesetzt bekommen haben. Außerdem …«, Moische schob das Blatt wieder zu seinem Lehrling, »… gibt es noch freie Mitarbeiter. Das sind die ärmsten Schweine in unserem Gewerbe«, erinnerte sich Moische. »Für'n paar Mark legen die sich zu jeder Tages- und Nachtzeit krumm und schreiben dir, was du lesen willst.«

Frank Lachner hatte seine Lektion gelernt. Er machte sich daran, die Vorstellungen des Chefredakteurs umzusetzen. Zuvor ersuchte er seinen Meister, den einleitenden Kanzlerartikel zu schreiben: »Niemand kann das so wie Sie, Chef.« Moische kam der Bitte seines Zauberlehrlings nach.

»Der Kanzler ist ein Versager. Er muß gehen!« Moische wollte gnadenlos mit dem Regierungschef abrechnen. Aber bereits nach dem ersten Satz hielt er inne. Die Deutschen lieben keine Eiferer und Geiferer, wußte er. Schon gar nicht einen geifernden Juden! Einen Shylock, einen Schächter, der ihrem Kanzler, den sie vier Mal freiwillig gewählt haben, das Messer an die Gurgel setzt. Moische erinnerte sich, wie verhaßt die eifernden Publizisten William S. Schlamm und Gerhard Löwenthal waren.

Persönlicher Ehrgeiz ist in Deutschland verpönt – obgleich jeder Idiot weiß, daß ein Politiker ohne Ehrgeiz so weit kommt wie ein Auto ohne Benzin. Rachsucht gar war geächtet. Welcher gute Deutsche würde beim Lesen des Haßkommentars eines Juden nicht sofort an »Aug um Aug, Zahn um Zahn« denken? Wer in Deutschland etwas erreichen will, der muß im Namen von Treu und Glauben *für* eine gute Sache eintreten. Ich muß also den Kanzler im Namen der Güte absägen, begriff Moische.

Er ließ sich die Heilige Schrift besorgen. König Salomon galt als besonders weise. In dessen Buch würde der Schreiber fündig werden. »Für alles gibt es die richtige Stunde. Und eine Zeit für jegliche Sache unter dem Himmel.« Das war's! Moische Bernstein begann seinen Aufmacher mit diesem Vers. Dann hob der Chefredakteur die außenpolitischen Verdienste des Kanzlers, sein Eintreten für die Einheit Europas und besonders seine Leistung bei der Vereinigung Deutschlands hervor.

Danach zog Moische einen weiteren Pfeil aus dem Köcher der Sprüche Salomonis: »Es gibt eine Zeit zum Pflanzen und eine Zeit zum Roden.« Der Kanzler habe gesät und geerntet. Doch nun sei er gescheitert. Der Chefredakteur konnte nicht umhin, dem Regierungschef die »Verantwortung für die schlimmste Arbeitslosigkeit seit Hitler« anzulasten. Moische tat dies jedoch nicht anklagend wie vor zwei Tagen, sondern in der Diktion des Kanzlers. Er legte dem Regierungschef das Eingeständnis des eigenen Versagens in den Mund. Der Artikel las sich über weite Strecken wie ein Rücktrittsschreiben. Der Autor dankte dem Kanzler für seine Einsicht.

Abschließend verhieß der Chefredakteur seinen Lesern eine optimistische Zukunft: »Es gibt eine Zeit zum Niederreißen und eine Zeit zum Aufbauen! Der alte Kanzler ist verbraucht. Er muß die Verantwortung für sein Versagen übernehmen und gehen. Doch neue Männer und Frauen stehen bereit, die Herausforderungen unserer Zeit anzunehmen und zu bewältigen. Sie müssen dafür sorgen, daß die bestehenden Arbeitsplätze gesichert werden und die Erwerbslosen wieder Arbeit bekommen!«

Moische war versucht, seinen frommen Artikel mit einem

Amen zu krönen. Das würde zu weit gehen. Schließlich gab es auch Millionen Ungläubige. Auf die Gefühle dieser Zeitungsleser mußte schließlich auch Rücksicht genommen werden!

Der Chefredakteur komponierte eine passende Schlagzeile:
Der Rücktritt!
Das war der passende Aufmacher des neuen *Germany Today*. Klug, exklusiv, leserfreundlich. Moische war sicher, daß das Blatt einschlagen würde. Der Chefredakteur ließ den Text ins System einspeisen und gab seinem Küchenkabinett Order, die Werbekampagne für das »moderne *Germany Today*« anlaufen zu lassen. Dann mußte Moische in die Synagoge.

Mit Sonnenuntergang setzte der Jom Kippur ein. Moische sah auf die Uhr. Es war bereits zwanzig nach sieben. Für gewöhnlich nahm man die Gebetszeiten nicht allzu genau. Außer am Jom Kippur! Am höchsten Feiertag gerierten sich alle als Musterjuden. Jeder wollte rechtzeitig in der Synagoge sein. Das Kol Nidre, das wichtigste Gebet des Jahres, begann bereits in zehn Minuten. Moische ließ sich ein Taxi rufen.

Der Fahrer machte ihn meschugge. Statt sich zwischen den anderen Autos durchzuwursteln, wie es sich für einen ordentlichen Taxifahrer gehörte, und auch mal bei Gelb über die Ampel zu wischen, hielt sich der Chauffeur pedantisch an alle Verkehrsregeln. Moische kam zehn Minuten zu spät in die Joachimsthalerstraße. Doch man ließ ihn nicht in die Synagoge! Impertinente Sicherheitsleute verlangten Moisches Ausweis.

»Warum?«

»Um zu entscheiden, ob wir Sie hineinlassen.«

»Ich bin Moische Bernstein, Chefredakteur!« Erstmals stellte sich Moische mit seinem Titel vor. Es klang imposant. Jedenfalls für Moische und für normale Menschen. Nicht für die israelischen Zerberusse! »Wir kennen Sie nicht!«

Der Chefredakteur mußte seinen Personalausweis zücken. Erst dann ließen sie ihn passieren.

Moische hastete ins Gebäude. Die Vorhalle wurde von Hunderten Jahrzeitkerzen erhitzt. Sie tauchten den Raum in flackerndes Licht. Einige Männer deuteten auf Moisches Kopf. Moische griff sich an den Schädel. Er hatte seine Kippa vergessen. Er hastete wieder zur Pforte und erbettelte ein schwarzes Kunststoffkäppchen. Er lief wieder nach vorn, küßte die Mesusa am Türpfosten und trat in den Betraum.

Der Gottesdienst hatte bereits begonnen. Das Parkett war mit Hunderten von Männern überfüllt. Während oben auf der Frauengalerie gähnende Leere herrschte. Nur die wenigsten Frauen machten sich die Mühe, am Jom Kippur-Abend die Synagoge zu besuchen. Auch Judith war nicht da.

Die Luft war stickig. Dicht an dicht gedrängt standen die Männer vor ihren Pulten. Die meisten waren in einen weiten schwarzweißen Gebetsschal, den Talith, gehüllt. Sie folgten dem Gesang des Kantors. Moische beschaffte sich ein hebräisches Gebetbuch. Er schloß sich dem sechsmal wiederholten Kol Nidre-Gebet an. »Kol Nidre! Alle Gelübde, alle Schwüre, alle Verpflichtungen, alle Sünden ...«

Am Jom Kippur wurden alle Gelübde, alle Verpflichtungen hinfällig. Der Ewige vergab seinem Volk die Sünden wider Ihn, und die Menschen hatten die Pflicht, die an ihnen begangenen Kränkungen und Untaten zu vergeben und Verzeihung zu erflehen bei jenen, denen sie Unrecht getan hatten. Jom Kippur war der Versöhnungstag. Eine Woche nach Rosch-ha-Schana, dem Neujahrsfest, an dessen zweitem Tag die kommenden zwölf oder, im Schaltjahr, dreizehn Monate mit dem Schofar, dem Widderhorn, begrüßt wurden, besiegelte der Herr das Schicksal jedes Einzelnen im kommenden Jahr. Moische folgte automatisch dem Gebetsgesang des Vorbeters und der Gemeinde.

Existierte dieser Gott, zu dem die Juden seit Jahrtausenden beteten und der sie seither von einer Katastrophe in die andere geführt hatte? Statt ihn wegen der Verbrechen an Seinem Auserwählten Volk anzuklagen und ihn zu verdammen, weil er

Auschwitz zugelassen hatte, priesen ihn die Israeliten ungerührt mit aller Inbrunst ihrer Seele und aller Kraft ihres Geistes. Der Ewige nahm die Huldigungen gnädig entgegen und schickte den Juden in einem fort Nazis und andere Antisemiten, die ihre Männer erschlugen, ihre Weiber schändeten und die Köpfe ihrer Kinder zerschmetterten. Der Judenstaat war nicht durch Gottes Fügung wahr geworden, sondern weil die Israelis ihn mit Feuer und Schwert erkämpft hatten.

Moische und viele andere seiner Generation haderten mit Gott. Dies zeugte von Ignoranz. Denn das Judentum ist keine theologische Glaubensgemeinschaft auf der Gottessuche wie das Christentum. Es ist eine Gesetzesreligion. Statt über Gott zu spekulieren, sagt es den Menschen, was sie zu tun haben. Vierundzwanzig Stunden. Tag und Nacht!

Da er das Gottesrätsel nicht lösen konnte, wandte sich Moische dem Versöhnen zu. Er erfüllte damit das Gebot. Egal, ob es Gott gibt oder nicht, Vergeben und Versöhnen ist gut, wußte Moische. Seit seiner Kindheit fühlte er sich als Opfer. Zuletzt hatten ihn Heiner Keller und Georg Wimmer verraten und betrogen. Mußte er auch ihnen vergeben? Galt das Versöhnungsgebot auch für Gojim?

Nach drei Jahrtausenden verfluchten die Juden noch die Amalekiter und nach einem halben Jahrhundert die Nazis. Heiner Keller und Georg Wimmer waren keine Nazis. Aber sie stammten von ihnen ab. Der Fluch gegen Mörder galt bis ins dritte und vierte Glied!

Moische Bernstein, du bist meschugge! Statt dich am Jom Kippur mit allen zu versöhnen und für ein gutes Neues Jahr zu beten, verdammst du Gott und sinnst auf Rache gegen die Menschen, schalt er sich. So beschloß er an diesem Jom Kippur-Abend, ein allgemeines Pardon zu gewähren.

Nach dem Ende des Gottesdienstes schlenderte er über den Kudamm. Am Jom Kippur war fast alles verboten, auch Auto fahren. An den übrigen Tagen des Jahres hielt Moische keine religiösen Vorschriften ein. Doch die feierliche Atmosphäre des

Jom Kippur, die ihn zu seiner privaten Amnestie veranlaßt hatten, brachte ihn auch dazu, zu Fuß nach Dahlem zu marschieren.

Als er zu Hause anlangte, war es bereits nach halb elf. »Einmal im Jahr am Jom Kippur könntest du deine verdammte Arbeit sein lassen und rechtzeitig heimkommen!« empfing ihn Judith erbost.

»Ich bin von der Synagoge zu Fuß hierher gewandert ...«

»Verzeih!« Es war das erste Mal, daß Judith sich bei ihm entschuldigte. Keine jüdische Frau durfte am Jom Kippur ihrem Mann vorwerfen, daß er die Gebote der Religion einhielt.

Judith und Moische saßen noch eine Weile im Salon. Da es Fastentag war, aßen und tranken sie nichts. Sie sprachen über Jom Kippur. Moische erzählte von seinem persönlichen Versöhnungswerk. Das amüsierte sie: »Du bist wie ein Kind. Sobald du wieder im Alltag steckst, wirst du erneut hassen und gehaßt werden.«

»Aber heute?!«

»Heute liebe ich dich.« Judith umarmte Moische. Er war glücklich wie seit langem nicht mehr. Sie hatte ihm seine »Sünden« an ihrem Geburtstag verziehen. Die schöne und reiche Judith liebte ihn. Sie gingen Arm in Arm zu seinem Zimmer. An der Schwelle blieb sie abrupt stehen.

»Sogar heute, am Jom Kippur, hasse ich dieses Schwein! Deinen Chef Jason!« rief Judith.

»Er ist nicht mein Chef!«

Judith und Moische schliefen miteinander. Sie liebten einander nicht. Jeder gab sich lediglich Mühe, sich selbst und dem Partner Lust zu verschaffen. Ihr Vergnügen blieb dürftig. Obgleich sie körperlich zusammen waren, blieben sie einsam. Nachts kehrte Judith ins Ehebett zu ihrem Sohn zurück.

Moische war zum Weinen zumute. Doch die Tränen wollten nicht kommen. Als Kind hatte er viel geheult. Seine Spielgefährten und Klassenkameraden hatten ihn deshalb gehänselt. Hanna ermahnte ihn zur Härte: »Du darfst kein jüdischer Waschlappen sein!« Moische dressierte sich die »Heulerei« ab. Das feuchte Seelenventil sollte ihm später fehlen.

Der Jom Kippur hatte verheißungsvoll begonnen. Moische hatte Frieden mit der Welt gemacht. Doch Judiths Haßausbruch vergiftete seine versöhnungswillige Psyche.

Judith weigerte sich, mit Moische am Morgen des Jom Kippur zu Fuß zur Synagoge zu gehen. »Das ist doch pure Heuchelei.« Sie fuhr ihn in ihrem offenen Jaguarcabrio in die Synagoge. Moische liebte das Sportauto. Doch an diesem Feiertag wäre er lieber zu Fuß oder zumindest diskret im Taxi zum Tempel gefahren. Judith bestand aber darauf, daß er sie begleitete. Moische gab nach. Es war ja Versöhnungstag. Wie Millionen anderer Juden in aller Welt fuhren Judith und Moische an diesem Jom Kippur in die Synagoge, um das Jiskor-Gedenkgebet für ihre toten Angehörigen zu sprechen. Während die Kinder und die Jüngeren, die noch keine Verwandten betrauern mußten, im Hof der Synagoge schwätzten, versammelten sich die Gedenkenden im Betraum.

Der Kantor stimmte zunächst das *El male Rachamim* an, »Der Herr voller Erbarmen«. Er pries den Ewigen, beklagte die Toten, die gefallenen Soldaten in Israels Kriegen und die »Ermordeten, die Erwürgten, die Abgeschlachteten«, die Opfer der Schoah. Er nannte die Vernichtungslager Auschwitz, Majdanek, Treblinka. Der Vorbeter verfluchte die Nazimörder. Viele ältere Synagogenbesucher hatten Tränen in den Augen.

Danach sprach die Gemeinde das Jiskor-Gedenkgebet. Moische gedachte seines Vaters. Aaron Bernstein war ein geborenes Opfer. Zunächst der Nazis. Später hatte Hanna sich um ihn gekümmert und ihn beherrscht. Moische schwor sich, anders zu sein als sein Vater. Er durfte sich nicht einmal von Judith beherrschen lassen. Statt nach dem Gottesdienst mit ihr nach Hause zu fahren, eilte Moische in die Redaktion.

Bei der Arbeit vergaß Moische, daß Jom Kippur war. In der Redaktion lief alles, was er eingefädelt hatte, wie am Schnürchen. Frank Lachner hatte die München-Seite komplett umgebaut. Die Artikel hatten Hand und Fuß und berichteten den Lesern, was sie wissen sollten. Wo und was die Reichen, Mächtigen und Schönen trieben.

Der Aufmacher des Chefredakteurs mit der Rücktrittsforderung an den Kanzler war gut plaziert. Der zweite CvD hatte den Inhalt vorab an die Redaktionen gefaxt. Karl Abt rechnete nicht mit der Faulheit der Journalisten. Welcher Nachrichtenredakteur machte sich die Mühe, einen zweihundert-Zeilen-Text zu lesen? Man mußte den Burschen einen Zwanzig-Zeilen-Happen vorsetzen, um ihnen Appetit zu machen. War Abt zu unerfahren, dies zu begreifen, oder zu faul, eine Kurzversion zu erstellen? Der Chefredakteur erteilte ihm Anweisungen. Karl Abt machte sich unverzüglich an die Arbeit.

Am frühen Nachmittag tauchte Tom Jason in der Chefredaktion auf. Er brachte gute Kunde. Die verkaufte Auflage der »Schuldigen an der Arbeitslosigkeit«-Ausgabe von vor zwei Tagen war auf annähernd 530 000 Exemplare geklettert. Das war eine Steigerung um fast zwanzig Prozent. Moische hätte vor Begeisterung über die frohe Jom-Kippur-Botschaft am liebsten lauthals gejubelt. Doch Jasons vermeintlich hinterhältiger Charakter bewog Moische zur Vorsicht. Er dankte dem Manager kühl.

Sobald der Amerikaner gegangen war, berief der Chefredakteur sein Küchenkabinett ein. Er setzte Kasford unter Druck, »alles, was wir haben, in die PR-Schlacht zu werfen«. Abt wurde angewiesen, »alle Nachrichtenagenturen, Redaktionen, Radio- und TV-Stationen so lange mit unserem Kanzlerrücktritts-Aufmacher zu bombardieren, bis sie kapitulieren und sich zu unseren Lautsprechern machen«.

»Ich werde sie eindecken!« versprach Abt.

»Und ich werde dir dabei helfen!« pflichtete ihm Frank Lachner bei.

Die Begeisterung seiner Leute beflügelte Moische. »Und du, Tackert, jagst die Auflage direkt hoch!«

»Wie hoch, Chef?« fragte der technische Direktor.

Moisches Gaumen wurde trocken. Er spürte die Blicke seiner Jünger. Er durfte sie nicht enttäuschen. »600 000!« rief er. Die Männer schrien auf. Abt und Lachner klatschten sich nach Basketballspieler-Art in die Hände. Moisches Schläfen hämmerten.

»In Ordnung«, bestätigte Tackert bedächtig. »Helf' Gott, daß wir Erfolg haben.«

Er half!

Das falsche Spiel mit dem Kanzlerrücktritt ging durch die gesamte Medienlandschaft. Moische wurde durch alle Frühfernseh- und Nachrichtensendungen geschleust. Werbespots in Rundfunk und Fernsehen heizten das Interesse des Publikums an. Am hilfreichsten waren jedoch die Dementis aus Bonn. Sprecher der Bundesregierung, des Kanzleramts, der Regierungspartei sowie des Koalitionspartners verwahrten sich gegen die »infame Pressespekulation«. Der Kanzler selbst nannte die Rücktrittsforderung »eines Gossenblatts schäbig«. Doch gleichzeitig entbrannte in der Regierungspartei die Nachfolgedebatte mit neuer Heftigkeit. Auch aus München wurden begehrliche Töne laut. Die Opposition in Bonn reagierte mit verschlafener Routine. »Die Wähler werden dieser Regierung die Quittung erteilen. Selbst in der Presse wird das erkannt«, erklärte der Parteisprecher. Die Neugier des Publikums war geweckt. Die Auflage von *Germany Today* wurde restlos verkauft. Statt, wie geplant, die Serie über die Schuldigen an der Arbeitslosigkeit fortzusetzen, schob Moische am folgenden Tag neue Spekulationen über den Kanzlerrücktritt nach. Er flankierte die Nachrichten mit einem Kommentar, dem er eine kursiv gedruckte englische Überschrift gab:

It's Time to say Goodbye

Die staatstragenden Medien empörten sich. Doch die Leser waren begeistert. Der Presserat sprach eine Rüge aus. Dies löste bei einigen Redakteuren von *Germany Today* Beklommenheit aus. Auf der morgendlichen Redaktionskonferenz sah Moische die betretenen Mienen seiner Mitarbeiter.

»Was habt ihr, Kinder?« fragte er aufgeräumt. Niemand wollte der Überbringer der schlechten Nachricht sein, die der Chefredakteur längst kannte. Moische ging in die Offensive. »Ihr grämt euch über die Rüge des Presserats?« Er vernahm erleichtertes Aufmurmeln. »Ich nicht! Im Gegenteil!« Moisches Stimme war klar.

»Der Verweis sollte für uns ein Grund zur Freude sein. Er zeigt uns, daß wir ins Schwarze getroffen haben. Ins Herz und ins Hirn und in den Geldbeutel des Lesers! Unsere Verkaufszahlen beweisen das. Zwei Tage hintereinander haben wir mehr als 600 000 Auflage gemacht, das ist eine Steigerung um etwa fünfzig Prozent. Einige Herrschaften, die meinen, den Journalismus erfunden zu haben, aber unfähig sind, Leser zu gewinnen – sonst hätten sie nämlich keine Zeit, Rügen zu erteilen –, mißgönnen uns den Erfolg und heben deshalb mahnend den Zeigefinger. Gönnen wir ihnen dieses kümmerliche Vergnügen. Und freuen wir uns über unseren Erfolg.«

Moische beugte sich zu Karl Abt und flüsterte ihm etwas zu. Der Chef vom Dienst griff zum Telefonhörer. Moische blickte zufrieden in die Runde. Er genoß die Spannung in den Gesichtern. »Meine Damen und Herren. Ich möchte, daß wir unseren Erfolg feiern. Unser CvD hat soeben Sekt organisiert, damit wir unseren Triumph geziemend begießen können.«

Die Spannung entlud sich in ausgelassenem Beifall. Moische dankte der Redaktion unbeholfen. Er überspielte seine Verlegenheit, indem er umgehend bestimmte, daß die Pranger-Serie über die für die Arbeitslosigkeit Verantwortlichen »wie vorgesehen anläuft. Wir lassen uns von niemandem einschüchtern! Wir nehmen unsere Pressefreiheit wahr. Und wir werden Erfolg haben!« Die Redakteure spendeten langen Applaus.

Moische Bernsteins Prophezeiung sollte sich erfüllen. Das Echo der Serie übertraf selbst die Erwartungen des Chefredakteurs. Die Auflage kletterte auf 650 000 verkaufte Exemplare.

Der Erfolg war nicht zuletzt das Ergebnis der wütenden Zurückweisungen der Bundesregierung, der Koalitionsparteien und der regierungsfreundlichen Medien. *Germany Today* wurde üble Polemik vorgeworfen. Ein Kommentator verstieg sich zu dem Vergleich zwischen »dem jüdischen Chefredakteur Moische Bernstein und Nazi-Propagandaminister Josef Goebbels«. Dies löste in der Öffentlichkeit tiefe Betroffenheit aus, die mit deutscher Gründlichkeit zelebriert wurde. Der Presserat sprach einen harschen Verweis aus. Der Journalistenverband schloß den Kommentator, der bislang nicht durch entsprechende Äußerungen oder Artikel aufgefallen war, wegen »antidemokratischer und judenfeindlicher Agitation« aus. Die gängigen Presseorgane blieben ihm fortan verschlossen. Rechtsextreme Redaktionen, mit denen er nichts im Sinn hatte, warben um seine Mitarbeit.

Moische erfuhr Beistand von allen Seiten. Selbst seine Gegner nahmen den »infamen Vergleich« mit dem »übelsten Nazipropagandisten« zum Anlaß, sich mit dem Chefredakteur von *Germany Today*, »einem Kind der Davongekommenen«, zu solidarisieren. Die abgehalfterte Journalistin Frauke Obermayr versuchte sich durch einen »Appell an die Gemeinschaft der Demokraten und zur Abwehr von Antisemitismus und Fremdenhaß« wieder ins Gespräch zu bringen. Moische gestand in einem Interview, er habe »tiefe Scham darüber empfunden, daß so etwas in Deutschland wieder möglich ist ... Dadurch lebt in mir der Schrecken darüber wieder auf, was meinen ermordeten Angehörigen angetan wurde. Die Schoah darf nicht umsonst gewesen sein.«

Daraufhin wurde Moische von »allen Gutmeinenden« aufgefordert, »die frevelhafte Tat eines einzelnen nicht als Maßstab für die Menschen dieses Landes zu nehmen«. Eine Sprecherin der Bundesregierung verurteilte »die maßlosen Angriffe mit aller Entschiedenheit.« Sie wies jedoch darauf hin, daß »an der demokratischen Gesinnung der deutschen Bevölkerung und des weit überwiegenden Teils der Presse kein Zweifel bestehen darf«. Dies bewiesen die Berichte des Verfassungs-schutzes. Gespannt wartete die Öffentlichkeit, welche Konse-quenzen Moische Bernstein aus der »antisemitischen Anfein-dung« ziehen würde. Der Chefredakteur ließ das Publikum nicht lange warten. »Dennoch für Deutschland!« hieß sein Leitartikel, der vorab an alle Nachrichtenagenturen und wich-tigen Redaktionen gefaxt wurde. Die Werbung des Verlages sorgte mit flankierenden Maßnahmen für allgemeine Verbrei-tung. »*Germany Today* ist stets dabei«, lautete der PR-Slogan.

Mit »Dennoch für Deutschland« eroberte Moische die Herzen seiner Landsleute vollends. Ein Jude tat kund, daß die Antise-miten ein »schäbiger kleiner Haufen sind, dem die Mehrheit unseres demokratischen Deutschland feindlich gegenübersteht … Die überwältigende Solidarität der deutschen Bevölkerung hat meine Liebe für die Menschen dieses Landes vertieft.« Der Jude bestätigte den Deutschen ihre Läuterung und gewährte ihnen Liebe. Die Deutschen vergalten die Gunst. Sie machten Moische zu ihrem Liebling und kauften seine Zeitung zuhauf. Die Auflage kletterte auf über 800 000. Der Vater des Erfolges wurde in der Redaktion enthusiastisch gefeiert.

Anderntags setzte *Germany Today* die Serie über die Verant-wortlichen an der Erwerbsmisere fort. Als Hauptschuldiger wurde der Arbeitsminister angeklagt. Moisches Titel: »Der Ver-sager!« blieb an dem Politiker haften. Kurze Zeit später zwang der öffentliche Druck den Kanzler, seinen glücklosen Minister, einen langjährigen politischen Weggefährten, zu entlassen. Moisches Kommentar: »Das Bauernopfer ist nicht genug!« fand wiederum breite Zustimmung und noch mehr Leser.

In der darauffolgenden Woche startete *Germany Today* eine neue Serie. »Die anderen Schuldigen«. Diesmal nahm sich das Blatt die Gewerkschaften, die Opposition und die Angestell-tenverbände vor. Der Chefredakteur stellte seinen Lesern die »borniertentierten Funktionäre« auf seine Weise vor. »Der Blockierer«, »Der Einfallslose«, »Die Jammerliese«, »Der Unflexible«, »Der Besserwisser« »Der Ideenlose«, »Der Ideologe«. Das Interesse der Leser begann abzubröckeln.

Die Leser haben genug von Versagern. Wir müssen sofort das Steuer herumreißen, begriff der Chefredakteur. Mit der nächsten Serie traf er sogleich die Sehnsüchte seiner Leser:

Die Selfmade-Millionäre

»Sie haben nichts geerbt. Sie hatten keine Beziehungen und keine besondere Ausbildung. Sie hatten nur ein Ziel. Sie wurden zu Millionären, weil sie an sich geglaubt haben und ihre Ideen nie aufgaben. Sie, liebe *Germany Today*-Leser, können es genauso machen. Lesen Sie in unserer neuen Serie, wie einfach es ist aus eigener Kraft Millionär zu werden!« schrieb der Chefredakteur einleitend. In der Folge stellte seine Zeitung ein Dutzend Frauen und Männer aus dem Volk vor, die schnell reich geworden waren. Sie gaben den *Germany Today*-Lesern exklusive Tips, mit deren Hilfe sie ebenso rasch »ihr Glück machen« konnten.

Die Serie wurde ein Hit. Die Auflage näherte sich erstmals der 900 000-Marke. In Redaktion und Verlag herrschte Begeisterung. Ron Manley rief aus New York an. »Congratulation, Moses. Go ahead!« Die Aufforderung des Verlegers fiel auf fruchtbaren Boden. Moische war euphorisch. Doch er verlor sich nicht im Erfolgsrausch. Die Angst, zu versagen und wieder im Elend der Anonymität zu versinken, war die Quelle seiner rastlosen Energie.

Unentwegt arbeitete der Chefredakteur mit seinem zweiten Stellvertreter an einer Verbesserung der Lokalteile. Moische trieb Frank Lachner an, in den Stadtseiten und im Gesamtblatt »ununterbrochen an die Bedürfnisse der Leser zu denken. Wo lernt man Frauen und Männer kennen? Die *Süddeutsche* hat eine Serie über Singles in München gebracht. Das machen wir auch. Aber nicht nur in München, sondern auch in Berlin, Frankfurt, Hamburg, Köln und Düsseldorf. Darauf sind die Leute scharf. Was nützt ihnen ein Bericht über ein Konzert mit

David Helfgott, wenn sie niemanden haben, der sie zur Vorstellung begleitet und keinen, der mit ihnen danach ins Bett geht?« Der Chefredakteur ordnete an, die Serie mit Reportagereihen über Wohnen und Essen zu ergänzen. Frank Lachner und sein Recherche- und Serienteam kamen nie vor Mitternacht aus der Redaktion. Moische auch nicht.

Judiths Lamento kränkte Moische. Warum hatte sie kein Verständnis für seine Aufgabe? Warum verlangte sie ständig, daß er schon zum Abendessen zu Hause sein solle, »wie jeder normale Mensch«. Moische gelobte Besserung. Doch er glaubte sich in der Redaktion unabkömmlich. Andauernd schmierte ihm Judith aufs Brot, daß sie »zehnmal soviel« verdiene wie er. Achthunderttausend Menschen kauften täglich seine Zeitung, mehr als zwei Millionen lasen sie und hörten auf ihn. Politiker, Firmenbosse, Journalisten nahmen seine Stimme ernst. Judith Zucker dagegen meinte, den Chefredakteur herabsetzen zu dürfen. Moische ging wortlos aus dem Zimmer.

Am nächsten Morgen beteuerte Judith, er habe sie mißverstanden. Das halbherzige Dementi erinnerte Moische an die Ausflüchte der Antisemiten, die es auch immer anders gemeint hatten. Moische wollte der Gefährtin alles nachsehen, wenn er nur ihre Liebe behielt. Doch das neue Machtgefühl des Chefredakteurs – vor allem aber die Angst, wie sein seliger Vater Aaron als Versager zu gelten –, geboten ihm, Festigkeit zu demonstrieren. So nahm er Judiths Erklärung kühl zur Kenntnis. Judith nahm sich vor, Moisches Ego, das sie mit ihrem Einsatz aufgebaut hatte, stärker zu respektieren.

Die Abendnachrichten inspirierten den Chefredakteur zu einer weiteren Neuerung. Anderntags bat Moische Lachner zu sich. »Die *Neuen Osnabrücker Nachrichten* bekommen Sonntag für Sonntag eine Gratisreklame. Während die anderen Redaktionen auf der faulen Haut liegen, interviewen die Brüder jedes Wochenende irgendeinen Promi und verbreiten die Quintessenz an die Nachrichtenredaktionen. Da auch dort die meisten ihren Sonntagsschlaf halten, sind sie dankbar für die Zeilenfüller aus Osnabrück und geben sie an ihre Zuhörer und Leser weiter. PR zum Nulltarif. Das machen wir auch!«

Frank Lachner sorgte umgehend dafür, daß die neue Initiative seines Chefs verwirklicht wurde. Als erstes interviewte Lachner den Außenminister. Dann den Vorsitzenden des Arbeitgeberverbandes. Moische war unzufrieden. Lachner hatte den Politiker und den Wirtschaftsfunktionär mit Glacéhandschuhen angefaßt. »Du mußt den Kerlen weh tun, sonst interessiert es keinen Leser!« Der Journalist versuchte es erneut. Er befragte den Fraktionschef der Grünen. Lachner war dem Schnelldenker und -redner jedoch nicht gewachsen. Moische glaubte, sein Lehrling habe seine Intention nicht verstanden oder sei zu gutmütig für diesen harten Job. Er irrte doppelt. Frank Lachner begriff Moisches Intention sehr wohl. Aber er dachte nicht daran, sich allenthalben Feinde zu schaffen.

Fortan beauftragte der Chefredakteur Dirk Raubold mit der Verantwortung für die Wochenendinterviews. Der intelligente Jungredakteur führte eine scharfe Feder und bewunderte seinen Chefredakteur uneingeschränkt. Raubolds aggressive Interviews gefielen den Lesern. Auch der Chefredakteur war sehr angetan. Sein Stellvertreter Lachner weniger. Doch Moische nahm sich nicht die Zeit, den sich wandelnden Gefühlen seines engsten Vertrauten nachzuspüren.

Der Chefredakteur konzentrierte sich für eine Weile auf den Sport. Gemeinsam mit Mark Hauser verfeinerte er sein Konzept. Da die meisten Bundesliga-Stars zu teuer oder zu dumm waren, Aussagen zu machen, die die Leser interessiert hätten, gewann der Sportchef ehemalige Nationalspieler als Kommentatoren. Hauser und andere Redakteure bemühten sich, die wirren Aussagen der ausgemusterten Profis in lesbare Artikel zu verwandeln. Moische war unzufrieden. »Die Altkicker werden genauso schnell vergessen wie alte Nutten. Alt ist nicht gut. Im Gegenteil! Es erinnert unsere Leser daran, daß sie selbst alte Säcke geworden sind.«

Moische hatte eine Idee. »Wir suchen Quertreiber, Stänke-
rer, Intriganten, beleidigte Leberwürste und Besserwisser.
Wenn die unsere Stars anpinkeln, erwacht die Schadenfreude.«
Der Chefredakteur ging mit schlechtem Beispiel voraus. Er
konnte den früheren Mittelstürmer der Nationalmannschaft
nicht ausstehen. Der Bursche galt als Beispiel deutscher Tugen-
den: bescheiden, fleißig, ehrlich. Moische hielt ihn schlicht für
dumm. Als Präsident einer norddeutschen Bundesligamann-
schaft war der Sportler mit vielen Vorschußlorbeeren bedacht
worden. Doch bald stellte sich heraus, daß der Mann in diesem
Amt überfordert war. Alle wußten es. Niemand wollte es aussprechen, um nicht als Königsmörder zu gelten. Moische störte
dieses Image nicht. Als Jude glaubte er, Narrenfreiheit zu besitzen.

Kopflos!

überschrieb er seine Kolumne. »Das ehemalige Kraftpaket hat
Fett angesetzt. Besonders schlau war er noch nie. Früher reichte sein Kopf dazu, den Ball ins Netz zu stoßen. Heute müßte er
ihn zum Denken gebrauchen, und da ist unser Freund überfordert. Erlösen wir ihn aus seiner Not. Lassen wir ihn wieder
Schuhe verkaufen und telefonieren. Seine Frau wird die Ge-
bühren für ihn nachrechnen. Den Fußballverein sollen andere
führen.«

Der Artikel löste eine erhitzte Kontroverse aus, die weit über
Norddeutschland hinausging und die Auflage von *Germany
Today* erstmals über 900 000 trieb. Der Sportchef Mark Hau-
ser sorgte dafür, daß seine Kolumnisten sich am Vorbild seines
Chefredakteurs orientierten.

Heiner Keller hatte sich mit seinem Los als Leserbriefonkel ab-
gefunden. Die Arbeit war für einen routinierten Redakteur
nicht anstrengend. Mehr als das tägliche Einerlei setzte dem
Journalisten allerdings seine Mißgunst zu. Keller hatte damit
gerechnet, daß Moische als Chefredakteur rasch Schiffbruch
erleiden würde. Doch skrupelloser Sensationsjournalismus
kam bei dem vom Fernsehen verdummten Publikum offenbar

an. Heiner Keller suchte Trost im Privatleben. Er knüpfte zarte Bande zu seiner Volontärin.

Als Moische eines Morgens am Ende der Redaktionskonferenz sah, wie Heiner Keller mit Cordula flirtete, war es um seine Selbstbeherrschung geschehen. »Wer von euch liest eigentlich die Leserbriefseite?« fragte er in die aufbruchsbereite Redakteursrunde. Niemand meldete sich.

»Warum?« wollte der Chefredakteur wissen. Keller erschrak. Eine Reihe von Redakteuren griffen sich eine Zeitung und begannen darin zu blättern. Moische wußte, daß kein Redakteur offen über einen Kollegen herziehen wollte – zumal über einen bedauernswerten Sachbearbeiter für Leserschrott. Doch wenn Moische lange genug wartete, würde dieses Tabu rasch durchbrochen werden. Die Gier, dem Chefredakteur zu gefallen, würde die Solidarität besiegen. Raubold, Moisches neuer Favorit, meldete sich zu Wort. »Die Seite ist eine ziemliche Bleiwüste, und die Briefe sind nicht allzu aktuell ...«

»Du bist ein höflicher Mensch, Dirk. Das ist das Understatement des Jahres!« rief Moische. Die Redakteure horchten auf.

»Das ist keine Bleiwüste, sondern ein Chaos. Ohne Ordnung, ohne Inhalt, ohne Zwischenzeile, ohne Bilder – ohne Nichts!«

Moische sah das Entsetzen in Cordulas Gesicht. »Wir leisten uns dreimal in der Woche eine Zuschriftenseite, damit unsere Leser ihre Meinung und ihre Themen wiederfinden. Damit sie ihre Ansichten bestätigt sehen oder sich über Gegenmeinungen ärgern können. Doch bei uns fallen sie in ein schwarzes Loch.« Moische konnte Cordulas Verzweiflung nicht länger ertragen. »Damit ist jetzt Schluß!« verkündete er, sprang auf und verließ mit ausdruckslosem Gesicht den Produktionsraum. Er ließ eine ratlose Redaktion zurück.

Der Chefredakteur gab dem Personalchef Anweisung, Heiner Keller fristlos zu entlassen. Horn wollte den Redaktionsleiter zu einer normalen Kündigung überreden. Doch Moische beharrte auf seinem Standpunkt. »Werfen Sie den Burschen auf der Stelle raus. Ich will nicht, daß er hier alle mit seiner

Faulheit infiziert und unsere Arbeit kaputt macht.« Dafür hatte der Manager Verständnis.

Zwei Stunden später verschaffte sich Heiner Keller Zutritt zum Büro des Chefredakteurs. Auf diesen Moment hatte Moische lange Jahre gewartet. Doch er fürchtete sich, Keller abzukanzeln. »Freue dich nicht, wenn dein Feind fällt«, mahnte der Talmud.

Der Chefredakteur bot dem geschaßten Journalisten den Platz vor seinem Schreibtisch an. »Tut mir leid, Heiner, du taugst nicht für deine Aufgabe, du mußt gehen.«

»Ich gebe zu, daß ich die Seite nicht besonders gut gemacht habe ...« Kellers Stimme war tonlos.

Moische wagte nicht, dem gedemütigten Feind in die Augen zu sehen. Am liebsten hätte er Heiners Entschuldigung angenommen und ihn fortgeschickt. Nein! Er durfte sich nicht alles bieten lassen. Erst recht nicht von seinem schlimmsten Feind!

»... aber ich verspreche dir, in Zukunft gute Arbeit zu leisten.«

»Dafür ist es zu spät!«

»Warum?«

Weshalb quälte der Goj sich und ihn? Er wußte es doch. Moische fürchtete sich, es auszusprechen. Also tat er, was Männer stets tun, wenn sie zu feige sind, die Wahrheit zu sagen. Der Chefredakteur versteckte sich hinter seinem Beruf. »Weil du nichts getan hast, während die ganze Redaktion bis zum Umfallen gerackert hat.«

»Das stimmt so nicht ...«

»Doch!«

»Ich will fortan tun, was du von mir verlangst.«

»Dann geh' zum Teufel!«

Die Verzweiflung gab Heiner Kraft. »Ich bleibe hier, bis du mir sagst, was dir wirklich nicht an mir paßt!«

Heiners Penetranz brachte Moische in Harnisch. »Ich will dir sagen, was mir nicht paßt!« schrie er auf. »Seit wir uns kennen, hast du mich fertigmachen wollen!«

»Ich habe dich zum Journalismus gebracht.«

»Du bist mir immer nur in den Rücken gefallen. Und jetzt machst du dich noch an Cordula ran ...« Moische stieg das Blut zu Kopf.

Keller wollte seine Chance nutzen. »Mach dir um Cordula keine Sorgen.« Er sprach so ruhig er konnte. »Das Mädel interessiert mich überhaupt nicht!«

»Geh zum Teufel! Geh zum Teufel! Geh endlich zum Teufel! Ein für alle Mal!« kreischte Moische. Das Ertapptwerden durch den Verräter potenzierte sich durch dessen herablassende Großzügigkeit zur bohrenden Kränkung.

Allein Heiner Kellers offensichtliche körperliche Überlegenheit hinderte Moische daran, sich auf den Redakteur zu stürzen. »Hau ab! Hau auf der Stelle ab!« Keller trat auf Moische zu. Er versuchte, dem Rasenden die Hand begütigend auf den Arm zu legen. Doch Moische zuckte zurück.

»Beruhige dich, Moische!«

»Hau ab!« Die Stimme des Chefredakteurs überschlug sich. »Verschwinde endlich! Sonst laß ich dich vom Sicherheitsdienst rauswerfen!«

»Das wird dir leid tun, Moische Bernstein!«

Nach dieser Aufregung igelte sich der Chefredakteur in seinem Büro ein. Das Tagesgeschäft überließ er seinen Redakteuren. Um sich zu entspannen, blätterte Moische in Politmagazinen. Die Burschen hatten einen Traumjob. Sie besaßen eine Woche Zeit, ihre Seiten zu füllen. Moische mußte täglich aufs Neue um die Gunst der Leser kämpfen. Er nahm ein *logo!*-Heft in die Hand. Das Magazin war weniger chaotisch aufgebaut als gewöhnlich. Das Layout ruhiger, der Inhalt systematisch geordnet. Moische studierte das Editorial. Georg Wimmer! Der Kerl war neuer Chefredakteur! Ein anderer Verräter! Moische wollte ihn fertigmachen.

Nach Redaktionsschluß rief der Chefredakteur seine engsten Vertrauten zu sich: Frank Lachner, den Technischen Direktor

Gert Tackert, Mark Hauser, den CvD Karl Abt und Dirk Raubold. Moische schwor den Kreis auf »absolute Verschwiegenheit« ein und enthüllte seinen Plan, ein eigenes Politmagazin aufzubauen.

»So gut wie die anderen sind wir allemal. Wir sind sogar besser! Wenn wir Zeit und Geld haben, stecken wir alle anderen in den Sack!« Moisches Jünger stimmten seiner Idee enthusiastisch zu. Sie lauschten den mitreißenden Worten des Chefs, entwickelten Pläne und steigerten sich rasch in überschwengliche Laune.

»Wir machen alle anderen platt!« tönte Mark Hauser. »Unser Heft wird die Nummer eins!«

»So müssen wir's nennen: *First*«, wußte Raubold.

»Ausgezeichnet, Dirk«, lobte Moische.

Damit stand der Name schon einmal fest. Über den Inhalt wollte man sich in den nächsten Wochen einigen.

»Und wie finanzieren wir das Ding?« warf Lachner ein. Er erntete ungehaltene Blicke seiner Kollegen. Moische dagegen nahm den nüchternen Einwand seines Leutnants nicht krumm. Frank war eben eifersüchtig auf seinen neuen Favoriten. Das Buhlen um seine Gunst erfreute den Chefredakteur, Konkurrenz belebt das Geschäft! Die Jungen würden sich um so mehr anstrengen.

»Keine Sorge, Frank. Ich beschaffe uns die Knete«, erwiderte Moische zuversichtlich.

Am folgenden Morgen übertrug Moische Diepholz die Leitung der Redaktionskonferenz. Der Chefredakteur ließ seinen Verlagsleiter zu sich bitten. Moische vergeudete keine Zeit mit Small talk. »Tom, wir müssen den Preis meiner Zeitung erhöhen.«

»Ich werde untersuchen lassen, wann wohl der richtige Zeitpunkt...«

»Spar' dir deine Untersuchungen! Wir verlangen sofort mehr!«

»Warum gerade jetzt?«

»Weil ich Geld brauche!«

»Wir schwimmen doch in Geld. Du hast die Auflage um siebzig Prozent hochgejagt. Auch die Anzeigenerlöse sprudeln.«

»Ich brauche noch mehr Geld!«

»Wozu?«

Der Chefredakteur hätte gerne noch eine Weile gewartet, um Jason das fertige Konzept seines Politmagazins präsentieren zu können. Wozu? Der Bursche hatte zu tun, was Moische von ihm verlangte, statt seine Frau zu belästigen. »Ich will ein Politmagazin herausgeben.«

»Kommt nicht in Frage!« beschied Jason.

Moische blieb ruhig.

»Das hast du mir vor jedem neuen Schritt gesagt. Und ich hatte immer Erfolg!«

»Du hast gute Arbeit geleistet.« Der Manager bemühte sich um Sachlichkeit. »Aber hast du eine Ahnung, welche Anlaufkosten ein solches Magazin hat?«

»Die dürften kaum höher liegen als bei meiner Zeitung. Wenn ich jetzt die Preise erhöhe, werden wir das Geld gleich wieder drin haben ...«

»Madman!« tobte Jason. Er schlug mit der Faust auf den Tisch. Jason mußte den Größenwahnsinnigen mit harten Fakten wieder zur Realität zwingen oder ihn davonjagen, ehe er einen nicht wiedergutzumachenden Schaden verursachte. »*Germany Today* hat achtzig Millionen Dollar Anlaufkosten gehabt. Wenn es dir gelingt, die Auflage bei 800 000 zu stabilisieren, was noch keineswegs sicher ist ...«

»Ich werde auf eine Million kommen!«

Jason ignorierte Moisches Einwurf.

»... dann dauert es noch mindestens vier Jahre, bis wir die Investitionskosten wieder eingefahren haben. Bis dahin müssen wir Tilgung und Zinsen bedienen. Solange wir zahlen, statt zu verdienen, wird kein Geld zum Fenster rausgeworfen!«

»Durch die Preiserhöhung werde ich Geld verdienen!« beharrte Moische.

»Wir können dadurch auch Geld verlieren!«

»Ich verliere nie!« Moische schrie seine Angst nieder.

»Wir haben gerade mal zwei Wochen 800 000 Auflage gemacht. Wenn wir den Preis steigern, bricht uns die Auflage möglicherweise weg.«

»Im Gegenteil! Ich werde mein Blatt noch besser verkaufen.«

»Das ist nicht deine Zeitung! Sie gehört Ron Manly. Und der Bursche ist ein verdammt smarter Geschäftsmann. Ein neues Magazin kostet mindestens 150 Millionen Dollar. Manly wird keinen Cent in deine wirre Idee stecken, solange wir hier kein Geld machen!« brüllte Jason.

»Er wird! Weil er weiß, daß ich für ihn unverzichtbar bin!« feuerte Moische zurück. »Deshalb hat er mich zum Chefredakteur von *Germany Today* gemacht, und deswegen wird er mich zum Boss von *First* machen!«

Der Verrückte hatte sogar schon einen Namen für sein Wahnsinnsprojekt. »Nicht solange ich Verlagsleiter bin!« bestimmte Jason.

»Dann wirst du's nicht mehr lange sein! Statt mir zu helfen, Erfolg zu haben, mit allen Mitteln Erfolg zu haben, machst du dich an meine Frau ran!«

Der athletische Manager sprang auf, stapfte zu Moische, der im Reflex schützend seine Hände vors Gesicht hob. Die ohnmächtige Geste löschte Jasons Zorn. Er empfand Mitleid mit dem hilflosen Mann, den seine skrupellose Geliebte in den Wahnsinn trieb. Jetzt begriff er den Grund für Moisches Reserviertheit seit Judiths Fest.

»Glaubst du eigentlich jeden Bullshit, den sie dir erzählt? Jag' diese verlogene Nutte zur Hölle, ehe sie dich vollständig kaputt macht«, forderte Tom Jason. Doch er wußte, daß Moische die Kraft dazu fehlte.

Heiner Keller hatte sich nach seinem Hinauswurf zunächst dem Trunk und der Verzweiflung anheimgegeben. Cordula wollte er vorläufig nicht sehen. Schließlich war sie der Anlaß seines Scheiterns. Einen Ausweg aus seiner Verzweiflung suchte er nicht in den Armen einer Frau, sondern mit Hilfe der kühlen Rationalität eines Mannes.

Heiner Keller flog nach München. Er erhoffte Hilfe von seinem Anwalt. Doch Nathan Katz konnte ihm nur begrenzten Trost spenden. »Ein rechtswirksamer Grund zur fristlosen Kündigung liegt nicht vor. Sie sind nicht abgemahnt worden. Das bedeutet, der Verlag muß Ihnen drei Monatsgehälter zahlen. Ich bin sicher, wir holen auch eine kleine Abfindung raus. Viel wird es allerdings nicht sein. Sie arbeiten erst ein halbes Jahr dort.«

Der Advokat wollte wissen, warum Heiner »ohne Not« sein berufliches Schicksal mit dem Moisches verknüpft hatte.

»Ich wußte, daß er Erfolg haben würde.«

»Das habe ich auch geahnt.« Katz erhob sich, um Heiner zu verabschieden. »Dennoch«, der Advokat rieb sich nachdenklich das kräftige Kinn, »... mit einem Meschuggenen macht man keine Geschäfte. Auch wenn er noch so clever scheint. Die Kerle machen alles kaputt. Zuerst ihre Umgebung, am Ende sich selbst.«

Heiner Keller stapfte ziellos durch die spätsommerlichen Straßen der bayerischen Hauptstadt. Vor dem *Annasthaus* am Odeonsplatz blieb er stehen. Keller zögerte, dann zwang er sich, die Telefonzelle zu betreten. Er wählte die Nummer seiner früheren Sekretärin und ersuchte sie, ihn mit dem neuen Chefredakteur zu verbinden.

Heiner Keller bat Georg Wimmer inständig um eine Redakteursstelle, »egal welche. Hauptsache ich bin wieder in München.«

»Ärgert dich der kleine böse Jud' gescheit?« mutmaßte Wimmer. Der *logo!*-Chef bedauerte »aufrichtig, daß wir keine Stelle frei haben. Im Gegenteil. Ich muß Personal abbauen. Das ist überall das Gleiche. Außer bei Euch. *Germany Today* expandiert als eines der ganz wenigen Blätter. Ich kann dir nur raten, bleib', wo du bist.«

Keller bedankte sich.

Zornig marschierte er über die Ludwigstraße nach Schwabing. Heiner wollte im *Maon* in der Theresienstraße einkehren. Doch an der Schwelle des Restaurants verharrte er. Es war ihm unmöglich, das jüdische Lokal zu betreten, in dem er dem heulenden Moische aus Erbarmen zu seiner journalistischen Karriere verholfen hatte. Keller bog in die Barerstraße ein. Bald passierte er den *Schelling Salon*. Wieder kam ihm die Nacht von Moisches vierzigsten Geburtstag in den Sinn. Der besoffene Moische hatte damals schon von Hitlers Größe und den eigenen Fähigkeiten schwadroniert. Dann wieder hatte sich Moische sentimental gegeben. »Sentimentalität ist das Alibi der Grausamen!« hatte Arthur Schnitzler gewußt. Moische Bernstein kannte nur sich und seinen Vorteil. Alle anderen hatte er kaputtgemacht: ihn, Reydt, Wimmer. Auch Brigitte, die russische Jüdin Manja, Cordula … Alle! Außer seiner Mutter. Hanna war der einzige Mensch, vor dem Moische Angst hatte. Wenn irgend jemand Heiner helfen konnte, dann nur Moisches Mutter. Nach wenigen Schritten stand er vor dem Geschäft. Über der Auslage hing noch immer das verblichene rotweiße Firmenschild: *Bernies Jeans-Shop*.

Heiner Keller betrat den Laden. Er hatte Herzklopfen, doch sofort kam Hanna Bernstein ihm entgegen. Im Gesicht war sie kaum gealtert. Doch sie humpelte. »Rheuma überall. Man wird alt«, meinte sie lapidar. Hanna freute sich offensichtlich über Heiners Besuch. Sie humpelte nach hinten und wollte dem Gast einen Hocker holen. Heiner kam ihr zuvor. Die Ladenbesitzerin erkundigte sich nach Kellers Befinden. Das gab ihm die Gelegenheit, seine Situation vorsichtig zu schildern. Er hütete sich, Moische Schuld zu geben.

»Erzählen Sie mir nichts, Herr Heiner! Ich weiß leider, wie undankbar mein Moischale ist«, rief Hanna. »Bis zu seinem vierzigsten Geburtstag habe ich ihn ernähren müssen. Aber jetzt, wo er ein berühmter Mann ist, bin ich für ihn tot, gestorben. Können Sie sich vorstellen, daß mich mein Kind nicht ein einziges Mal angerufen hat?«

Und ob er konnte!

»Schauen Sie sich um. Kein Kunde! Trotzdem muß ich mich jeden Tag in den Laden schleppen, damit ich nicht verhungere. Und mein Moischale läßt mich im Stich. Dabei habe ich ihn angerufen und ihm zu seinem Masl gratulieren wollen. Ich wollte ihn bitten, mich mit ein paar hundert Mark im Monat zu unterstützen. Das ist doch nicht zuviel verlangt. Meinen Sie nicht auch, Herr Heiner?« rief Hanna.

»Wenn meine Eltern in Not wären, würde ich keine Minute zögern …« Heiner Keller war »zutiefst betroffen«. Der Dreckskerl scheffelte Millionen und ließ die eigene, kranke Mutter vor die Hunde gehen. Keller zückte die Brieftasche und drückte Frau Bernstein zwei Hundertmarkscheine in die Hand.

Hanna versuchte, die Gabe zurückzuweisen, doch Heiner legte die Banknoten hinter die Kasse. Der Goj hatte mehr Herz als ihr Moischale.

»Mein Kind ist sich zu fein, um seiner Mamme zu helfen!« Hanna schluchzte. Unbeholfen legte Heiner seinen Arm um die zuckenden Schultern der alten Frau. Er streichelte sie sachte.

»Ich bin schuld! Ich bin schuld!« schrie Hanna auf.

»Unsinn, Frau Bernstein!«

»Doch!« Hanna faßte sich. Sie trocknete ihre Augen, sah ihr Gegenüber mit klarem Blick an. »Ich habe es noch keinem gesagt. Aber Sie sind ein Mensch, Herr Heiner, Ihnen muß ich es erzählen. Ich bin wirklich schuld an allem …«

»Nein, Frau Bernstein, das stimmt doch nicht.«

»Ich habe mir immer ein Kind gewünscht. Aber die Nazis haben meinen seligen Aaron so gefoltert, daß er kein Kind zeugen konnte, obwohl wir alles versucht haben. Als ich keinen Ausweg sah, habe ich mich auch mit Deutschen eingelassen …«

Hanna brach erneut in Tränen aus. Sie verbarg ihr Gesicht in den Händen.

Heiner Kellers Nerven vibrierten. Seine Zähne schlugen klappernd zusammen. Wenn es stimmte, was die Jüdin erzählte, dann war er gerettet. Er mußte mehr von der Alten erfahren. Geduldig streichelte er die Weinende, bis sie sich gefaßt hatte. Dann befragte er sie behutsam. Frau Bernstein bestätigte ihre Worte und lieferte dem geduldigen Journalisten schließlich den Beweis. »Dafür, daß ihn die Deutschen so gefoltert haben, daß er kein Mann mehr war, haben sie ihm 15 000 Mark Wiedergutmachung gezahlt.«

Heiner Keller empfand aufrichtiges Mitleid mit Hanna Bernstein und ihrem verstorbenen Mann. Diskret legte er zwei weitere Geldscheine hinter die Kasse und nahm sich vor, Hanna weiterhin zu unterstützen.

Seit der Schulzeit hatte Moische Heiner als »Mörderkind« beschimpft. Dabei war sein Vater lediglich ein einfacher Wehrmachtssoldat gewesen. Moisches, nein, Manfreds leiblicher Vater war womöglich sogar ein SS-Killer. Heiner Keller wußte, was er zu tun hatte.

Tom Jason war nach New York abgeflogen, ohne sich bei seinem Chefredakteur abzumelden. Moische war's recht. So hatte er freie Bahn. Wenn der sture Manager zurückkehrte, würde er vor vollendeten Tatsachen stehen. Moische ahnte nicht, daß Tom Jason vorgesorgt hatte. Der Verlagsleiter wurde auch in seiner Abwesenheit genau über das Geschehen bei *Germany Today* informiert.

Jasons Einwände hatten Moische erschüttert. Doch gegenüber dem brüllenden Amerikaner mußte er das Gesicht wahren. Eine kräftige Preiserhöhung konnte durchaus zu einem Abbröckeln der Auflage führen.

Der Chefredakteur mußte mit allen Mitteln ein Abdriften der Verkaufszahlen nach einer Preiserhöhung verhindern. Die Auflage mußte kontinuierlich steigen. Die Leser sollten Moisches Zeitung um jeden Preis haben wollen.

Moische beriet sich mit seinem vertrauten Kreis über zukünftige Themen. Neues erfuhr er dabei nicht. Der eine trauerte seiner entschwindenden Jugend nach, der andere ritt sein

Sportsteckenpferd zuschanden, der dritte schwärmte von Technik. Das bekamen die Zeitungskäufer allenthalben geboten. Moische mußte sie zwingen, mehr Geld für sein Blatt auszugeben. Aber womit? Dirk Raubold schlug vor, Moisches Schuld-an-der-Arbeitslosigkeit-Serie wieder aufzunehmen. Diesmal sollten die Arbeitgeber an den Pranger gestellt werden. »Damit präsentieren wir unseren Lesern einen neuen Sündenbock«, argumentierte der junge Redakteur.

»Und vergrätzen unsere Anzeigenkunden!« parierte Frank Lachner.

Der Bursche ging Moische allmählich auf die Nerven. Der Knabe war noch grün hinter den Ohren, aber er gebärdete sich schon wie ein Diplomat, der vor jedem Furz die Gasmaske anlegt. Wenn Lachner so weitermachte, dann war er die längste Zeit sein zweiter Stellvertreter gewesen. Der unbekümmerte junge Raubold gefiel ihm zunehmend besser. Der machte es genau wie sein Meister, statt sich immer von Bedenken fesseln zu lassen. Andererseits war Moisches Zeitung auf Anzeigenkunden angewiesen. Der Chefredakteur hob die Sitzung auf. Er mußte alleine nachdenken. Derweil bat er Raubold, ein Serienkonzept auszuarbeiten. Zwei Stunden später lag das Papier auf Moisches Schreibtisch.

Raubold wollte niemanden verschonen. Er hatte die Fehler und Versäumnisse von Industrie, Handel, Banken, Arbeitgebern und Werbewirtschaft detailliert aufgezählt und die dadurch entstandenen Arbeitsplatzverluste geschätzt.

»Hervorragend!« lobte der Chefredakteur. Raubold strahlte über Moisches Urteil. »Und nun müssen wir das Ganze personalisieren. Unsere Leser sollen wissen, wer persönlich an ihrem Elend Schuld trägt. Du mußt die Burschen plastisch in ihrer ganzen Durchtriebenheit schildern.«

Der Redakteur machte sich sogleich ans Werk.

Moische grübelte noch lange, ob er es wagen konnte, die Raubtiere der Industrie, aus deren Zitzen er sich ernährte, zu verärgern. Der Chefredakteur kam zu dem Schluß, daß er eben

dies tun mußte. Die Leser waren darauf erpicht, jene Bösewichte kennenzulernen, die reich wurden, indem sie ihnen die
Arbeitsplätze raubten. Die Wirtschaftsführer würden zornig
ihre Zähne blecken – und es dabei belassen. Denn nichts zählte
in ihren Augen mehr als der Erfolg. Wenn die Leser Moisches
Zeitung wie wild kauften, obgleich sie mehr dafür zahlen mußten, hatten die Bosse dies zu akzeptieren. Sie waren Gefangene
des Marktes. Der Wirtschaft bliebe nichts übrig, als weiter in
seiner Zeitung zu inserieren.

Die Autosuggestion konnte Moisches Angst und Vernunft
nicht restlos beseitigen. Er beschloß, sich mit Judith zu beraten. In geschäftlichen Dingen kannte sie sich aus. Da vertraute
er ihr restlos.
    Judith Zucker hatte andere Sorgen. Ihre Investitionen in
amerikanischen Junk Bonds entpuppten sich als Flop. Überdies war der Berliner Immobilienmarkt rückläufig. Viele ihrer
Wohnungen und Büros standen leer oder mußten zu Dumping-
preisen vermietet werden. Ihre Verpflichtungen überstiegen
deutlich ihre Einnahmen. Die Geschäftsfrau war gezwungen,
ihr Familienvermögen anzugreifen. Alles in ihr sträubte sich
dagegen. Denn sie wollte ihrem Gabi ein ungeschmälertes Erbe
hinterlassen. In dieser Situation belästigte Moische sie mit seinen Scheinproblemen. »Du wirst es schon richtig machen«,
meinte Judith und drückte ihm die Hand. Sein steigender Einfluß und sein geregeltes Einkommen konnten für sie durchaus
hilfreich werden. Es wurde Zeit, ihre Beziehung zu Moische zu
legalisieren.
    Judith gewährte Moische ihre Gunst. Danach blieb sie ent-
gegen ihrer Gewohnheit bei ihm. Sie kuschelte sich an seinen
Körper. Er war verliebt wie am ersten Tag. Da meinte Judith,
sie wäre glücklich, Moisches Frau zu werden. Er war außer
sich vor Freude. Er würde bald der erfolgreichste deutsche Publizist sein. Die Zukunft erschien Moische wie ein Ritt über die
Wolken. Er fühlte sich stark. Moische nahm Judith, ohne zu
fragen. Das gefiel ihr nun. Sie schlief in Moisches Armen ein.

Als sie gegen Morgengrauen erwachte, schlich sie in ihr Ehebett. Gabi sollte sich beim Aufwachen nicht erschrecken.

Heiner Keller bestand auf einem Termin beim Chefredakteur. Georg Wimmer war jedoch stark beschäftigt. Keller mußte lange warten. Erst am frühen Nachmittag fand Wimmer Zeit für ein kurzes Gespräch mit dem Bittsteller. Keller berichtete dem Chefredakteur, er wisse, daß Moische Bernstein kein Jude ist. Wimmer lachte auf. »Und ich weiß inzwischen, daß der kleine Jud dich rausgeworfen hat. Jetzt willst du's ihm heimzahlen.«

»Das eine hat mit dem anderen nichts zu tun. Ich habe unwiderlegbare Beweise. Bernstein ist kein Jude.«

»Sprich!« Wimmer holte eine Whiskyflasche aus dem Schreibtisch und schenkte Keller und sich kräftig ein.

Heiner Keller hütete sich, dem Chefredakteur die Quelle seines Wissens zu offenbaren. Er forderte zunächst den Preis seines Verrats, einen unbefristeten Redakteursvertrag.

»Das geht nicht! Das wäre ein sittenwidriger Handel. Ich könnte dir höchstens ein Informationshonorar ...«

»Ich scheiß auf dein Informationshonorar und erst recht auf deine Sittlichkeit. Wenn ich keinen Vertrag kriege, bekommst du keinen falschen Juden.«

Die Unverfrorenheit des Verräters ließ dem Chefredakteur keine Wahl – er mußte auf Heiner Kellers Forderungen eingehen. Über einen Vertrauensmann im Landesentschädigungsamt ließ Wimmer die Akte des verstorbenen Aaron Bernstein überprüfen.

Dirk Raubold hatte hervorragende Arbeit geleistet. Seine Porträts der Wirtschaftsbosse, die Schuld an der Arbeitslosigkeit trugen, waren ausgezeichnet. »Du hast perfekte Bösewichte gezeichnet, Dirk. Hollywood hätte es nicht grausamer machen können. Das reinste Horrorszenario. Ich seh schon die Bilder und Zeilen: Der Bösewicht, der Ausbeuter, der Erbarmungslose, der Abzocker ... großartig, einfach großartig!« Die Runde teilte den Jubel des Chefredakteurs weitgehend.

»An deinen Artikeln darf kein Jota verändert werden. Das geht original in Satz«, ordnete Moische an. Das Lob ließ Raubolds Ohren erglühen. »Wenn du's erlaubst, Dirk, werde ich deine Porträts mit meinen feinsinnigen Kommentaren begleiten.«

Die Runde lachte.

»Für den Wirtschaftsverbandshäuptling habe ich schon eine Zeile ...« Moische legte eine Pause ein, »... Der Profiteur«.

Die Redakteure klopften Beifall. Als Beginn der Ausbeuterserie bestimmte Moische das kommende Wochenende. »Bis dahin mußt du eine höllische Werbekampagne hinlegen, Kasford. Alles hängt davon ab. Denn gleichzeitig mit unserer neuen Horrorserie müssen wir unseren Lesern auch eine bittere Pille verabreichen, eine Preiserhöhung ...«

Die vermeintlich Getreuen sahen ihn gespannt an.

»... auf eine Mark fünfzig!«

»Das ist fast der doppelte Preis!« Frank Lachner war entsetzt.

»So ist es, Frank. Gut gerechnet!« bestätigte Moische.

»Muten wir unseren Lesern nicht zuviel auf einmal zu? Und verärgern wir nicht gleichzeitig unsere Anzeigenkunden?« wollte der Redakteur wissen.

Die Männer sahen ihn ungläubig an. Erstmals stellte er eine Entscheidung seines verehrten Meisters öffentlich in Frage. Wie würde der Chef das aufnehmen?

»Frank, ich fürchte, dir ist dein Erfolg zu Kopf gestiegen. Du bist stellvertretender Chefredakteur! Zweiter Stellvertreter. Du wirst bezahlt, um mir zu helfen, eine gute Zeitung zu machen. Für sonst nichts«, sprach Moisches mit scharfer Stimme. »Wenn du als Bedenkenträger fungieren willst, mußt du dir einen neuen Job suchen.«

Die Redakteure waren schockiert. Außer Frank Lachner. Moisches Uneinsichtigkeit ließ ihm keinen Ausweg.

»Leute, die Entscheidung ist gefallen. Jetzt müssen wir alle an einem Strang ziehen und ranklotzen, um Erfolg zu haben.«

Der Chefredakteur wandte sich an seinen Zauberlehrling.

»Und du, Frank, mußt dich entscheiden.«

Lachner nickte freundlich. »Ich hab's bereits getan.« Die Runde atmete auf.

Am frühen Abend erhielt Georg Wimmer einen positiven Bescheid. Aaron Bernstein war tatsächlich von den Nazis um seine Zeugungsfähigkeit gebracht worden. »Schweinerei!« Der Tote dauerte den *logo!*-Chef. Moische Bernstein war kein Jude. Das war sein publizistisches Todesurteil. Georg Wimmer empfand keinerlei Mitleid mit dem selbstgerechten Heuchler und Intriganten. Bei dem Gedanken an die Exekution des falschen Juden lachte der Bayer auf. Das könnt' keiner besser als der Moische, wußte Wimmer. Doch der stand für diese Drecksarbeit leider nicht zur Verfügung. So mußte Georg Wimmer selbst in die Tasten greifen, um den »falschen Juden« zu entlarven, zuvor mußte noch viel getan werden. Eine intensive Werbeoffensive war notwendig, damit *logo!* die Früchte der Entlarvung des Schwindlers ernten konnte. Zunächst galt es jedoch, Keller bei Laune zu halten. Noch brauchte er diesen Judas. Da sah man, daß die Antisemiten Arschlöcher waren. Keller war kein Jude und trotzdem ein Judas. Georg Wimmer dachte nicht daran, sich diesen Drecks kerl in seine Redaktion zun holen. Sobald die Falscher-Moische-Story gelaufen war, würde er Keller zum Teufel jagen. Von Verrätern hatte Georg Wimmer genug, einerlei ob Juden oder Deutsche.

Moische und Judith dinierten im *Adlon*. Das neueröffnete Luxushotel Unter den Linden war der Stolz der sich mausernden City Society. Vor einem Jahrhundert hatte Kaiser Wilhelm bekundet, allein im *Adlon* genieße er den ihm gebührenden Luxus. Bis zur Zerstörung der Nobelherberge im Zweiten Weltkrieg waren auch Gerhart Hauptmann, Vicky Baum, Josef Goebbels und zahllose andere Prominente darauf erpicht gewesen. Auf Moische wirkte der Prunk beklemmend. Judith dagegen blühte auf. Sie gab Moische Anekdoten von ihren Aufenthalten in anderen internationalen Luxusherbergen wie dem *Ritz* in Paris, dem *King David* in Jerusalem oder dem *Bauer*

Grünwald in Venedig zum besten. »Dort sollten wir unbedingt unsere Hochzeitsnacht verbringen«, schwärmte sie. Moisches Traum vom Glück wurde wahr. Die schöne, reiche, kluge, weltläufige Judith erkor ihn zu ihrem Mann. Doch seine Hochstimmung wurde vom Gift der Eifersucht zersetzt. Er malte sich aus, wie Judith sich in den Luxusbetten dieser Edelabsteigen mit reichen, verkommenen Kerlen amüsiert hatte. Judith holte ihn in die Gegenwart zurück. »Aber vorher will ich mich mit dir hier im *Adlon* verloben!« Moische sprang auf und umarmte sie. Daß er dabei sein Weinglas umstieß, amüsierte beide.

Judith orderte Champagner. Das Paar stieß auf das kommende Glück an. Die Kelche klirrten. »Le Chaim!« Moische starrte verliebt in Judiths Bärenaugen. Sie hielt seine Hand und erzählte Moische von ihren Zukunftsplänen. In einem ihrer Häuser in Berlin Mitte wollte sie eine Wohnung zu einem »exklusiven Salon« umgestalten lassen. »Dort werde ich die Größen Deutschlands und Europas aus Kultur, Politik, Kunst, Wirtschaft und Presse empfangen und mit ihnen diskutieren wie einst Rachel Varnhagen oder Henriette Herz.« Sie schlürfte ihren Champagner. »Und du wirst in deiner Zeitung davon berichten.« Nebbich! Der Chefredakteur verspürte wenig Lust, wie der Goj von Ense den Hampelmann zu spielen. Der Bräutigam mimte Aufmerksamkeit, während er über die Vorbereitungen seiner Arbeitsvernichter-Artikel nachsann.

»Gut, daß du mich so prompt informiert hast, Frank. Bleib am Ball! Halt mich auf dem laufenden! Gute Nacht nach Germany!«

Tom Jason legte auf. Er mußte schleunigst Ordnung schaffen, sonst ruinierte der Meschuggene das Blatt und riß ihn mit in den Abgrund.

Ron Manly war von der Auflage und Vertragsentwicklung sehr angetan. »Der Moische Bernstein, den du vorgeschlagen hast, macht einen exzellenten Job.«

Als Jason dem Verleger von Moisches Himmelfahrtsplänen

berichtete, reagierte Manly entschieden. »Sag ihm, daß ich gerne mit ihm ein Politmagazin mache. Ich bin sicher, daß Moses das kann. Aber erst muß er über längere Zeit gutes Geld machen, statt welches zu verpulvern.«

Die geplante Wirtschaftsserie untersagte Manly rundheraus. »Das kommt nicht in Frage! Wir sind auf ihre Anzeigen angewiesen.«

Die von Moische geplante Preiserhöhung erheiterte Finanzchef Vic Cerutti: »Der Jude kann nicht genug kriegen! Schau ihm auf die Finger, Tom!« Auch der Verleger lehnte den drastischen Preissprung rundweg ab: »Das ist zu riskant! Keiner gibt freiwillig neunzig Prozent mehr aus. Lieber kauft man ein anderes Drecksblatt. Erhöht um zehn Prozent. Das genügt für den Moment!«

Als Jason erwiderte, Moische sei von seinen Vorstellungen nicht abzubringen, fand Manly deutliche Worte: »Du bringst den Burschen zur Räson, sonst wird er auf der Stelle gefeuert! Ich lasse mir mein Geschäft nicht von einem Verrückten kaputt machen!«

Wie von Jason erwartet, wollte der Verleger wissen, ob er einen geeigneten Chefredakteur in Reserve habe.

»Ja. Einen hervorragenden Mann. Er ist normal und berechenbar. Der kennt das Blatt und kann es aus dem Stand übernehmen und erfolgreich weiterführen.«

Manly wollte den Aspiranten sofort kennenlernen. Tom Jason rief in Berlin an. Dort war es vier Uhr früh.

Nach der morgendlichen Redaktionskonferenz, begab sich Moische Bernstein in Klausur. Er war für niemanden zu sprechen. Die Schreckensbilder der Wirtschaftsbosse, die Dirk Raubold gezeichnet hatte, waren perfekt. Doch er konnte den Lesern nach Regierung und Gewerkschaften nicht schon wieder mit »die Schuldigen an eurem Unglück«, Teil III, kommen. Moische fehlte ein griffiger Titel für die Wirtschaftsbosse. Die Ganoven? Zu jüdisch. Banditen? Gangster? Moische grübelte eine Weile, ehe er den optimalen Slogan fand:

Die Verantwortungslosen

Nach dieser Zeile schrieb sich der Kommentar wie von selbst. »Wenn wir in der Steuererklärung hundert Mark aus Versehen nicht angeben, bestraft uns das Finanzamt. Wenn der Vater eines Tennisstars einige Millionen am Finanzamt vorbeilotst, landet er im Knast. Aber wenn unsere Wirtschaftsbosse Milliarden scheffeln, indem sie Millionen Menschen die Arbeit rauben und sie und ihre Familien ins Unglück stürzen, dann werden sie als Gesundsanierer und Shareholder value-Heroen gepriesen. Schluß mit diesem Markenschwindel! Eigentum verpflichtet. Wer diese Maxime unseres Grundgesetzes nicht beachtet und stattdessen mit dem Unglück anderer Geld verdienen will, ist verantwortungslos und muß auch so genannt werden! Setzen wir diesen kapitalistischen Wildwestmethoden ein Ende und zwingen wir unsere Wirtschaft, sich auf ihre Aufgabe zu besinnen: Wohlstand und Arbeit für alle zu schaffen!«

Moische war zufrieden mit sich. Sein Artikel würde für gewaltigen Wirbel sorgen. Er täuschte sich nicht. Der Chefredakteur wies seinen Werbeleiter Kasford an, die PR-Kampagne mit dem Slogan *Die Verantwortungslosen* anzutreiben.

Später wurde Moische von seinem Personalchef aufgesucht. Nach Kellers Hinauswurf hatte dessen Assistentin die Leserseite betreut. Doch nun hatte sie gekündigt. Frau Röder wollte Berlin aus persönlichen Gründen verlassen. Cordula! Moische stockte das Herz. Der Chefredakteur zwang sich, Haltung zu bewahren. Er werde sich umgehend um die Sache kümmern, versprach Moische dem Manager. Er hielt Wort. Moische ließ Cordula Röder zu sich rufen.

Georg Wimmer quälte sich mit seinem Judenkommentar. Der Enthüllungsbericht stand. Die Fakten waren eindeutig. Moische Bernstein war nicht der Sohn des Juden Aaron. Also war er bestenfalls ein Halbjude. Ein neunmalschlauer Wissenschaftsredakteur, der den Artikel gegenlas, hatte jedoch behauptet, bei Juden gebe es keine »Halb- oder Vierteljuden«, nur Juden und Nichtjuden. »Was gehen mich die Juden an?«

protestierte Wimmer. »Wir leben in Deutschland und da gilt, was wir Deutsche sagen und nicht die Juden. Wenn einer nur einen jüdischen Vater oder eine jüdische Mutter hat, ist er für mich ein Halbjude und damit basta!«

Der Redakteur gab sich entsetzt. »Halbjude ist ein Naziausdruck.«

»Dann schreiben wir eben ›jüdischer Abstammung‹«, gab Wimmer nach.

»Das geht auch nicht!« belehrte ihn der politisch korrekte Korintenkacker. »Stamm und Abstammung gilt ebenfalls als nazistisch besetzt, weil es als Befürwortung der Rassentheorie ausgelegt werden könnte ...«

»Ja, Himmelsakrament, darf man denn in diesem Land nicht mehr das Maul aufmachen, ohne daß man gleich als Nazi beschimpft wird?« tobte der Chefredakteur. »Ist man ein Antisemit, wenn man einen Hallodri, der sich als Jude ausgibt, als solchen bezeichnet?«

»Keineswegs. Wir können durchaus sagen, daß Bernstein nur von seiten seiner Mutter jüdischer Herkunft ist«, wußte der Schlaumeier.

»Schreibt, was ihr wollt!« resignierte der Chefredakteur. »Hauptsache, der Leser erfährt, daß der Moische Bernstein ein Schwindler ist!« So geschah es.

Wie heizte man am besten die Emotionen der Leser gegen den Heuchler an? Der schlaue Jude hätte es gewußt. Scheiße! Moische war ja kein Jude! Und kein Deutscher! Er war ein falscher Fuffziger und sonst gar nichts. Genau das mußte er seinen Lesern sagen und sie so in Stimmung bringen. Das ließ sich nicht mit der Zeile »Falscher Fuffziger« machen. Ein Reizwort mußte her! Jude! Einen härteren Kick gibt es seit Hitler für uns Deutsche nicht, war Wimmer klar.

Ein falscher Jude

titelte er seinen Kommentar.

»Uns Deutschen ist egal, was einer ist und woran er glaubt«, log er, »für uns zählt lediglich, ob einer ehrlich ist oder nicht.

Wenn sich einer wie Manfred Bern anmaßt, Jude zu sein, sich Moische Bernstein nennt und uns moralische Lektionen erteilen will, dann macht er sich über Juden und Deutsche gleichermaßen lustig. Manfred Bern ist ein falscher Jude und ein Heuchler obendrein!«

Jetzt hatte der besserwisserische Wissenschaftsheini nichts gegen den Kommentar einzuwenden. Er gab vor, den Artikel amüsant zu finden. Wimmer gab seinen Kommentar in Satz.

»Warum läßt du mich im Stich?« fuhr der Chefredakteur die Assistentin an. Moische hatte geglaubt, die Verliebtheit in Judith habe seine Gefühle für Cordula ausgelöscht. Doch die Erregung, die ihre Kündigungsnachricht bei ihm ausgelöst hatte, zeigte Moische, daß er noch an ihr hing.

Als Cordula sein Büro betrat, trommelte sein Herz wie wild. Moische sah, daß sie ebenso nervös war wie er. Mit fahrigen Bewegungen versuchte sie, sich die Haare aus dem Gesicht zu wischen. Sie wußte nicht wohin mit ihren Händen. Cordula stakste zum Stuhl, den Moische ihr vor seinem Schreibtisch zuwies. Sie war so verwirrt, daß sie seine Worte nicht begriff und unfähig, ihm zu antworten. Er wollte nochmals ansetzen, kam aber über ihren Namen nicht hinaus. Moische sprang auf, lief zu ihr, Cordula kam ihm entgegen. Sie standen sich gegenüber, starrten einander an, ehe sie sich in die Arme fielen. Lange hielten sie sich umschlungen. Bewegungslos. Jeder spürte das pochende Herz des anderen. Ihre Umarmung ging in gierige Küsse über. Das Telefon schrillte wiederholt. Moische ignorierte es. Es klopfte sachte, bald energisch an die Tür. Die beiden lösten sich voneinander.

»Einen Moment! Was ist los?« rief Moische. »Ja?«

Die Tür wurde geöffnet. Heike Pompetzki trat ein. Ihr Blick verriet, daß sie die Situation erfaßt hatte.

»Was wollen Sie?« fragte Moische atemlos.

»Herr Diepholz bittet Sie um Rückruf.«

»Er wird sich bis morgen gedulden müssen«, räusperte sich Moische.

»Es ist sehr dringend, sagt er«, beharrte die Pompetzki.

»Dann erst recht!« bestimmte Moische. Er versuchte ein Lächeln.

»Ich verstehe.«

Der Chefredakteur sah seine Sekretärin streng an. »Um so besser! Sagen Sie Diepholz, daß ich weg mußte.« Moische zögerte. »Rufen Sie mir bitte ein Taxi, Frau Pompetzki.« Das verschwörerische Lächeln der Mitarbeiterin reizte ihn. »Rufen Sie uns bitte ein Taxi.«

Der Chefredakteur fuhr mit der Assistentin in die Krausnickstraße.

Moische und Cordula lagen nebeneinander in ihrem Bett. Nach dem ersten Ansturm der Lust quälte Moische zunehmend die Erinnerung an die jüngste Vergangenheit. Er wollte Cordula nicht verletzen, doch er konnte dem Druck nicht standhalten. »Warum hast du mich betrogen?«

»Ich habe dich nie betrogen, Moische!«

»Du hast mir selbst gesagt, daß du mit Wimmer gepennt hast!«

Sie legte ihre Hand auf Moisches Schläfe. »Er hat mich erpreßt. Aber das war vor unserer Zeit. Seit ich mit dir zusammen war, habe ich keinen anderen Mann angerührt.«

»Und Heiner?!«

»Du meinst Heinrich Keller?«

Moische nickte. Sein Puls flog. Cordula lächelte ihn an. Moische fühlte ihre Wahrheit. Er umschlang die Geliebte. Cordula wollte ihn. Nur ihn! Das gab Moische die Kraft zurück, die ihm Judith geraubt hatte. Cordula und Moische liebten sich lange und ausdauernd. Danach schliefen sie engumschlungen ein.

Spät nachts schreckte Moische auf. Er versuchte, sich unbemerkt aus dem Bett zu schleichen, doch Cordula wachte auf.

»Ich muß nach Hause«, gestand Moische.

»Zu der anderen?«

Er nickte.

»Liebst du mich?«

Moische sah sie an. Ihre Züge waren in der Dunkelheit nur unscharf zu erkennen. Aber er spürte ihre Wärme, ihre Zärtlichkeit, ihre Hingabe. Er brauchte sie. Er liebte sie. »Ja.«

»Warum gehst du dann?«

»Ich weiß nicht.«

Moische verstand nicht, was ihn zu Judith zwang, obgleich er Cordula liebte. Doch zuviel stand seiner Liebe entgegen. Es war nicht allein die Erziehung seiner Mamme, auf die er alle Unbill abwälzte. Judith verkörperte die Werte, die ihm allenthalben eingetrichtert wurden, von Juden und Christen, von Deutschen wie von Amerikanern und Israelis, von Jungen und Alten, von Armen und Reichen, von Erfolgreichen und Versagern. Judith repräsentierte Schönheit und Reichtum. Sie mochte kalt schmecken und ständig neue Forderungen an ihn stellen, er mußte sie wollen.

Moische war wie die meisten Menschen auf Erfolg dressiert. Seine Gier wog schwerer als seine Liebe.

Noch vor der Redaktionskonferenz unterrichtete Ernst Diepholz seinen Chef von den Anweisungen des Verlagsleiters. Tom Jason hatte angeordnet, die Preiserhöhung auf eine Mark zu begrenzen und die »Anti-Wirtschafts-Serie« zu kippen. Moische hatte die entsprechenden Faxe bereits am Morgen vorgefunden. Er dankte Diepholz und bat ihn, die Leitung der Konferenz zu übernehmen. Der Chefredakteur dachte intensiv nach. Die mäßige Preiserhöhung konnte ihm vorläufig nur recht sein. Dadurch blieb die Auflage stabil. Die Reihe über die verantwortungslosen Wirtschaftsbosse würde den Absatz sogar steigern. Davon durfte er sich unter keinen Umständen abbringen lassen! Denn nur der Erfolg gab ihm Freiheit – glaubte Moische. Entweder mit und bei Manly oder gegen ihn.

Der Chefredakteur versammelte seine Männer, um ihnen seine Entscheidung mitzuteilen. Frank Lachner fehlte. »Wo steckt der Kerl?« wollte Moische wissen.

»Er hat mich heute um sechs Uhr früh angerufen und mir

gesagt, daß er wegen einer Familienangelegenheit dringend nach Hause muß«, berichtete Karl Abt.

»Da kann er gleich bleiben!« bestimmte Moische. Die Männer merkten ihrem Patron die Enttäuschung an. Doch der demonstrierte ungebrochene Führungsstärke. »Dirk, du übernimmst ab sofort kommissarisch die Aufgaben meines zweiten Stellvertreters.«

Moische ordnete an, die »Verantwortungslosen«-Serie wie vorgesehen mit der morgigen Ausgabe zu starten.

Er appellierte an seine Vertrauten, »jetzt erst recht und mit aller Kraft und Entschiedenheit unseren Weg zum Erfolg fortzusetzen«. Die Getreuen machten sich ans Werk.

Zur gleichen Zeit gab in München Georg Wimmer das Startzeichen für die Enthüllungsgeschichte über den »Falschen Juden« und die flankierenden PR-Maßnahmen.

Die Pressezüge aus München und Berlin rasten unaufhaltsam aufeinander zu. Derweil wurde in New York bereits ein neuer Lokomotivführer getestet.

Ron Manly war von Frank Lachners jugendlicher Erscheinung überrascht. Der Pressezar hatte lieber gestandene Männer um sich. Doch die ungespielte Selbstsicherheit, die fachliche Kompetenz, das ausgeglichene Wesen und nicht zuletzt das akzentfreie Englisch des deutschen Journalisten beeindruckten den Verleger.

»Was halten Sie von Bernstein?« wollte Manly von ihm wissen.

»Er ist ein exzellenter Journalist. Er hat hervorragende Ideen und große Erfolge vorzuweisen ...«

»Wieso wollen Sie dann seine Stelle?«

»Ich fürchte, Bernstein hat durch seine Erfolge das Augenmaß verloren. Wenn man ihn nicht von seinem Job entbindet, wird er alles zerstören, was er aufgebaut hat. Wir dürfen unsere Leser nicht durch eine rabiate Preiserhöhung vor den Kopf stoßen und unsere Inserenten nicht durch maßlose Beschimpfungen vergraulen. Wir sind auf diese Klientel angewiesen und müssen sie hegen und pflegen.«

»Und wer garantiert mir, daß Sie in einigen Monaten nicht genauso durchdrehen wie Bernstein?«

Lachner sah den Verleger lächelnd an. »Mr. Manly, ich bin sicher, Sie besitzen genug Menschenkenntnis, um dies nach unserem kurzen Gespräch auszuschließen!«

Manly mußte schmunzeln. »In der Tat. Sie haben einen guten Eindruck auf mich gemacht. Kehren Sie sofort zurück nach Berlin. Halten Sie sich bereit. Wenn Bernstein wirklich darauf besteht, soviel Mist zu bauen, wie Sie und Jason vermuten, machen wir einen fliegenden Wechsel.«

Manly erhob sich, streckte Lachner seine Hand entgegen. Dabei sah der Verleger den deutschen Journalisten intensiv an. »Ich bin sicher, daß Sie trotz ihrer Jugend einen kompetenten Chefredakteur von *Germany Today* abgeben.«

Ehe Frank Lachner gemeinsam mit Tom Jason nach Berlin zurückkehrte, handelte Victor Cerutti mit ihm einen erfolgsorientierten Vertrag aus. Der Finanzmanager war vom Stehvermögen und dem juristischen Wissen seines jungen Kontrahenten überrascht. »Ihr Deutschen verhandelt härter und seid noch geldgieriger als die Juden.«

Judith Zucker war den ganzen Samstag damit beschäftigt, die offiziellen Bekanntgabe ihrer Verlobung vorzubereiten. Doch zunächst gab sie Moische deutlich zu verstehen, daß sie von ihm dieses Mal ein »angemessenes Geschenk« erwartete. Dabei erinnerte sie ihn, »ja nicht zu wagen, dieses amerikanische Schwein auf unser Fest mitzuschleppen«.

Moische versprach, daran zu denken. Er fuhr schnurstracks zu Cordula. Moische genoß die Zärtlichkeit und Lust der Geliebten. Doch er konnte nicht abschalten. Der Chefredakteur sorgte sich um den Erfolg seiner Wirtschaftsbosse-Serie.

Während der Taxifahrt ins Büro vernahm Moische am Sonntagmorgen aus dem Autoradio die Nachricht von seinem vermeintlichen Schwindeljudentum. In der Redaktion herrschte helle Aufregung. Dirk Raubold, Karl Abt und Mark Hauser warteten bereits in Moisches Büro. Sie sprachen durcheinander und hofften auf ein erlösendes Wort ihres Mentors. Moische dankte ihnen für ihre Solidarität und schickte sie fort. Er brauchte Ruhe und mußte sich zunächst über die Sachlage informierten. Heike Pompetzki versorgte ihren Chef mit dem notwendigen Informationsmaterial und dem noch notwendigeren Kamillentee zur Beruhigung seiner Magennerven.

Zunächst las Moische das Vorabexemplar von *logo!*. Er schwor, sich an Wimmer zu rächen. Diesmal mach' ich den Antisemiten ein für alle mal kaputt! Die Sonntagszeitungen und Nachrichtenagenturen hatten schlicht von *logo!* abgekupfert, eigene Erkenntnisse besaßen sie nicht. Warum haben mich diese Drecksäcke nicht vorab informiert, ärgerte sich Moische über die fehlende Solidarität der Kollegen. Er beschloß, es ihnen bei Gelegenheit heimzuzahlen.

Der Chefredakteur mußte schnell und hart reagieren. Dazu mußte er wissen, über welche Informationen Wimmer verfügte und woher er sein Wissen bezog. *logo!* zitierte Hanna. Er konnte sich nicht vorstellen, daß ihn die eigene Mamme an diesen Nazi verraten hatte. Möglicherweise war Hanna gekränkt, weil er schon länger nichts mehr von sich hatte hören lassen. Moische hatte den guten Willen gehabt, seine Mamme anzurufen, aber ihm fehlte die Zeit. Er mußte es nachholen. Sofort! Der Chefredakteur bat seine Sekretärin, ihn mit Hanna zu verbinden. Das Telefonat kam nicht zustande, weil bei Hanna ständig belegt war. Die Pressemeute hatte seine Mamme in den Fängen. Er mußte sie vor diesen Hyänen ebenso schützen wie sich selbst. Aber wie?

Der Chefredakteur ließ Dirk Raubold zu sich rufen, während die Pompetzki und die zweite Sonntagssekretärin vergeblich versuchten, zu Hanna durchzudringen.

»Dirk, du mußt meine Mutter an die Strippe kriegen, um sie vor den Presseaasgeiern zu schützen, koste es was es wolle.«

»Ich werde es schaffen!« Raubold nickte bestimmt. Moische fühlte, wie der Bursche innerlich die Hacken zusammenschlug. Der Junge hing an ihm. Er würde tun, was er konnte. Aber war das genug? Der Chefredakteur hatte eine Idee. »Telefonisch kommen wir nicht durch. Die Mädels draußen versuchen's schon die ganze Zeit. Wir haben doch einen Korrespondenten und zwei Mitarbeiter in München. Schick sie zu meiner Mutter! Stöbere die Burschen auf. Egal, wo sie stecken. Schick sie mit einem Handy hin. Ich muß meine Mamme sprechen. Jede Sekunde zählt! Sobald du die Verbindung hast, fliegst du selbst hin und kümmerst dich um meine Mutter. Aber sag mir vorher Bescheid. Alles klar?!«

»Aye, Aye, Sir«, rief Raubold und wollte sich davonmachen. Moische hielt ihn zurück. »Du mußt es schaffen, Junge! Mein Schicksal liegt in deiner Hand«.

»Sie können sich auf mich verlassen!«

»Danke, Dirk!«

Moische drückte dem Jungen die Hand. Danach bat er den CvD, die Redaktionssitzung um eine Stunde zu verschieben.

»Ich werde das sofort veranlassen, Chef«, versicherte Karl Abt. Die Loyalität seiner Männer gab Moische Auftrieb. Er begann eine Anti-Wimmer-Strategie zu entwickeln. Im Mittelpunkt mußte ein eigener Artikel stehen. Moisches authentische Stellungnahme würde den Antisemiten zermalmen. Dazu eine intensive Informationskampagne. Der Chefredakteur beorderte Kasford zu sich. »Bring deine Maschine auf volle Touren! Kratz jeden verfügbaren Mann und jedes Weib zusammen. Entwerft einen Schlachtplan. In wenigen Stunden wird's ernst. Wir müssen noch heute zurückschlagen! Wir dürfen den *logo!*-Denunzianten keinen Raum und keine Zeit lassen!«

»Geht klar, Chef.«

Dirk Raubold meldete sich. Er hatte den Münchener Sportreporter erreicht. Der Journalist weilte bei seiner Freundin in Schleißheim und wollte sich sofort auf den Weg machen.

»Dirk, du bist ein Goldjunge. Laß den Burschen nicht los-
fahren, ehe er mit mir gesprochen hat.« Wenige Sekunden später hatte Moische Ludwig Stangl an der Strippe. »Hör zu,
Stangl! Raubold hat dir sicher schon gesagt, daß es jetzt um alles oder nichts geht …«

»Freilich, Herr Bernstein.«

Der vertraute bayuwarische Akzent ließ Moische schmun-
zeln. »Das Überleben unseres Blattes ist von dir abhängig!«
Moische vernahm ein Schlucken. »Du organisierst dir auf der
Stelle zwei, drei kräftige Burschen. Wenn niemand anders ver-
fügbar ist, greif dir ein paar Taxifahrer. Gib jedem fünfhundert
Mark. Dann fahrt ihr zu meiner Mutter, die Adresse hast du?«

»Ich hab's mir aufg'schrieben, Herr Bernstein.«

»Ausgezeichnet. Ihr verschafft euch Zutritt zu ihrer Wohnung! Im guten oder im schlechten. Und dann haut ihr alle anderen Typen aus dem Haus. Und zwar sofort! Ohne bitte, bitte,
oder verhandeln …«

»Geht klar, Herr Bernstein … Wenn ich des noch sagen darf:
Ich bin 1,94 und Karatekämpfer. Ich seh' da kein Problem.«

»Hervorragend, Stangl. Ich zähle auf dich! Sobald ihr die
anderen Kerle rausgeworfen habt, setzt du dich mit mir in Verbindung!«

»Jawohl, Herr Bernstein.«

Nun hatte Moische die Hoffnung, den Kampf mit Wimmer
gewinnen zu können. Er stärkte sich mit einer Tasse Kamillentee. Die Pompetzki protestierte. »Der ist schon kalt. Ich mach
Ihnen einen neuen.«

»Danke, Heike.«

Die Sekretärin strahlte. Der Chef hatte sie noch nie mit
ihrem Vornamen angeredet. Sie eilte in die Teeküche.

Moische versuchte einen Kommentar in eigener Sache zu verfassen. Doch er war zu aufgeregt. Das Papier flimmerte vor
seinen Augen. Ihm blieb vorerst nichts übrig, als heißen Kamillentee zu schlürfen. Endlich schrillte das Telefon. Heike ver-
band Moische mit Stangl. Der Chefredakteur sah auf seine

Uhr. Seit seinem Gespräch mit dem Bayern waren weniger als vierzig Minuten vergangen.

»Wir haben eine Mordsgaudi gehabt«, ließ sich der Münchner vernehmen. »Bei Ihrer Mutter waren drei Reporter. Preuß'n! Mein Spezi und ich hab'n denen 'n paar kräftige Watsch'n gegeben, danach sind's freiwillig davon.«

»Das vergeß' ich Ihnen nie, Stangl. Und meine Mutter?«

»Die ist ganz munter. A bisserl durcheinand', aber sonst in Ordnung.«

»Danke, Stangl! Herzlichen Dank!«

Der Reporter reichte den Hörer weiter. Hanna deckte Moische mit einem Schwall von Vorwürfen ein. »Undankbarkeit! Untreue! Vernachlässigung! Rücksichtslosigkeit! ...«

Moische hatte keine Zeit für die Schmonzes der Alten. »Halt deinen Mund und hör mir zu!« brüllte er. Doch anders als seine Redakteure ließ sich die Mamme von Moische nicht einschüchtern. Er mußte sie eine Weile gewähren lassen, ehe er mit ihr reden konnte.

»Ich will nur eine Sache wissen, stimmt das, was die Schmierfinken über Vater schreiben?«

»Die Nazis haben meinen seligen Aaron ...«

»Wem hast du das erzählt?«

»Deinem Freund Heiner ...«

»Krepieren soll er! Warum hast du das gerade dem größten Antisemiten verraten?«

»Heiner ist kein Antisemit. Er liebt uns Juden ...«

»Wie Adolf Hitler!« Moische warf den Hörer auf den Apparat. Die Ratte mach ich kalt, schwor er sich. Moische wußte, was er zu tun hatte. Der Chefredakteur wies den CvD an, binnen einer Viertelstunde die verschobene Redaktionssitzung anzuberaumen.

Als Moische, gefolgt von seinen Vertrauten, den Produktionsraum betrat, spendeten die Redakteure Beifall. Der Chef verbreitete durch seine Haltung und seinen Blick Zuversicht. Moische ließ sich in seinen Sessel fallen. Er sah sich um. Das

Leben ist ein aufregender Sturmlauf, den ich gewinnen werde, glaubte er.

»Ich danke euch für eure Loyalität, Kinder.« Die Frauen und Männer klopften mit ihren Knöcheln kräftig auf den Produktionstisch oder auf ihre Armlehnen.

Der Chefredakteur machte glaubhaft, daß er selbst erst wenige Stunden zuvor erfahren hatte, »wie furchtbar die Nazis meinen Vater zugerichtet haben«. Die Runde sah betroffen zu Boden. Einige Redakteure, auch Männer, hatten Tränen in den Augen. Cordula verbarg ihr Gesicht.

»Aaron Bernstein bleibt mein Vater. Einerlei, was die Nazis ihm angetan haben und erst recht, nachdem er auch nach seinem Tod mit Dreck beworfen wird«, fuhr Moische fort.

Dann redete der Chefredakteur Tacheles. »Aus dem Martyrium eines Naziopfers Kapital schlagen zu wollen, ist das Niederträchtigste und Schäbigste, was mir untergekommen ist. Dieses Vorgehen kann man nur mit dem Fleddern der Leichen von vergasten Juden vergleichen!« Moisches Stimme brach.

Frauen weinten. Männer versuchten Haltung zu bewahren.

Moische brauchte eine Weile, ehe er sich gefaßt hatte. »Daß Wimmer und Keller diese widerliche Geschichte ausgeheckt und in die Welt gesetzt haben, macht das Ganze um so schlimmer!«

Cordula Röder hielt es nicht länger aus. Sie lief aus dem Raum. Moische atmete mehrmals tief durch, ehe er weitersprechen konnte. »Solche Kreaturen haben in unserm Beruf nichts verloren! Sie sind gemeingefährlich. Wir müssen alles in unserer Macht Stehende tun, um diesen Lumpen das Handwerk zu legen. Ein für alle Mal!« Die Redakteure klatschten heftig. Sie riefen »Bravo!«, »Recht so!«, »Dreckskerle!«, »Genau!«.

Der Chefredakteur erhob sich und verkündete gefaßt das weitere Vorgehen. »Meine Damen und Herren. Wir werden mit unserer Arbeit dafür sorgen, daß diese Auswüchse im deutschen Journalismus endgültig der Vergangenheit angehören.

Wir werden noch heute unsere Antwort auf dieses unmenschliche, verantwortungslose Handeln geben!«

Betretene Stille. Der Chefredakteur bat Ernst Diepholz, die Geschäfte zu führen und verließ allein den Produktionsraum.

Ein weiteres Kännchen Kamillentee und ein Haferschleimsüppchen, das Heike Pompetzki ihrem Chef zubereitet hatte, taten ihre Wirkung. Moische fühlte sich wieder schreibfähig.

»Journalisten, die in unserer Zeitung gescheitert sind, haben in der Vergangenheit meiner Eltern herumgeschnüffelt. Sie haben ausbaldowert, daß mein verstorbener Vater von den Nazis zum Krüppel geschlagen wurde und deshalb zeugungsunfähig war. Folglich sei ich nicht sein Sohn und daher kein Jude, verkünden sie.

Das ist nichts als böses Geschwätz! Aaron Bernstein war ein Opfer der Nazibarbarei. Er hat mich mit unendlicher Liebe als sein Kind großgezogen. Ich werde immer sein Sohn bleiben und sein Andenken bewahren und ehren.«

Moische erläuterte den »lieben Lesern«, seine Mutter sei »unbestritten Jüdin« und damit auch er selbst ein Jude. Doch sein Glaube sei seine »Privatangelegenheit«. »Wichtig ist nicht, woran einer glaubt, ob er in die Kirche geht oder in die Synagoge, sondern daß er ein Mensch ist. Wir sind alle Menschen. Wir sollen unseren Nächsten lieben. Zumindest achten. ... Wer seinen Mitmenschen keinen Respekt entgegenbringt, wer andere leiden läßt, sich daran weidet und daraus auch noch Gewinn schlagen will, schließt sich aus der menschlichen Gemeinschaft aus. Das skrupellose Treiben solcher Individuen dürfen wir nicht dulden. Schon gar nicht in der Presse. Denn sie hat die Pflicht, uns offen zu informieren und für Demokratie und die Verteidigung der Menschenrechte einzutreten.« Das war's! Moische überschrieb seinen Kommentar:

Ich fordere Menschlichkeit!

Der Chefredakteur hoffte, daß sein humanitäres Plädoyer seinem Feind Wimmer den Kopf kosten würde.

In einem Interview mit den Spätnachrichten des Fernsehens wiederholte Moische seine Forderungen nach Menschlichkeit. »Wir müssen uns auf das Gebot der Nächstenliebe besinnen!« Die Frage nach den Motiven der Enthüllungsstory »in einem sogenannten politischen Magazin« beantwortete der Journalist zunächst mit Unverständnis. Dann brach es aus Moische Bernstein heraus. »Schändliche Geldgier! Diese Leute gehen zu Werk wie die SS-Schergen, die den ermordeten Juden die Goldzähne herausgebrochen haben!« Tränen liefen über sein Gesicht. Noch in der Nacht gingen Tausende empörte Anrufe bei den Fernsehsendern und bei *logo!* ein.

Der Verleger Christian Bürzel forderte von seinem Geschäftsführer Eberhardt von Caunitz energisch Konsequenzen. »Der antisemitische Nazidreck in unserem Heft muß ein für alle Mal aufhören, sonst muß ich mich von Ihnen trennen, Caunitz!« Der Manager reagierte umgehend.

Bei *Germany Today* handelte man ebenfalls. Nach der Ausstrahlung des Interviews mit Moische erhöhte der technische Direktor Gert Tackert nach Absprache mit dem Chefredakteur und dem CvD die Auflage auf 950 000 Exemplare.

Dagegen brach der Absatz von *logo!* ein. Nur knapp die Hälfte der gedruckten Exemplare konnte an den Mann gebracht werden. Nach Moisches dramatischem Fernsehappell wollten sich die deutschen Leser nicht zu Kumpanen von Nazi-Schergen machen, die ihre Opfer ausgeraubt hatten. Überdies konnten sie die pikanten Einzelheiten der degoutanten Affäre aus der Hand des jüngsten Antisemitismusopfers erfahren. Auch Bildungsbürger machten sich die Mühe, gegen ihre Gewohnheit, das anspruchsvolle Boulevardblatt *Germany Today* zu erwerben.

Moische Bernstein wurde auf der morgendlichen Redaktionssitzung mit stehenden Ovationen empfangen. Karl Abt hatte auf eigene Verantwortung Champagner auffahren lassen. Der zurückhaltende Ernst Diepholz hielt eine kurze Rede.

»Lieber, verehrter Herr Bernstein. Wir haben, wie mir der

Vertrieb versichert, bereits jetzt mehr als 900 000 Exemplare verkauft. Wir lassen zur Stunde nachdrucken und ausliefern. In wenigen Wochen ist es Ihnen gelungen, die Auflage unserer Zeitung mehr als zu verdoppeln. Das spricht für sich.«

Beifall unterbrach den Stellvertreter. Er sammelte sich kurz. »Wir alle, lieber Herr Bernstein, sind stolz, unter Ihrer Leitung arbeiten zu dürfen.« Erneut wurde geklatscht und gejubelt. Diepholz straffte seinen Körper. »Gestatten Sie mir, lieber Herr Bernstein, daß ich mein Glas auf Sie erhebe ...« Die Redakteure folgten seinem Beispiel. Diepholz hob seine Stimme. »Auf unseren Chefredakteur, Moische Bernstein, ein dreifaches Hoch ... Hipp, hipp, hurra!« schallte es aus allen Kehlen durch den Produktionsraum, ehe die Frauen und Männer ihre Kelche leerten.

Dirk Raubold trank seinen Champagner in einem Zug aus und zertrümmerte anschließend sein Glas. Die Umstehenden sahen ihn verwundert an. Moische war von der Geste Raubolds angetan. Auch er schleuderte seinen Kelch zu Boden. Dies brach den Bann. Jeder im Raum, selbst der steife Ernst Diepholz, zerschmetterte sein Glas. Die Frauen und Männer jauchzten.

Als sich der allgemeine Jubel nach einigen Minuten zu legen begann, ergriff Moische das Wort. Er gab sich keine Mühe, seine Rührung zu verbergen. Der Chefredakteur dankte seinen »Kindern« für ihre Loyalität und unermüdliche Mitarbeit und versprach: »Das ist erst der Anfang! Ich werde euch von Erfolg zu Erfolg führen«. Seine letzten Worte gingen im allgemeinen Jubel unter.

Der Chefredakteur wies Ernst Diepholz an, eine Doppelseite für die Leserreaktionen zu seinem Menschlichkeitsappell aufzureißen und Raubolds Serie über Wirtschaftskriminelle fortzusetzen.

Danach zog er sich mit seinem Küchenkabinett zurück. Moische Bernstein feierte mit Dirk Raubold, Karl Abt, Mark Hauser, Gert Tackert und Kasford den jüngsten Triumph. Heike Pompetzki versorgte die Männer mit Champagner und

Whisky. Die ausgelassene Runde schmiedete erneut Pläne für das Nachrichtenmagazin *First*.

Am frühen Nachmittag wurde der Chefredakteur zu einer dringenden Unterredung zum Verlagsleiter gebeten. »Feiert weiter, Kinder! Ich bin gleich wieder da«, rief Moische. Doch seine Fröhlichkeit war aufgesetzt. Trotz seines jüngsten Triumphs fürchtete er sich vor dem Treffen.

»Du bist gefeuert!« Tom Jason hatte seinem Besucher nicht einmal einen Platz angeboten.

Moisches Hände zitterten, sein Puls raste. Er brauchte eine Weile, ehe er auf die Worte des Verlagsleiters antworten konnte. »Ich habe meine ... unsere Zeitung zu ihrem größten Erfolg geführt ...«

»Bullshit!« schrie Jason. »Du hast *Germany Today* fast ruiniert.«

»Ich habe die Auflage verdoppelt ...«, krächzte Moische.

»Und uns um fast alle Anzeigen gebracht!«

»Das ist eine antisemitische Intrige. Weil mich diese Sau Wimmer beschuldigt, kein Jude zu sein ...« Moisches Stimme gewann an Kraft. Er befand sich auf vertrautem Terrain. Doch der Amerikaner dachte nicht daran, dieses für Deutsche verminte Gelände zu betreten.

»Shut up!« herrschte er Moische an. »Deine Judenstory hat voll ins Herz deiner Deutschen getroffen. Sie kaufen deinen Tinnef wie verrückt ...«

»Eben!« Moische schöpfte wieder Hoffnung.

»Aber das hilft uns einen Dreck! Die Werbewirtschaft kündigt uns die Inserate serienweise auf!«

»Weil sie Antisemiten sind! Alte Nazis ...«, suggerierte der Journalist.

»Nein! Weil du ein Arschloch bist und sie in den Dreck gestoßen hast!« Jason baute sich vor Moische auf, der unwillkürlich zurückwich. »Wenn ich dir jetzt eine ins Gesicht schlage, wirst du mir dafür kein Geld zahlen. Egal, ob ich ein verdammter Jude oder ein verdammter Deutscher bin!«

»Sie werden nicht an uns vorbei können«, kämpfte Moische. »Wir werden bald eine Million Auflage machen ...«

»Du bist größenwahnsinnig! Eine Million ... ist ein Furz! In Deutschland werden täglich über dreißig Millionen Zeitungen verkauft. Wer Geld hat, kann inserieren, wo er Lust hat. Da, wo man ihm in den Arsch kriecht, statt ihm ins Gesicht zu spucken.«

»Ich werde die Anzeigenwirtschaft zurückgewinnen. Ich werde eine Serie über die Bedeutung der Werbung ...«

Jason verspürte Mitleid mit dem autistischen Journalisten, dessen Egomanie ihn wie ein umgekehrtes Fernglas der Wirklichkeit entrückte. Er bot Moische einen Platz an, blieb jedoch selbst stehen. »Ich habe dich gewarnt, Moische! Ich habe getobt und gebettelt. Laß unsere Geldgeber zufrieden. Aber du wolltest schlauer sein und sie bloßstellen.«

»Ich werde mich bei ihnen entschuldigen. Ich kriege das hin!«

»Nein! Du bist der Wirtschaft und ihren Werbefritzen nicht mehr vermittelbar, deshalb mußt du gehen!«

»Ihr braucht mich! Keiner kann die Zeitung führen wie ich«, schrie Moische mit brechender Stimme.

»Du solltest allmählich gelernt haben, daß kein Mensch unersetzbar ist.« Tom Jason wollte es vermeiden, aber ihm blieb nichts übrig, als dem Meschuggenen weh zu tun, um ihn endlich loszuwerden. »Wir haben einen guten Mann, der unsere Zeitung weiter auf Erfolgskurs halten wird.«

»Wer?« Moische ahnte ein Komplott.

»Das geht dich einen Dreck an!«

»Wer? Ich geh nicht eher aus dem Büro, ehe du mir nicht gesagt hast, welcher Aasgeier meine Leiche auffressen will.«

»Dann schmeiß ich dich raus.«

Moische sprang auf.

»Frank Lachner«, sagte Jason trocken.

»Dieses Verräterschwein!« Moische schossen Tränen in die Augen. »Ich habe diesen Jungen großgemacht. Ich habe ihm alles beigebracht. Und er fällt mir in den Rücken. Dieser miese Antisemit.« Moische trat auf Jason zu. Sein Zeigefinger schoß vor. »Und du widerlicher Intrigant hast dieses Komplott ausgeheckt.«

Jasons Schläfenadern schwollen an. Er trat zwei Schritte zurück, sonst hätte er den schmächtigen Journalisten niedergeschlagen. Der Amerikaner atmete mehrmals tief durch, dann hatte er seine Nerven wieder unter Kontrolle. »Ich werde dir mal was sagen, Bernstein! Du bist nicht an Antisemiten, Kapitalisten, Journalisten, Intriganten und weiß der Teufel was gescheitert, wie du in deinem Verfolgungswahn glaubst ...«

»Doch! Du ...«

»Nein, du!« sagte Jason bestimmt. »Du selbst bist dir der schlimmste Feind!«

Moische verstummte. Tom Jason redete weiter. »Du brauchst einen Menschen, eine Frau, die dich vor dir selbst schützt, sonst richtest du dich zugrunde. Aber diese Mrs. Zucker ist Gift für dich ...«

»Laß Judith aus dem Spiel«, schrie Moische hilflos auf.

»... statt dich im Zaum zu halten wie einen hysterischen Gaul, tritt sie dir die Sporen in den Bauch, bis du gegen die Wand läufst.« Jason ging auf Moische zu. Er wollte ihm die Hand auf die Schulter legen. Aber er wußte, daß er dies nicht tun durfte. »Sorry, Moische. Ich muß dich feuern. Ich habe keine Wahl!«

»Doch!«

»Nein! Aber nimm endlich meinen Rat an! Das ist das einzige, was ich für dich tun kann.« Jasons Stimme wurde harsch. »Jag' diese Schlange zur Hölle!«

»Niemals!« rief Moische.

Als Moische Judith berichtete, daß er rausgeworfen worden war, tat sie das Gleiche. »Du hast mir schon viel zu viel angetan. Jetzt auch noch diese Schande! Statt dich mit mir zu verloben, hast du versagt!« konstatierte sie und wies Moische aus ihrem Haus. Als der arbeitsloser Journalist sein Geld zurückforderte, das er ihr zur Verwaltung anvertraut hatte, reagierte Judith ungehalten. »Ich habe das Geld nach deinen Anweisungen in Junk Bonds angelegt ...«

Moische nickte.

»... sie sind leider verfallen.«

»Aber das ist doch unmöglich. Das war mein ganzes Geld. Mehr als eine halbe Million ...«

»Ich habe das Zehnfache verloren«, beendete Judith die Auseinandersetzung.

Sie wies das Hausmädchen an, Moische beim Packen zu helfen, und begab sich zu Gabi ins Schlafzimmer.

Am folgenden Tag wurde der neue Chefredakteur auf der Redaktionskonferenz offiziell vorgestellt. Die Nachricht war bereits am Vorabend durchgesickert. Die Redakteure empfingen Frank Lachner reserviert. Das Küchenkabinett des früheren Chefredakteurs rechnete mit Kündigungen und Zurückstufungen. Doch Frank Lachner vermied unnötige Unruhe. Durch sein freundliches Wesen, seinen Fleiß und seine Umsicht erwarb er sich rasch das Vertrauen der Redaktion. Nach einem kurzen Zwischentief gelang es ihm, die Auflage bei rund 800 000 Exemplaren zu stabilisieren. Ungleich wichtiger für den Bestand der Zeitung war jedoch, daß der neue Chefredakteur das Wohlwollen der Wirtschaft zurückgewann. *Germany Today* unterstützte unter seiner Führung vorbehaltlos das freie Unternehmertum. »Nur, wenn unsere Wirtschaft grünes Licht hat, können wir im globalen Wettbewerb bestehen. Und nur, wenn unsere Wirtschaft boomt, können wir die Arbeitslosigkeit wirksam bekämpfen«, betonte der Chefredakteur in seinem ersten Leitartikel.

Diese klare Haltung wurde mit einem soliden Anzeigenaufkommen belohnt. Die gute Ertragslage erlaubten Verlag und Chefredaktion, die Gründung eines neuen Nachrichtenmagazins ins Auge fassen.

Neben der Studie des Chefredakteurs gab der Verlagsleiter

ein alternatives Exposé in Auftrag, das dessen Stellvertreter diskret erarbeitete. Tom Jason gewann den Eindruck, daß Dirk Raubold originellere Ideen hatte und ein besseres Durchsetzungsvermögen besaß als Frank Lachner, der sich bereits auf den Lorbeeren seines Vorgängers auszuruhen begann.

15
Euer Jude

Beim Betreten der Anwaltskanzlei begegnete Moische seinem früheren Chef. Die arbeitslosen Journalisten blickten aneinander vorbei.

Nathan Katz nahm kein Blatt vor den Mund. »Du bist der gleiche Schmock wie der Wimmer.«

»Aber er hat sein Heft ruiniert, während ich mein Blatt aufgebaut habe!« beharrte Moische.

»Das spielt keine Rolle. Ihr seid beide mit dem Kopf gegen die Wand gerannt. Er hat versucht, dich als Jude fertigzumachen. Das kann sich kein Deutscher nach Hitler mehr erlauben. Hätte er geschrieben, daß du ein Lügner und Urkundenfälscher bist, wäre es ihm gelungen, dich fertig zu machen. Aber so stand er als Antisemit da. Das war sein Todesurteil.«

Moische grüßte.

»Und du Potz hast dich mit der Wirtschaft angelegt. Das ist schon unserem Landsmann Jesus schlecht bekommen.« Moisches Schmunzeln erzürnte den Advokaten. »Was bildest du dir ein? Glaubst du, du bist Trotzki? Daß du's mit den Kapitalisten aufnehmen kannst?«

»Ich wollte um jeden Preis Auflage machen ...«, bekannte der Journalist.

»Man darf in der Synagoge kein Schweinefleisch verkaufen!« dekretierte Katz.

Der Anwalt raubte seinem Mandanten die Hoffnung, zumindest die fristlose Form der Kündigung anfechten zu können. »Das ist sinnlos! Die Burschen werden dir vorrechnen, daß sie durch deine Angriffe gegen die Werbekunden Millionenverluste erlitten haben. Du kannst froh sein, wenn sie keine Regreßforderungen anmelden, sonst darfst du bis an dein Lebensende zahlen. Wahrscheinlich werden sie dir in den nächsten Tagen ein Schreiben übermitteln, in dem sie dir anbieten, auf ihre Ansprüche zu verzichten, wenn du deinerseits für kein anderes Presseorgan tätig wirst.«

»Das heißt, ich bin als Journalist gestorben?«

»So ist es!«

»Was mach' ich jetzt?«

»Das gleiche wie Millionen andere Menschen. Leben und beten, daß du gesund bleibst.«

Nathan Katz erhob sich. Der Advokat verzichtete auf ein Beratungshonorar.

Hanna war ungehalten, daß Moische so spät kam, um sie abzulösen.

»Du weißt doch, daß ich um elf Uhr einen Termin beim Doktor habe«, schimpfte sie. »Aber die Gesundheit deiner Mamme war dir schon immer egal!« Hanna humpelte zur Kasse und entnahm ihr mehrere Banknoten. Sie wandte sich zu Moische um. »Wenn ich dich nicht aufgenommen hätte, nachdem sie dich in der Zeitung rausgeschmissen haben, wärst du in der Gosse gelandet!«

»Durch dein dummes Geschwätz bin ich erst in der Gosse gelandet!« Moische wies auf den verwahrlosten Jeansladen und dann auf seine Mutter. »Hier!«

»Wenn es dir nicht paßt, kannst du jederzeit gehen!«

»Das werde ich auch tun!« Doch Hanna wußte, daß die Drohung leer war. Ihr Sohn war auf sie angewiesen und würde es bleiben, bis sie für immer die Augen schloß. Danach mochte ihm der Ewige gnädig sein. Doch statt seiner Mamme zu danken, marterte er sie ständig mit seiner sinnlosen Fragerei. Auch heute.

»Sag' mir endlich, wer mein wahrer Vater ist!« bedrängte er sie.

Seinen Lesern hatte Moische vorgemacht, sein leiblicher Vater sei ihm einerlei. Seine Mamme mußte er nicht anlügen.

»Nie im Leben!« beschied ihm Hanna.

Sie wollte in ihren Mantel schlüpfen. Doch Moische riß das Kleidungsstück zu Boden und packte seine Mamme am Hals.

»Mörder«, kreischte Hanna.

Moische verstärkte seinen Griff. »Wenn du mir nicht auf der Stelle sagst, wer mein Vater ist, mach' ich dich kalt.«

Hanna Bernstein erkannte in seinen Augen, daß es Moische ernst war. Ihr Sohn hatte die Angst vor ihr verloren. Sie fürchtete den Tod nicht. Doch sie wollte ihr Kind nicht als Mörder allein auf der Welt zurücklassen. »Gut!« keuchte sie. Moische ließ sie augenblicklich los.

Hanna rieb sich den Hals. »Muttermörder! Lump!« schimpfte sie.

»Sag's auf der Stelle!« befahl Moische. »Sonst bring' ich dich um!«

»Ich weiß es nicht!« stammelte Hanna. Moische wollte der Mamme wieder an die Gurgel, doch Hanna schlug ihm die Hand weg. »Ich weiß es nicht! Und wenn du mich tausendmal totschlägst. Ich wollte ein Kind, das den Namen meines seligen Vaters weitertragen sollte. Wenn ich gewußt hätte, was für einen Auswurf ich gebären würde, hätte ich mich auf der Stelle umgebracht.«

»Wer ist mein Vater?« beharrte Moische.

»Ich weiß es nicht!«

»Zum letzten Mal!«

Was sollte sie dem Tollwütigen antworten? »Ich war so lange mit Männern zusammen, bis ich schwanger war.«

Nach über vierzig Jahren war sie den Druck endlich los.

Auf ihrem Sohn lastete er weiter.

»Du weißt nicht, wer mein Vater ist?«

Die Mamme schüttelte den Kopf.

»Das heißt, jeder kann mein Vater sein? Ein Deutscher …, sogar ein Nazi!« schrie er entsetzt auf.

»Genug!« befahl Hanna. Sie riß ihren Kopf zurück. Das verheulte Make-up verlieh ihrem Gesicht ein clowneskes Aussehen. Doch ihre Stimme war klar.

»Quäl dich nicht mit dieser Schmonze! Du bist nicht der Bankert von einem Nazi, sondern mein Kind!« Sie schlug sich mit der flachen Hand gegen die Brust. »Du bist mein Kind! Ich bin deine Mamme! Das war immer so und wird immer so bleiben!«

»Ja!« Moische fiel Hanna um den Hals. Mutter und Kind hielten sich fest umarmt. Moische begriff, was er seinen Lesern bereits vorgemacht hatte: allein die Mamme zählte.

Mittags kam Cordula in den Laden. Sie spürte, wie aufgewühlt Moische war.

»Hast du deine Mutter gefragt, ob wir heiraten dürfen?« erkundigte sie sich mit sanfter Stimme.

»Das ist sinnlos! Hanna wird es niemals zulassen!«

»Warum?«

»Weil du eine Deutsche bist!«

»Du bist selbst ein Deutscher!«

»Ich bin Jude!« beharrte Moische.

»Dein Vater ist doch Deutscher!«

»Mein Vater geht mich einen Dreck an! Von mir aus war's Adolf Hitler oder ein Gorilla.«

»Und deine Mutter?« rief Cordula. »Sie ...«

Moische winkte unwirsch ab. »... ist genauso unwichtig!«

»Aber? ...« Cordula wußte nicht weiter.

»Du!« schrie Moische. »Du! Und Heiner Keller und Knut Reydt und Georg Wimmer und all die anderen Deutschen ...«, Moische ballte die Fäuste. »Ihr! Ihr macht mich zum Juden. Zu eurem Musterjuden!«

Glossar

Aliya (hebräisch) Einwanderung nach Israel; wörtlich: Aufstieg

Bar Mizwa (hebr.) Reifefeier jüdischer Knaben am 13. Geburtstag; wörtlich: Sohn der Pflicht

bekovet (jiddisch) ehrbar

beschickert (jidd.) betrunken

Brith Mila (hebr.) Beschneidung; wörtlich: Wortbund (mit Gott)

Chassidim (hebr.) Gruppen besonders frommer Juden osteuropäischer Herkunft

Chochme (jidd.-hebr.) Klugheit

Chonte (jidd.) Hure

Chuzpe (jidd.-hebr.) Frechheit

derhargenen (jidd.-hebr.) töten

DP (englisch) Displaced Persons; Bezeichnung für nach dem Krieg heimatlos Gewordene; vor allem ehemalige KZ-Häftlinge aus Osteuropa

Erez Israel (hebr.) Land Israel

Goj (hebr.) Nichtjude; wörtlich: Stamm

Jeschiwa (hebr., Pl. Jeschiwot) Gebetsraum

Jingale (jidd.) Jüngelchen

Jiskor (hebr.) Gedenkgebet, das am Jom Kippur gesprochen wird; wörtlich: Gedenken

Jom Kippur (hebr.) Versöhnungstag; höchster jüdischer Feiertag

Kaddisch (aramäisch) jüdisches Totengebet; wörtlich: heilig

Kiddusch (hebr.) religiöses Festessen; wörtlich: Heiligung

Kippa (hebr.) Käppchen, das ein orthodoxer Jude auf dem Hinterkopf trägt

Koscher (jidd.-hebr.) astrein; den religiösen Reinheitsgeboten entsprechend; wörtlich: rein

354

Le Chaim (hebr.) Trinkspruch; wörtlich: Auf das Leben!

Machscheife (jidd.-hebr.) Hexe

Masl tow (hebr.) Viel Glück!; wörtlich: gutes Glück

Mazze (jidd.-hebr.) ungesäuertes Brot, das vor allem am Pessach-Fest (dem jüdischen Osterfest) bei frommen Juden gegessen wird

meschugge (jidd.-hebr.) bekloppt; wörtlich: verrückt

Mesusa (hebr.) Kapsel, die einen Papierstreifen mit dem Gebet »Höre, Israel« enthält, hängt in der Synagoge und in den Wohnungen frommer Juden am Türpfosten

Mischpoche (jidd.-hebr.) Familie

Moire (jidd.) Angst

Moische (jidd.-hebr.) Mosche; im Deutschen oft durch Moritz ersetzt

Muselmann Bezeichnung für dem Tode nahe KZ-Häftlinge

nebbich (jidd.) bedauerlich, nebensächlich

Nebochant (jidd.) bemitleidenswerter Mensch

Neschume (jidd.-hebr.) Seele

Nudnik (jidd.-hebr.) Schwätzer

Porez (jidd.) feiner Herr

Rozejach (jidd.-hebr., Pl. Rozeichim) Mörder

Schabbes (jidd.) Sabbat

Schickse (jidd.) Nichtjüdin; wörtlich: Unreine

Schmattes (jidd.) billige Textilien

Schmock (jidd.) Pimmel, Trottel

Schmonzes (jidd.) Unsinnigkeiten, Petitessen

Scholem (jidd.-hebr.) Friede

Simches (jidd., hebr. Simchat Thora) Thora-Freudenfest

Ssoicher (jidd.) Kaufmann

Tacheles (jidd.) zur Sache

Talmud (hebr.) Zusammenfassung der Lehren und Kommentare der jüdischen Religion; wörtlich: Lehre

Thora (hebr.) Bibel (Altes Testament)

Tinnef (jidd.) Tand

Toches (jidd.) Hintern

trennen (jidd.) vögeln

Tscholent jüdisches Bohnen-und Fleischgericht

WASP (englisch) White Anglo-Saxon Protestant, protestantischer Weißer angelsächsischer Herkunft, Bezeichnung für die privilegierte Bevölkerungsgruppe in den USA

Danksagung

Vor, während und nach der Abfassung meines Buches haben
mir mit Rat und Tat zur Seite gestanden:
Joachim Lottmann, Marianne Schönbach, Wolfgang J. Diet-
rich, Elisabeth Neu, Franz und Waltraud Stangl, Nicola T.
Stuart, Andrea Deyerling-Beyer, Ulrike Bastong, Edmund Ja-
coby und Ina Schaper.

Laurence Cossé
Der Beweis

Eine göttliche Komödie
Roman
176 Seiten, purpurner Samteinband
mit Goldprägung

»Beaulieu nahm eine Tafel Schokolade
aus der Schreibtischschublade und las.
Nach sechs Seiten begann er zu zittern. Diesmal
war es weder ein arithmetischer
noch ein physikalischer noch ein ästhetischer
noch ein astronomischer Beweis.
Es war ein unwiderlegbarer Beweis.
Die Existenz Gottes war bewiesen.«

Ein doppelbödig-heiterer theologischer Thriller,
angesiedelt im Paris des Jahres 1999.
Ein unterhaltsames Plädoyer dafür, daß der Zweifel
menschlicher ist als jede fundamentale
Gewißheit. Eine göttliche
Komödie.

Claassen